Wolfgang Hiebe

Lernziel Deutsch

Deutsch als Fremdsprache

Grundstufe 2

Max Hueber Verlag

Quellenverzeichnis

Seite 8: Frei bearbeitet nach „Lernen lernen 4". Aus: Grix/Knöll, Lernfeld Gesellschaft. Diesterweg, Frankfurt am Main, 1973. – Abb.: Historia-Photo
Seite 9: Nach Hisako Matsubara, „Mein Vorbild war Heine". In: Unsere Zeitung Nr. 263, 12/1978
Seite 22: Sehr frei nach K. Kusenberg, „Es brennt", Hermann Schroedel Verlag, Darmstadt/Hannover
Seite 35: Frei bearbeitet nach „Gespräch mit einem 73jährigen Mann ...". Aus: Hörverständnisübungen, Inter Nationes, Bonn-Bad Godesberg
Seiten 36/37: Nach zwei Märchen der Brüder Grimm. – Abb.: Archiv für Kunst und Geschichte, Berlin
Seite 40: Grafik „Lebensbaum": Globus-Kartendienst, Hamburg. – Grafik „Wer bekommt wieviel?" ASKI-Team, München.
Seite 51: Abb.: laif, Köln
Seite 54: Grafik: Globus-Kartendienst, Hamburg
Seite 64: Frei bearbeitet nach W. Ackermann, „Der Gelegenheitsarbeiter Max Berling". Aus: Deutsches Lesebuch, 6. Schuljahr. Diesterweg, Frankfurt am Main, 1968
Seite 65: Foto: Süddeutscher Verlag, Bilderdienst
Seite 68: Grafik: ASKI-Team, München
Seite 76: Abb. „Adler" und „Ford T": Süddeutscher Verlag, Bilderdienst
Seite 82: Grafik „Talfahrt der Bahn": Globus-Kartendienst, Hamburg – Grafiken unten: Statistisches Bundesamt (Hg.), Statistisches Jahrbuch 1984. Verlag W. Kohlhammer, Stuttgart, 1984
Seite 91: Foto: Sommer, Bavaria-Verlag, Gauting
Seite 106: Aus „Die Zeit", 20. 7. und 31. 8. 1979
Seite 107: Frei bearbeitet nach W. und A. Beile, Modelle für den audiolingualen Unterricht 3. Inter Nationes, Bonn-Bad Godesberg. – Fotos oben und Mitte: H. Lerch, München
Seite 110: 4 Fotos: Süddeutscher Verlag, Bilderdienst
Seiten 119/120: Frei bearbeitet nach Eggerer/Rötzer, „Wort und Form 8". C. C. Buchners Verlag, Bamberg
Seite 121: Frei bearbeitet nach „Wenn ich zurückdenke ...". Aus: „schwarz auf weiß 5", Hermann Schröder Verlag, Hannover
Seite 124: Fotos Daimler, Zeppelin, Röntgen: Süddeutscher Verlag, Bilderdienst. – Foto Braun: Archiv für Kunst und Geschichte, Berlin
Seite 133: Aus: O. H. Kühner, „Pastorale". Reclam Band 8541, 1968
Seite 134: Foto: Süddeutscher Verlag, Bilderdienst
Seite 138: Abb. links: Süddt. Verlag, Bilderdienst
Seite 152: Grafik: ASKI-Team, München
Seite 162: Heinz Rein/QUICK, München, 1984
Seite 175: Frei bearbeitet nach H.-J. Schyle, „Pressefreiheit". Aus: „Papa, Charly hat gesagt ...", Band 1. Rowohlt, Reinbek bei Hamburg, 1975
Seite 180: „Kabelanschluß": Mit freundlicher Genehmigung des Autors
Seite 189: Foto: Gabor, Rosenheim
Seite 191: Aus: Kurt Marti, Dorfgeschichten. Luchterhand Verlag, Darmstadt und Neuwied, 1983
Seite 194: Grafiken: Globus-Kartendienst, Hamburg
Seite 205: Brecht: Gesammelte Werke, Band 10 (Gedichte 3). werkausgabe edition suhrkamp. © Suhrkamp Verlag, Frankfurt am Main 1967. Schiller: Sämtliche Werke in 5 Bänden, Band 3. Winkler Verlag, München [4]1981.

Alle übrigen Fotos: Werner Bönzli, Reichertshausen

3. 2. 1. | Die letzten Ziffern
1995 94 93 92 91 | bezeichnen Zahl und Jahr des Druckes.
Alle Drucke dieser Auflage können, da unverändert, nebeneinander benutzt werden.
2. Auflage 1991

Illustrationen: Ute Stumpp · München
Umschlaggestaltung: Werbe- und Verlagsagentur Langbein Wullenkord · München
Layout: Erwin Schmid · München
Verlagsredaktion: Werner Bönzli · Reichertshausen
Druck: Manz AG · Dillingen
Printed in Germany
ISBN 3-19-001362-4

Inhalt

Hinweise

Übungen im Lehrbuch

Die im Lehrbuch abgedruckten Übungen sind gelenkt, die Lösungen daher zum größten Teil eindeutig und leicht überprüfbar. Das Buch enthält drei Gruppen von Übungen:

1 Partnerübungen

Die Partnerübungen werden sowohl im Unterricht als auch in Zweiergruppen außerhalb des Unterrichts gemacht. Sie sollten so lange dialogisch geübt werden, bis sie auch ohne Buch und in flüssigem Sprechtempo keine Schwierigkeiten mehr bieten. So werden die Regularitäten der Sprache auf Wort-, Satz- und Textebene eingeübt, und die Lerner entwickeln ein Gefühl für die Normen und Konventionen eines Gesprächs.

2 Schriftliche Übungen

Die Schriftlichen Übungen sind so angelegt, daß sie auch ohne die Hilfe des Lehrers leicht zu verstehen sind und somit außerhalb des Unterrichts gemacht werden können. Auch diese Übungen sind zum größten Teil gelenkt, die Lösungen eindeutig – im Gegensatz zu den im Lehrerhandbuch vorgeschlagenen schriftlichen Übungen.

3 Kontrollübungen

Mit einem Blatt Papier deckt der Lerner die rechte Lösungsspalte ab und kann so selbständig, ohne die Hilfe des Lehrers, kontrollieren, ob er den Grammatikstoff der jeweiligen Reihe beherrscht. Von Zeit zu Zeit sollte der Lerner die Kontrollübungen früherer Reihen wiederholen.

Übungen im Lehrerhandbuch

Im Lehrerhandbuch stehen die Übungen, die nur mit der unmittelbaren Anleitung und Kontrolle durch den Lehrer in der Unterrichtssituation gemacht werden sollten. Mit ihrer Hilfe wird der Stoff jeder Reihe im Unterricht aufgearbeitet und eingeübt. Sie berücksichtigen freiere Übungsformen, die unterschiedliche Lösungen und spontanen Ausdruck zulassen. **Diese Übungen sind ein wichtiger Teil des Übungsangebots im Lehrwerk.** Für ihre Durchführung sind zum Teil Wandtafel und/oder Cassetten-Abspielgerät erforderlich.

Begleitübungen zur Grundstufe 2

Dieses Buch enthält zusätzliche Übungen zum Wortschatz, zur Grammatik und zum Textzusammenhang, deren Progression auf „Lernziel Deutsch, Grundstufe 2“ abgestimmt ist. Die Übungen eignen sich besonders zur Wiederholung und Festigung des Stoffes und zur Vorbereitung auf das „Zertifikat Deutsch als Fremdsprache“ oder eine andere Prüfung am Ende der Grundstufe.

Reihe 1

Thema

Lernen

Texte

1 Zwei Briefe
2 Könnten Sie mir bitte helfen?
3 Das Lernen lernen
4 Als ich das erstemal auf deutsch träumte

Grammatik

Konjunktiv 2 – Höflichkeitsform

Könnte ich ...? Dürfte ich ...?
Hätten Sie ...?
Würden Sie ...?
Es wäre sehr nett, wenn ...

Bitten

Mainz, den 11.2.1984

Liebe Frau Müller,

auf unserem Klassentreffen letzte Woche war es sehr nett. Schade, daß Sie nicht auch kommen konnten. Aber vielleicht sehen wir Sie übernächstes Wochenende wieder?
Fernando (Sie erinnern sich doch sicher noch an ihn!) machte nämlich den Vorschlag, einen gemeinsamen Ausflug nach Trier zu organisieren, und alle fanden, es wäre schön, wenn Sie bei diesem Ausflug mitfahren könnten. Hätten Sie Zeit und Lust dazu?
Außerdem würden wir gern einmal mit Ihnen über ein Problem sprechen: Unser Deutsch wird seit September immer schlechter, weil wir keinen Sprachkurs mehr haben. Vielleicht könnten Sie uns ein paar Hinweise geben, wie wir allein weiterlernen sollen. Wir wären Ihnen sehr dankbar.

Mit freundlichen Grüßen

Julia und José

Liebe Julia, lieber José,
über Euren Brief habe ich mich sehr gefreut, und ich bedanke mich ganz herzlich für die Einladung zur Fahrt nach Trier.
Aber leider muß ich übernächstes Wochenende in Kassel einen Vortrag halten. Schade, ich würde wirklich gern mitfahren!
Nun zu Eurem Sprachproblem: Ich glaube nicht, daß Ihr noch Ratschläge fürs Deutschlernen braucht. Aber es wäre nett, wenn Ihr mich einfach mal besuchen und mir von Eurer Arbeit als Praktikanten erzählen könntet.
Ruft mich doch mal an, am besten zwischen sechs und acht Uhr abends!
Mit freundlichen Grüßen
Eure Monika Müller

Könnten Sie mir bitte helfen?

An einer Telefonzelle

● Entschuldigen Sie,
dürfte ich Sie um etwas bitten?
Ich weiß nicht genau,
wie so ein Telefonapparat funktioniert.
Ich wäre Ihnen sehr dankbar,
wenn Sie mir das erklären könnten!

○ Aber natürlich, gern!
Zuerst den Hörer abheben
und dann das Geld einwerfen.
Zwei Zehnpfennigstücke.
Und dann wählen Sie die Nummer.

● Ich habe leider kein Kleingeld,
nur eine Mark.
Könnten Sie mir vielleicht wechseln?

○ Moment ... Nein, tut mir leid.
Aber fragen Sie doch mal dort am Kiosk!

● Es ist nicht so dringend. Jedenfalls vielen Dank für Ihre Hilfe. Wissen Sie, als Ausländer hat man immer wieder so kleine Probleme ...

○ Aber Sie sprechen doch ausgezeichnet Deutsch!

● Na ja, es geht.

○ Meine Frau ist auch Ausländerin, aber sie spricht noch nicht so gut wie Sie. Könnten Sie mir sagen, wo Sie so gut Deutsch gelernt haben?

● Ich spreche mit den Leuten auf der Straße. Mit Ihnen zum Beispiel. Das ist meine Methode, Deutsch zu lernen. Wenn man höflich um Auskunft bittet, ist eigentlich jeder gern bereit zu helfen. Und dann passe ich genau auf, wie die Leute sprechen. Ich versuche, mir die Wörter und Sätze zu merken, und wiederhole sie das nächste Mal. Ehrlich gesagt, ich weiß schon lange, wie ein Telefonapparat funktioniert, aber solche Gespräche sind eine gute Übung. Übung macht den Meister.

Das Lernen lernen

● Nächste Woche bekommen wir eine neue Lehrerin.

○ Ja, John hat's mir schon erzählt. Schade, ich finde, Frau Sommer ist wirklich eine gute Lehrerin.

● Ich weiß nicht ... Mir hat ihr Unterricht nicht gefallen. Wenn ich sie etwas gefragt habe, hat sie meist nur geantwortet: „Gehen Sie in die Bibliothek, dort sind Wörterbücher, Lexika und Grammatiken!" Ich hatte manchmal den Eindruck, sie weiß die richtige Antwort selbst nicht.

○ Doch, die weiß sie schon. Sie will nur, daß du lernst, die Bibliothek zu benützen. Sie ist eben eine gute Pädagogin.

● Aha.

○ Du weißt doch, was „Pädagogin" bedeutet, oder?

● Nein. Würdest du es mir erklären?

○ Komm, wir sehen mal in einem einsprachigen Wörterbuch nach!

● Du redest ja schon wie Frau Sommer! – Also, zeig mal her. Wie buchstabiert man das überhaupt?

○ Pe, Ä, De, A, Ge, O, Ge, I, En.
Hier steht's:

auch ugs.: Tracht Prügel
Päd|ago|ge [griech.] *m.11* Erzieher, Lehrer, Erziehungswissenschaftler; **Päd|ago|gik** *w.10 nur Ez.* Erziehungswissenschaft, Kunst des Erziehens; **päd|ago|gisch** erzieherisch; Pädagogische Hochschule (*Abk.*: PH)
Pad'del [engl.] s.5 frei zu füh-

● Gut, alles klar. Ich verstehe es tatsächlich!

○ Laotse hat einmal gesagt:
„Gibst du einem Menschen einen Fisch, nährt er sich einmal. Lehrst du ihn das Fischen, nährt er sich das ganze Leben."

● Und wer ist dieser ...?

○ Laotse. El, A, O, Te, Es, E.

● Ach so, ich soll mir wohl die Antwort selbst suchen ...
Ha, I, Jot, Ka, El ... Hier, Laotse!
Den Text verstehe ich nicht,
aber das Bild ist nett.

Laotse [la'o:tse, 'lavtse] (Laotzu), chin. Philosoph, der nach chin. Überlieferung im 6. Jh. v. Chr. lebte; legendenhafte, widersprüchl. biograph. Angaben; das ihm von der chin. Tradition zugeschriebene, aber immer wieder bezweifelte „Taoteking" (Tao Te Ching; = Buch vom Tao u. Te) weist in manchen

Als ich das erstemal auf deutsch träumte

Ich habe mit dreißig Jahren angefangen, Deutsch zu lernen. Das war ziemlich spät; ich glaube, wenn man jünger ist, ist es viel leichter, eine Fremdsprache zu lernen. Aber ich wollte es trotzdem versuchen. Mich interessierte die deutsche Kultur, und einige Mitarbeiter der Firma hatten die Aussicht, einmal in Deutschland zu arbeiten. Also lernte ich Deutsch.

Manche Freunde warnten mich vor dieser Sprache. Aber ich ließ mir keine Angst machen und meldete mich für einen Sprachkurs an. Anfangs fand ich Deutsch gar nicht so kompliziert. Ich freute mich über meine schnellen Fortschritte, und das Lernen machte mir viel Spaß.

Eines Tages kam mein Chef zu mir ins Büro. Er fragte mich, ob ich gern ein paar Jahre im Ausland arbeiten wollte. Die Firma brauchte einen Vertreter in Düsseldorf – einen Vertreter für den ganzen europäischen Markt. Im ersten Moment konnte ich es kaum glauben, daß sich mein Wunsch erfüllen sollte. Jetzt war die Gelegenheit da, meine Deutschkenntnisse an Ort und Stelle zu verbessern. Ich überlegte nicht lange und nahm das Angebot an.

Aber in Düsseldorf war die Freude bald vorbei. Ich sah, daß meine Deutschkenntnisse nicht ausreichend waren: ich hatte große Schwierigkeiten, Deutsche zu verstehen, wenn sie in normaler Geschwindigkeit sprachen. Dazu kam, daß Deutsche sich anders verhalten als wir. Unsere Form der Höflichkeit kennen sie nicht. So war ich in vielen Situationen unsicher und wußte nicht, wie ich mich verhalten sollte. Das alles mußte ich möglichst schnell lernen.

Ich wollte auch lernen, auf deutsch zu denken. Also zwang ich mich, meine Muttersprache zu vergessen. Ich erfand Gespräche mit Deutschen und versuchte, alles, was ich dachte, auf deutsch auszudrücken. Und dann, eines Nachts, träumte ich auf deutsch – das erste Mal! Seit diesem Traum fühle ich mich viel sicherer und glaube jetzt, daß sich die große Mühe doch gelohnt hat.

Konjunktiv 2 – Höflichkeitsform

können → könnte, dürfen – dürfte

Dürfte	**ich**	einen Moment stören?	Darf ich ...?
Könntest	**du**	morgen fahren?	Kannst du ...?
Könnte	**er**	noch hierbleiben?	Kann er ...?
Dürften	**wir**	Sie besuchen?	Dürfen wir ...?
Könntet	**ihr**	um zwei Uhr da sein?	Könnt ihr ...?
Könnten	**Sie**	mir schreiben?	Können Sie ...?

haben → hätte

Ich	**hätte**	eine Bitte: ...	Ich habe ...
	Hättest du	Zeit zu kommen?	Hast du ...?
	Hätte er	Lust mitzukommen?	Hat er ...?
Wir	**hätten**	noch einen Wunsch: ...	Wir haben ...
	Hättet ihr	eine Flasche Wein?	Habt ihr ...?
	Hätten Sie	einen Terminkalender?	Haben Sie ...?

sein → wäre

Ich	**wäre**	Ihnen sehr dankbar, wenn ...	Ich bin ...
Es	**wäre**	sehr nett, wenn ...	Es ist ...

---

andere Verben → **würde** + *Infinitiv*

Ich	**würde**	Sie gern etwas	**fragen.**	Ich frage ...
	Würdest du	mir das bitte	**erklären?**	Erklärst du ...?
Er	**würde**	gern bei uns	**arbeiten.**	Er will ...
Wir	**würden**	ihn gern	**kennenlernen.**	Wir wollen ...
	Würdet ihr	ihm das bitte	**sagen?**	Sagt ihr ...?
	Würden Sie	bis morgen	**warten?**	Warten Sie ...?

Bitten

Indikativ

Ich möchte Sie kurz sprechen.
Ich möchte Sie **bitten,** mir zu helfen.

Rufen Sie mich morgen **an?**
Geben Sie mir Ihre Adresse?

Kann ich am Mittwoch kommen?
Darf ich meinen Freund mitbringen?

Imperativ

Geben Sie mir Ihre Adresse!
Ruf mich morgen **an!**
Seid doch nicht so laut!

Konjunktiv 2

Könnte ich Sie kurz sprechen?
Könnten Sie mir helfen?
Würden Sie mir Ihre Adresse geben?

Ich hätte eine Bitte: Können Sie mich morgen anrufen?
Dürfte ich am Mittwoch kommen?
Wäre es möglich, daß ich meinen Freund mitbringe?

Wendungen

Entschuldigen Sie, kann ich Sie kurz sprechen?
Bitte helfen Sie mir!

Würden Sie mir **einen Gefallen** tun?
Ich wäre Ihnen **sehr dankbar,** wenn ...
Wärst du **so nett** und gibst mir mal ...

Weiterlernen

Hinweise für die Benutzung

Die Stichwörter sind nach dem ABC geordnet. Die Umlaute ä, ö, ü stehen bei den nicht umgelauteten Buchstaben, z. B.

Ahne
ähneln
ahnen
ähnlich
Ähnlichkeit
Ahnung

Eine Tilde (~) ersetzt im Eintrag das Stichwort. Der Punkt über oder unter der Tilde bedeutet, daß das Wort groß (~̇) oder klein (~̣) geschrieben wird, z. B.

belebt … ~̇heit (= Belebtheit)

Die Betonung ist durch einen Akzent vor der betonten Silbe angegeben, z. B.

Mi'nu·te

Bei Nomen steht immer das grammatische Geschlecht. Die Zahl dahinter bezeichnet die Tabelle der Deklination (s. 27), z. B.

Schütze ⟨m. 17⟩

Bei Verben steht immer der Hinweis, ob das Verb transitiv (V.t.) oder intransitiv (V.i.) ist. Die unregelmäßigen Verben erhalten die Nummer der betreffenden Konjugationstabelle.

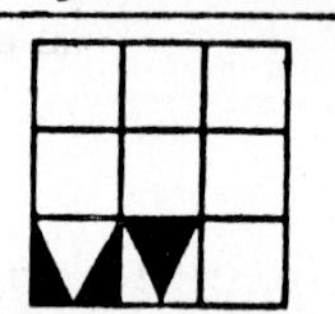

Partnerübungen

1 Wir hätten eine Bitte: Könnten Sie ...?

Konjunktiv 2, können

Partner 1: *Wir hätten* eine Bitte ...
Partner 2: Und die wäre?
Partner 1: *Könnten Sie uns die Fotos schicken?*
Partner 2: Kein Problem! Das mache ich gern.

Schicken Sie uns die Fotos!
Nehmt mich im Auto mit!
Geben Sie uns das Buch zurück!
Peter und Eva sollen uns helfen.

Bleiben Sie doch bis morgen bei uns!
Ruf heute abend Herrn Bauer an!
Leihen Sie mir Ihren Fotoapparat!
Kauf bitte für uns Theaterkarten!

2 Nur eine Frage: Hätten Sie ...?

Konjunktiv 2, haben

Partner 1: Nur eine Frage ...
Partner 2: Ja bitte?
Partner 1: *Hätten Sie* Lust, *mit uns nach Trier zu fahren?*
Partner 2: Ich hätte schon Lust dazu. Aber leider habe ich keine Zeit.

Fahren Sie doch mit uns nach Trier!
Besuch doch mit mir Frau Müller!
Macht doch mit uns einen Ausflug!
Kommen Sie doch mal zu uns!

José soll an Frau Müller einen Brief schreiben.
José und Julia sollen die Fahrt organisieren.

3 Würden Sie bitte mal rüberkommen?

Konjunktiv 2, sein

Partner 1: *Würden Sie* bitte mal rüberkommen?
Partner 2: Was gibt's denn?
Partner 1: Frau Engelmann möchte Sie gern sprechen.
Partner 2: Es wäre mir lieber, wenn ich später kommen könnte.
Ich würde gern noch zwei Briefe schreiben.

Kommen Sie mal rüber!
Kommt doch mal rüber!
Herr Posch soll rüberkommen!

Komm mal rüber!
Fritz und Hans sollen rüberkommen!

4 Und morgen?

Konjunktiv 2

Partner 1: *Hätten Sie* heute *Zeit?*
Partner 2: Nein, heute habe ich keine Zeit.
Partner 1: Und morgen? Hätten Sie morgen Zeit?
Partner 2: Morgen? Das weiß ich noch nicht.
Das kann ich erst heute abend sagen.
Partner 1: Dürfte ich dann heute abend noch einmal anrufen?
Partner 2: Ja. Aber könnten Sie bitte vor zehn Uhr anrufen?
Partner 1: Ja, natürlich!

Haben Sie Zeit?
Können Sie kommen?
Fahren Sie nach Bonn!
Bleiben Sie länger!
Ist es möglich, daß wir uns treffen?
Machen Sie Überstunden!

5 Wie schreibt man das?

Buchstabieren

Partner 1: Wie ist Ihr Name, bitte?
Partner 2: *Seibold.*
Partner 1: Wie schreibt man das?
Partner 2: Es, E, I, Be, O, El, De.
Partner 1: Und wo wohnen Sie?
Partner 2: Kraußstraße 17. Ka, Er, A, U, scharfes Es.

A (A) wie Anton
B (Be) wie Berta
C (Ce) wie Cäsar
D (De) wie Dora
E (E) wie Emil
F (Ef) wie Friedrich
G (Ge) wie Gustav
H (Ha) wie Heinrich
I (I) wie Ida
J (Jot) wie Julius
K (Ka) wie Kaufmann
L (El) wie Ludwig
M (Em) wie Martha
N (En) wie Nordpol
O (O) wie Otto
P (Pe) wie Paula
Q (Ku) wie Quelle
R (Er) wie Richard
S (Es) wie Samuel
T (Te) wie Theodor
U (U) wie Ulrich
V (Vau) wie Viktor
W (We) wie Wilhelm
X (Ix) wie Xanthippe
Ypsilon
Z (Zet) wie Zacharias

6 Entschuldigen Sie, . . .

Höfliche Fragen und Bitten

Partner 1
- *möchte zum Bahnhof*
- *möchte Zigaretten kaufen*
- *fragt, wo die Post ist*
- *möchte das Telefon benutzen*
- *braucht Kleingeld zum Telefonieren*
- *fragt, wann der Film beginnt*
- *möchte wissen, wie spät es ist*
- *möchte von Partner 2 ein Foto machen*

Partner 1: ______________________________ ?

Partner 2: ______________________________ ?

Schriftliche Übungen

1 Kombination: Brief an ein Spracheninstitut

Sehr geehrte Damen und Herren,

den Anmeldetermin wissen   wäre ich Ihnen dankbar
von Freunden weiß ich
und ob noch etwas frei ist   Könnten Sie mir schreiben
Vielleicht könnten Sie mir   Ich hätte im August Zeit
daß Sie Anfängerkurse für Spanisch geben   wann Kurse beginnen
Für eine baldige Antwort   ein Kursprogramm schicken
Zu diesen Sprachkursen
für den Kurs im August   und würde deshalb gern   hätte ich gern genauere Informationen

Mit freundlichen Grüßen   Martina Goll

2 Welche Bedeutungen hat „gehen"?

Wortschatz

Ich ging damals noch in die Schule.
Mir ging es nicht gut.
Ich wollte von meinen Eltern weggehen.
Der Zug ging erst am Abend.
Ich fragte, ob diese Straße zum Bahnhof geht.
Wieviel Uhr ist es? Meine Uhr geht nicht.
Ist das weit? – Es geht.
Zu Hause ging es um Erziehung.
Ich wollte weg. Aber es ging nicht.
Bei der Prüfung ging alles ganz gut.
Die Büroarbeit gefiel mir nicht, und ich ging.

nicht sehr
führen
funktionieren
sich fühlen
kündigen
verlassen
besuchen
möglich sein
klappen
sprechen über
abfahren

3 Wortschatzübung

Setzen Sie neue Verben und Nomen ein (vgl. Vokabular Seite 18)!
Beispiel:
Text 1 Wann das war, weiß ich nicht mehr genau → Wann das war, daran erinnere ich mich nicht mehr genau.

Welches neue Verb paßt?

Text 1 Wann das war, weiß ich nicht mehr genau.

Text 2 Er fragte mich, ob ich ihm Kleingeld geben könnte. Er sagte mir, was ich beim Telefonieren falsch machte. Er nahm den Hörer und gab zwei Zehnpfennigstücke in den Apparat. Ich sah genau zu, wie er das machte. Schließlich zeigte er mir alles noch einmal. Jetzt probierte ich zu telefonieren, aber es ging nicht.

Text 3 Weißt du nicht, was dieses Wort heißt? Warum nimmst du nicht ein Wörterbuch? Du mußt nur wissen, wie man das Wort schreibt. Da, hier kannst du es lesen!

Text 4 Ein Freund sagte mir, ich sollte nicht Deutsch lernen, es ist zu schwierig. Aber er konnte mir keine Angst machen. Ich ging zu einem Spracheninstitut und sagte, daß ich in einen Deutschkurs wollte. Sehr bald wurde mein Deutsch immer besser. Jetzt kam das Angebot, nach Deutschland zu gehen, und ich sagte ja. Ich habe also erreicht, was ich mir immer wünschte. Jetzt will ich unbedingt nur noch auf deutsch denken. Langsam fange ich sogar an, so zu leben wie die Deutschen.

Welches neue Nomen paßt?

Text 1 Julia machte den _____, nach Trier zu fahren. Die Lehrerin konnte die Fahrt nicht mitmachen, sie hatte einen _____ in Kassel. Julia arbeitet jetzt als _____ und hätte gern von ihrer früheren Lehrerin einen _____, wie sie lernen soll.

Text 2 Sie sagt, ich soll viel üben, denn Übung macht den _____. Wichtig ist auch, wie man lernt, also die _____.

Text 3 Julia braucht zum Lernen viele Bücher; sie geht oft in eine _____. In einem _____ sieht sie nach, wer Laotse war.

Text 4 Yoko lernte Deutsch, weil sie sich für die deutsche _____ sehr interessiert. Sie wollte möglichst schnell _____ beim Deutschlernen machen. Aber sie hatte große _____ und mußte sich viel _____ geben. Anfangs waren ihre Deutsch _____ nicht sehr gut. Wenn Deutsche in normaler _____ sprachen, verstand sie nichts. Doch sie freut sich über jede _____, wenn sie Deutsch sprechen kann. Jetzt hörte sie, daß sie die _____ hat, als _____ der Firma in Deutschland zu arbeiten. Sie soll sich um den Verkauf auf dem europäischen _____ kümmern. Ihre _____ war groß.

Kontrollübung

dürfen	___ ich einen Moment stören?	Dürfte
–	Ich ___ gern mit Ihnen sprechen.	würde
haben	___ Sie jetzt ein paar Minuten Zeit?	Hätten
können	___ Herr Fuchs auch kommen?	Könnte
–	Er ___ Sie gern einiges fragen.	würde
haben	Wir ___ einen Vorschlag.	hätten
–	Herr Fuchs ___ gern bei uns arbeiten.	würde
sein	Es ___ schön,	wäre
können	wenn er bei uns arbeiten ___.	könnte
sein	Wir ___ Ihnen sehr dankbar.	wären
haben	Ich ___ eine Bitte:	hätte
können	___ du mir einen Gefallen tun?	Könntest
–	___ du mir bitte zehn Mark leihen?	Würdest
sein	Das ___ nett von dir.	wäre
sein	Es ___ prima, wenn du mir	wäre
können	das Geld für einen Monat leihen ___.	könntest
–	___ du mir in dieser Sache helfen?	Würdest
sein	___ du so nett, mich morgen anzurufen?	Wärest
dürfen	___ Peter morgen bei dir vorbeikommen?	Dürfte
haben	___ du für ihn ein Buch?	Hättest
haben	___ ihr Lust, tanzen zu gehen?	Hättet
–	___ ihr auch Lisa mitnehmen?	Würdet
können	___ ihr Karin und Manfred anrufen?	Könntet
sein	___ ihr so nett,	Wäret
–	___ ihr mich nach Hause bringen?	würdet
dürfen	___ wir bis 1 Uhr bleiben?	Dürften
sein	___ es möglich,	Wäre
können	daß ihr uns heimfahren ___?	könntet
haben	___ ihr noch Zeit dazu?	Hättet
–	Ich ___ nicht gern mit dem Bus fahren.	würde

Text 1

wieder/sehen	s Klassentreffen, –	s Sprachproblem, –e	übernächst
sich erinnern an	r Vorschlag, –̈e	r Ratschlag, –̈e	dankbar
mit/fahren	r Hinweis, –e	s Deutschlernen	
weiter/lernen	r Gruß, –̈e	r Praktikant, –en	
sich bedanken für	r Vortrag, –̈e		

Text 2

bitten um	versuchen	e Nummer, –n	dringend
funktionieren	sich merken	s Kleingeld	höflich
erklären	wiederholen	r Kiosk, –e	ehrlich
ab/heben		e Hilfe, –n	
ein/werfen	e Telefonzelle, –n	e Methode, –n	na ja
wählen (Telefon)	r Telefonapparat, –e	r Satz, –̈e	das nächste Mal
wechseln	r Hörer, –	r Meister, –	bereit sein
auf/passen	s Zehnpfennigstück, –e		

Text 3

benützen	lehren	e Pädagogin, –nen	meist
bedeuten		r Fisch, –e	
nach/sehen	e Bibliothek, –en	s Fischen	überhaupt
her/zeigen	s Lexikon, Lexika		aha
buchstabieren	e Grammatik, –en	einsprachig	hier steht's
sich nähren	r Eindruck, –̈e	tatsächlich	

Text 4

träumen	erfinden	r Markt, –̈e	e Situation, –en
warnen vor	aus/drücken	e Gelegenheit, –en	r Traum, –̈e
sich an/melden	dazu kommt, daß …	e Kenntnis, –se	e Mühe, –n
erfüllen		r Ort, –e	
verbessern	e Kultur, –en	e Freude, –n	kompliziert
an/nehmen (Angebot)	e Aussicht, –en	e Schwierigkeit, –en	normal
sich verhalten	r Fortschritt, –e	e Geschwindigkeit, –en	möglichst
sich zwingen	r Vertreter, –	e Form, –en	

Übung 1 – Satzbeispiele und Umschreibungen: Welche Satzbeispiele können die Bedeutung der wichtigsten neuen Wörter erklären, und wie lassen sie sich umschreiben? (Siehe Übung 3, Seite 16)
Übung 2 – Wortbildung: Welche Wörter sind zusammengesetzt? Welche verwandten Wörter kennen Sie?
Übung 3 – Stammformen der Verben: Welche Verben sind unregelmäßig? Wie heißen ihre Stammformen? (Siehe Liste Seite 215!)
Übung 4 – Valenz der Verben: Wie werden die Verben im Text verwendet? Welche Objekte hängen von ihnen ab? Welchen Kasus haben diese Objekte?

Reihe 2

Thema

Verwaltung

Texte

1 Wie gut haben es Beamte?
2 Verband „Grüner Wald“ protestiert
3 Bei der Feuerwehr
4 Die Schildbürger bauen ein Rathaus

Grammatik

Konjunktiv 2	Hilfsverben	wäre	hätte
	Modalverben	könnte müßte dürfte	
	Schwache Verben	würde . . .	mieten
	Starke Verben	käme brächte fände gäbe läge	nähme wüßte bliebe ginge ließe

Wunschsätze mit Konjunktiv 2

Meinungen

Christoph Kunz, 35 Jahre alt, ist beruflich selbständig. Er hat eine Metzgerei in Aachen. Das Geschäft geht zur Zeit nicht gut, weil zwei Großfirmen in der gleichen Straße zwei Supermärkte eröffnet haben. Herr Kunz wäre froh, wenn er einen Beruf hätte wie sein Freund, Thomas Benning. Der ist Zollbeamter.

Diese Woche: Wie gut haben es die Beamten?

„Du hast es gut, Thomas, du bist Beamter! Ich habe mir schon oft gewünscht, ich wäre auch Beamter. Dann hätte ich eine feste Arbeitszeit und müßte nicht abends noch hinter der Kasse stehen und Rechnungen prüfen. Seit drei Jahren habe ich keinen Urlaub mehr gemacht. Als Beamter hätte ich jedes Jahr 4 Wochen bezahlten Urlaub und könnte mich richtig erholen. Das wäre mal schön! Und ich wüßte genau, wieviel Geld ich am Ende des Monats habe – das würde dann nicht mehr von meinen Kunden abhängen. Es ginge mir sogar besser als jedem Angestellten: Niemand könnte mir kündigen, und im Alter würde mir der Staat eine gute Pension zahlen. Aber leider bin ich nicht Beamter ...“

Thomas Benning, 37 Jahre alt, ist anderer Meinung. Er wäre sehr froh, wenn er selbständig wäre wie sein Freund Christoph. Ein Beamter, so meint er, hat gar kein so schönes Leben.

„Du hast es gar nicht so schlecht, wie du immer denkst. Ich wünsche mir oft, ich wäre nicht Beamter geworden. Als Selbständiger hätte ich schon vor 10 Jahren viel mehr verdient. Ich erinnere mich genau, daß du dir immer mehr leisten konntest als ich. Wenn ich mich nach meiner Ausbildung gleich selbständig gemacht hätte, wäre ich von Anfang an mein eigener Chef gewesen und hätte nicht nur das tun müssen, was andere von mir verlangen. Würde es dir etwa Spaß machen, jeden Tag 8 Stunden Pässe zu stempeln und Formulare auszufüllen? Ich könnte mir wirklich einen interessanteren Beruf vorstellen. Leider nützt es nichts mehr, darüber nachzudenken. Ich hätte mich damals anders entscheiden müssen ...“

Verband „Grüner Wald“ protestiert gegen Autobahnteilstück

In einem Brief an die gemeinsame Planungsgruppe des Kreisbauamts und des städtischen
Bauamts hat der Verband „Grüner Wald“ gegen
den Bau eines neuen Autobahnteilstücks protestiert. In dem Schreiben heißt es unter ande-
rem: „Der Plan, die Stadtautobahn Nord in
nordöstlicher Richtung bis zur Stuttgarter Autobahn zu verlängern, ist unverantwortlich. Diese
Verlängerung würde über 4 km durch ein großes
Waldstück führen. Wenn dieser Plan Wirklichkeit würde, dann wäre das das Ende für ein altes
und noch recht gesundes Waldgebiet, denn die
neue Autobahn würde den Wald in zwei Teile
zerschneiden. Die beiden Waldstücke rechts und
links der Straße wären dann kaum noch lebensfähig. Dies würde nicht nur den Tod eines der
letzten Erholungsgebiete im Norden der Stadt
bedeuten, es wäre auch eine große Gefahr für
die Qualität des Trinkwassers in unserer Stadt.“

Gestern nachmittag nahm die Planungsgruppe
zu diesem Schreiben Stellung: „Die Planungsgruppe sieht ihre wichtigste Aufgabe darin,
die Gesundheit der Stadtbewohner zu schützen. Es wäre schön, wenn sich der Schutz der
menschlichen Gesundheit in jedem Fall mit
dem Schutz der Natur verbinden ließe. In diesem Fall ist das leider nicht möglich. Wenn wir
dieses Autobahnteilstück nicht bauen würden,
würde der Verkehr in der Waagstraße und in
den Straßen um den Römerplatz im nächsten
Jahr um 70 % zunehmen. Schon heute aber
klagen die Bewohner dieser Gebiete über den
Lärm und die Luftverschmutzung durch den
Autoverkehr. Sie finden die Zustände bereits
jetzt unerträglich.

Die Planungsgruppe kann versichern, daß durch
den Bau des Autobahnteilstücks keine Gefahr
für das Trinkwasser entstehen würde. Das Institut für Wasserwirtschaft hat dies durch ent-
sprechende Untersuchungen geprüft. Andernfalls wäre die Planungsgruppe mit dem Bau nicht
einverstanden gewesen.“

Bei der Feuerwehr

● Schnell, schnell! Kommen Sie!
Bei mir in der Wohnung brennt es!
Bitte!

○ Wieso sind Sie hierher gekommen?
Und auch noch zu Fuß!
Sie hätten anrufen sollen,
das wäre schneller gegangen.

● Das weiß ich auch.
Aber mein Telefon ist kaputt.
Das Kabel ist durchgebrannt ...

○ Hätten Sie das Feuer denn nicht selbst löschen können?

● Fragen Sie nicht so dumm! Vielleicht, wenn ich einen Feuerlöscher hätte ...

○ Mit einem Eimer Wasser hätten Sie ...

● Ich hatte aber keinen Eimer!

○ Na schön. Dann erzählen Sie mal. Wie ist denn der Brand entstanden?

● Mein Gott! Also gut, ich habe vermutlich den elektrischen Ofen zu nahe an die Vorhänge gestellt.

○ Und?

● Und jetzt brennen die Vorhänge.

○ Aha. Also nur ein kleiner Brand. Für so kleine Brände sind wir eigentlich nicht zuständig. Ich hätte an Ihrer Stelle versucht, den Brand selbst zu löschen.

● Ich habe Ihnen doch schon gesagt, ich habe keinen Feuerlöscher und keinen Eimer Wasser ... Mein Gott, wir reden hier, und inzwischen brennt wahrscheinlich schon das ganze Haus ...

○ Meinen Sie? Das wäre natürlich etwas anderes. Da wären wir zuständig!

● Jetzt sehe ich den Rauch schon von hier aus!

○ Tatsächlich, Sie haben recht! Das ganze Haus brennt!

Die Schildbürger bauen ein Rathaus

Die Bürger von Schilda wollten ein neues Rathaus bauen. Also gingen sie zusammen in den Wald, denn sie brauchten Bäume für den Bau. Der Wald lag weit außerhalb der Stadt, oben auf einem Berg. Die ersten Stämme zogen die Bürger mit viel Mühe den Berg hinunter. Da passierte es plötzlich, daß ein Baumstamm von selbst den Berg hinunterrollte. Da wunderten sich die Bürger und sagten: „Wenn wir vorher gewußt hätten, wie leicht das Holz den Berg hinunterrollt, dann hätten wir uns die schwere Arbeit sparen können.“ Sie trugen alle Baumstämme wieder den Berg hinauf und ließen sie dann von selbst hinunterrollen. Und sie waren sehr stolz auf ihre Klugheit.

Bald war das Rathaus von Schilda fertig. Aber bei der ersten Versammlung merkten die Bürger, daß die Räume ganz dunkel waren. „Wir haben etwas vergessen,“ sagten sie, „wir hätten für Licht sorgen müssen.“ Was sollten Sie jetzt machen? Endlich wußte einer eine Lösung. „Ich habe eine Idee,“ meinte er, „wir könnten doch mittags, wenn die Sonne sehr hell scheint, mit Eimern das Sonnenlicht draußen einsammeln und ins Rathaus tragen. Dann wäre es in den Räumen hell.“ Da ließen sie das Sonnenlicht in Eimer scheinen, deckten dann die Eimer schnell zu und öffneten sie erst wieder im Rathaus – aber es blieb dunkel wie vorher.

Eines Tages reiste ein Fremder durch Schilda, der machte einen anderen Vorschlag: „Ihr könntet doch die Ziegel vom Dach nehmen, dann hättet ihr genug Licht im Rathaus!“ Das taten die Bürger auch, und jetzt war wirklich genug Licht in den Räumen. Aber der Herbst kam, es begann zu regnen, und sie mußten das Dach wieder zumachen. Da rief plötzlich einer: „Seht doch, hier dieses Loch in der Wand! Da kommt Licht herein! Wenn wir größere Löcher hätten, wären die Räume hell!“ So merkten die Schildbürger endlich, was dem Haus fehlte, nämlich die Fenster. Nun bauten sie Fenster in die Wände – für jeden Bürger eines, denn jeder wollte sein eigenes Fenster haben.

Konjunktiv 2 – Irrealität

Gegenwart und Zukunft **Indikativ:** „Es ist so."	**Konjunktiv 2:** „Es ist nicht so."
Ich bin nicht Beamter. Man kann mir kündigen. Ich habe keine feste Arbeitszeit. Ich bin nicht immer um sechs Uhr zu Hause. Ich fühle mich nicht sehr wohl.	**Wenn** ich Beamter **wäre,** **könnte** man mir nicht kündigen. **Dann hätte** ich eine feste Arbeitszeit. und **wäre** immer um sechs Uhr zu Hause. Ich **würde** mich sehr wohl **fühlen.**
Vergangenheit **Indikativ:** „Es war so."	**Konjunktiv 2:** „Es war nicht so."
Peter war nicht Beamter. Man konnte ihm kündigen. Er hatte keine feste Arbeitszeit. Er war nicht immer um sechs Uhr zu Hause. Er fühlte sich nicht sehr wohl.	Wenn er Beamter **gewesen wäre,** **hätte** man ihm nicht **kündigen können.** Dann **hätte** er eine feste Arbeitszeit **gehabt.** und **wäre** immer um sechs Uhr zu Hause **gewesen.** Er **hätte** sich sehr wohl **gefühlt.**

Wünsche

Indikativ

Ich **wünsche** dir viel Erfolg.
Ich **wünsche** Ihnen gute Besserung.
Ich **hoffe,** Sie haben viel Erfolg.
Hoffentlich klappt alles!

Konjunktiv 2

Ich würde mich freuen, Sie bald wiederzusehen!
Es wäre schön, wenn Sie auch kommen **könnten.**
Wenn es dir **doch** bald besser **ginge!**
Wenn wir **doch** länger geblieben **wären!**

Konjunktiv 2: Verbformen

Infinitiv	**Konjunktiv 2, Gegenwart und Zukunft**	**Konjunktiv 2, Vergangenheit**
sein	ich **wäre** wir **wären**	ich **wäre** . . . **gewesen**
	du **wärest** ihr **wäret**	du **wärest** . . . **gewesen**
	er **wäre** **sie** **wären**	er **wäre** . . . **gewesen**
haben	ich **hätte**	ich **hätte** . . . **gehabt**
können	ich **könnte** . . . gehen	ich **hätte** . . . gehen **können**
müssen	ich **müßte** . . . gehen	ich **hätte** . . . gehen **müssen**
dürfen	ich **dürfte** . . . gehen	ich **hätte** . . . gehen **dürfen**
	Nur Modalverben:	
	Ich **könnte** das nicht.	Ich **hätte** das nicht **gekonnt**.
	Ich **müßte** das nicht.	Ich **hätte** das nicht **gemußt.**
	Ich **dürfte** das nicht.	Ich **hätte** das nicht **gedurft.**
mieten	ich **würde** . . . **mieten**	ich **hätte** . . . **gemietet**
fahren	ich **würde** . . . **fahren**	ich **wäre** . . . **gefahren**

Starke Verben haben besondere Formen. Wir benützen sie aber nur bei den Verben, die am häufigsten sind, z. B.:

kommen	ich **käme**	ich wäre . . . gekommen
bringen	ich **brächte**	ich hätte . . . gebracht
finden	ich **fände**	ich hätte . . . gefunden
geben	ich **gäbe**	ich hätte . . . gegeben
nehmen	ich **nähme**	ich hätte . . . genommen
sprechen	ich **spräche**	ich hätte . . . gesprochen
wissen	ich **wüßte**	ich hätte . . . gewußt
bleiben	ich **bliebe**	ich wäre . . . geblieben
gehen	ich **ginge**	ich wäre . . . gegangen
lassen	ich **ließe**	ich hätte . . . gelassen

Ämter

Rathaus

Einwohnermeldeamt: Hier muß man sich anmelden, wenn man am Ort eine Wohnung bezogen hat.

Sozialamt: Hier kann man sich anmelden, wenn man in eine wirkliche Notlage geraten ist.

Standesamt: Hier muß man sich anmelden, wenn man heiraten will.

Arbeitsamt

Hier kann man sich anmelden, wenn man eine Stelle sucht.

Hier müssen Ausländer die Arbeitserlaubnis beantragen.

Kindergeldkasse: Hier kann man für seine Kinder Kindergeld beantragen.

Landratsamt

Kfz.-Zulassungsstelle: Hier muß man sein Auto oder Motorrad anmelden.

Ausländeramt: Hier müssen Ausländer die Aufenthaltserlaubnis beantragen.

Bauamt: Hier muß man anfragen, wenn man ein Haus bauen oder umbauen will.

Finanzamt

Von hier bekommt man jedes Jahr die Abrechnung über die Steuern.

Partnerübungen

1 Ich wäre lieber ...

Konjunktiv 2, haben *und* sein

Partner 1: Was sind Sie von Beruf?
Partner 2: *Landwirt.*
Partner 1: Ich wäre auch gern Landwirt.
Dann *wäre* ich *meist draußen an der frischen Luft.*
Partner 2: Was sind Sie denn von Beruf?
Partner 1: *Fabrikarbeiter.*
Partner 2: Ich wäre auch lieber Fabrikarbeiter. Dann *hätte* ich *ein festes Einkommen.*

Ein Landwirt	ist meist draußen an der frischen Luft.
Ein Fabrikarbeiter	hat ein festes Einkommen.
Ein Journalist	hat eine interessante Arbeit.
Ein Lehrer	hat viel Freizeit.
Eine Sekretärin	hat ihr eigenes Geld.
Eine Hausfrau	ist ihre eigene Chefin.
Ein Arzt	hat ein hohes Einkommen.
Ein Verkäufer	hat eine feste Arbeitszeit.
Ein Architekt	ist unabhängig.
Ein Beamter	hat eine sichere Stelle.

2 An Ihrer Stelle ...

Konjunktiv 2 mit würde

Partner 1: Was meinen Sie, soll ich *das Angebot annehmen* oder soll ich *auf ein anderes Angebot warten?*
Partner 2: An Ihrer Stelle würde ich das Angebot annehmen.
Partner 1: Sie würden also nicht auf ein anderes Angebot warten?
Partner 2: Nein, das würde ich nicht tun.

das Angebot annehmen	–	auf ein anderes Angebot warten
in der Firma bleiben	–	eine andere Stelle suchen
erst anrufen	–	gleich hinfahren
mit dem Auto fahren	–	den Zug nehmen
Angestellter bleiben	–	mich selbständig machen
ins Ausland gehen	–	in Bonn bleiben

3 Was würdest du machen, wenn ...?

Konjunktiv 2, ein- und zweiteiliges Verb

Partner 1: Was würdest du machen, wenn du *Politiker wärest?*
Partner 2: Wenn ich Politiker wäre? Dann würde ich *nicht so viel versprechen.*

Ich bin nicht Politiker. →	Ich fahre nach Italien.
Ich habe nicht sehr viel Geld.	→ Ich verspreche nicht so viel.
Ich habe jetzt keinen Urlaub.	Ich nehme mir viel Zeit für sie.
Ich bin nicht der Chef.	Ich arbeite nicht mehr.
Ich habe kein Abitur.	Ich bitte die Mitarbeiter um Vorschläge.
Ich habe keine Kinder.	Ich suche mir eine bessere Arbeit.
...	...

4 Eine mögliche Zukunft

Konjunktiv 2, starke Verben

Partner 1: Was wäre, wenn die Kinder nicht mehr in die Schule gingen?
Partner 2: Dann ...

Die Kinder gehen nicht mehr in die Schule.
Jeder Mensch wird über 100 Jahre alt.
Ein dritter Weltkrieg kommt.
Die Maschinen übernehmen alle Arbeit.
Niemand findet mehr einen Arbeitsplatz.
Es gibt keine Krankheiten mehr.
Wir lassen uns durch nichts Angst machen.
Alle Menschen sprechen die gleiche Sprache.
Wir wissen, wann unser Leben zu Ende ist.
Alle Menschen bleiben jung.
Die Zeitungen und das Fernsehen bringen keine Nachrichten mehr.
...

gehen –	ging –	ginge
werden	______	______
kommen	______	______
nehmen	______	______
finden	______	______
geben	______	______
lassen	______	______
sprechen	______	______
wissen	______	______
bleiben	______	______
bringen	______	______

Siehe Liste der starken und unregelmäßigen Verben S. 215!

5 So war es nicht.

Konjunktiv 2, Vergangenheit

Partner 1: Wenn ich *ein guter Schüler gewesen* wäre,
dann wäre ich *aufs Gymnasium gegangen.*
Partner 2: Und wenn du aufs Gymnasium gegangen wärest,
dann hättest du *das Abitur gemacht.*
Partner 1: Und wenn ich . . .

ein guter Schüler sein → aufs Gymnasium gehen → das Abitur machen
→ studieren → Architekt werden

musikalisch sein → Musiker werden → tolle Schallplatten machen
→ sehr berühmt werden → viele Künstler kennenlernen

Schriftliche Übungen

1 Kombination

Konjunktiv 2, Gegenwart und Vergangenheit

Wenn →	er →	gestern ↘	anrufen	↗ hätte, →	hätte →	ich →	mich	freuen
	Sie	morgen	↘ angerufen ↗	wäre,	wäre		– ↘	froh
	du		gekommen	wären,	würde			↘ gefreut
			hier	würde,				froh gewesen
			kommen	würden.				
				. . .				

2 Ein Brief

Indikativ, Konjunktiv 2

Lieber Ardeschir,
es ______ schade, daß Du nicht in Bonn bleiben kannst. Warum ______ Du mir nicht gesagt, daß Du weg mußt? Wenn ich das früher gewußt ______, dann ______ ich noch einmal zu Dir gekommen. Das ______ doch schön gewesen, oder nicht?
Aber vielleicht ______ Du ja nächstes Jahr wieder nach Bonn; ich ______ mich sehr freuen, wenn wir uns dann wieder sehen ______. Ich ______ sehr froh, wenn Du mir schreiben ______, ob Du wieder kommst – dann ______ ich mich schon jetzt darauf freuen.
Herzlichst Deine Maria

3 Wortschatzübung

zum Vokabular Seite 32

Welches neue Verb paßt?

Text 1 Seit vier Jahren hat Christoph Kunz eine Metzgerei. Jeden Abend sieht er nach, ob die Rechnungen stimmen. Eigentlich hätte er gern Urlaub und etwas Ruhe. Manchmal überlegt er, ob er Beamter hätte werden sollen. Aber das hilft nichts, er kann seinen Beruf nicht mehr wechseln.

Text 2 Die Stadt hat vor, eine neue Straße zu bauen. Darauf könnte man von einem Stadtteil zum anderen fahren. Die Straße würde durch einen Wald gehen; sie würde diesen Wald in zwei Hälften teilen.
Wir müssen uns darum kümmern, daß unsere Wälder am Leben bleiben. Deshalb sind wir mit dem Bau dieser Straße nicht einverstanden.

Text 4 Ich fragte mich, warum die Leute die Bäume auf den Berg hinauf brachten. Sahen sie denn nicht, daß das dumm war? Warum kümmerte sich niemand darum, daß diese Leute richtig arbeiteten? . . .

Welches neue Nomen paßt?

Text 1 Herr Wilz ist Metzger; er hat seine eigene _____. Aber in der Nähe ist jetzt ein Supermarkt, und deshalb kommen viele _____ nicht mehr zu ihm. Er kann seine _____ nicht mehr bezahlen. Jede Woche muß er neue _____ für die Steuer ausfüllen.

Text 2 Von hundert Bäumen sind schon vierzig krank: Unsere _____ sind in einem sehr schlechten _____. Der Grund dafür ist die _____ der Luft; die Industrie, aber auch der dichte _____ auf den Straßen bedeuten für viele Bäume Krankheit oder sogar den _____.
Zum _____ der Wälder vor solchen Gefahren haben wir uns zum _____ „Grüner Wald" zusammengetan – weil wir auch in Zukunft gute Luft und sauberes _____ wollen!

Text 4 Das Problem war klar: ohne Fenster gab es kein _____ in den Zimmern. Für dieses Problem mußten sie eine _____ finden. Endlich hatte einer eine _____: Man mußte nur die Ziegel vom _____ wegnehmen, und schon schien die _____ ins Haus hinein . . .

Überlegen Sie, wie Sie weitere Sätze in den Texten mit anderen Worten ausdrücken können! Ändern Sie dabei nicht die Bedeutung!

Kontrollübung

Busfahrer Hansen

Mein Mann ist Busfahrer. Er muß viele Reisen machen. Er kann nicht jeden Abend zu Hause sein. Wir sehen uns zu wenig. Er hat auch kaum Zeit für die Kinder. Ich bin nicht glücklich darüber.

Wenn mein Mann nicht Busfahrer ___,	wäre
dann ___ er nicht so viele Reisen ___.	müßte ... machen
Er ___ jeden Abend zu Hause ___.	könnte ... sein
Wir ___ uns öfter ___.	würden ... sehen
Er ___ auch mehr Zeit für die Kinder.	hätte
Ich ___ sehr glücklich darüber.	wäre

Verkäuferin Heidi Schwab

Ich habe kein eigenes Geschäft. Ich muß nicht so hart arbeiten. Ich bin jeden Tag um fünf Uhr zu Hause. Allerdings verdiene ich wenig, und meine Arbeit ist auch nicht so interessant.

Aber wenn ich ein eigenes Geschäft ___,	hätte
dann ___ ich ziemlich hart ___.	müßte ... arbeiten
Ich ___ nicht jeden Tag um fünf zu Hause.	wäre
Allerdings ___ ich mehr ___, und	würde ... verdienen
meine Arbeit ___ auch interessanter.	wäre

Notfall

Im Haus war kein Telefon. Ich konnte nicht sofort anrufen. Ich mußte erst eine Telefonzelle suchen. Das Auto vom Krankenhaus war zu spät da. Der Arzt konnte nicht mehr helfen.

Aber wenn im Haus ein Telefon ___ ___,	gewesen ... wäre
dann ___ ich sofort ___ ___.	hätte ... anrufen können
Ich ___ nicht erst eine Telefonzelle ___ ___.	hätte ... suchen müssen
Der Krankenwagen ___ nicht zu spät da ___.	wäre ... gewesen
Der Arzt ___ noch ___ ___.	hätte ... helfen können

Text 1

eröffnen	nützen	r Zollbeamte, –n	r Selbständige, –n
prüfen	nach/denken	e Arbeitszeit, –en	r Paß, Pässe
sich erholen		e Rechnung, –en	s Formular, –e
stempeln	e Metzgerei, –en	r Kunde, –n	
aus/füllen	e Großfirma, –firmen	e Pension, –en	bezahlt-

Text 2

protestieren	r Verband, ¨e	r Tod	e Wasserwirtschaft
verlängern	r Wald, ¨er	s Erholungsgebiet, –e	e Untersuchung, –en
führen durch	s Autobahnteilstück, –e	e Gefahr, –en	städtisch
zerschneiden	e Planungsgruppe, –n	s Trinkwasser	nordöstlich
schützen	s Kreisbauamt, ¨er	s Schreiben, –	unverantwortlich
zu/nehmen	s Bauamt, ¨er	e Gesundheit	lebensfähig
klagen über	r Plan, ¨e	r Stadtbewohner, –	menschlich
versichern	e Stadtautobahn, –en	r Schutz	unerträglich
entstehen	e Verlängerung, –en	s Gebiet, –e	entsprechend
Stellung nehmen zu	s Waldstück, –e	e Luftverschmutzung	
etw. läßt sich mit etw. verbinden	e Wirklichkeit	r Autoverkehr	andernfalls
	s Waldgebiet, –e	r Zustand, ¨e	in diesem Fall

Text 3

brennen	s Feuer	kaputt	hierher
durch/brennen	r Feuerlöscher, –	elektrisch	inzwischen
löschen	r Eimer, –	zuständig	wieso?
	r Brand, ¨e		mein Gott!
e Feuerwehr, –en	r Ofen, ¨	vermutlich	
s Kabel, –	r Rauch	wahrscheinlich	an Ihrer Stelle

Text 4

bauen	scheinen	r Baumstamm, ¨e	r Ziegel, –
hinunter/ziehen	ein/sammeln	s Holz	s Dach, ¨er
passieren	tragen	e Klugheit	s Loch, ¨er
hinunter/rollen	zu/decken	e Versammlung, –en	fertig
sich wundern	öffnen	r Raum, ¨e	dunkel
sich sparen	regnen	s Licht	hell
hinauf/tragen		e Lösung, –en	
lassen	r Schildbürger, –	e Idee, –n	außerhalb
merken	s Rathaus, ¨er	e Sonne	plötzlich
sorgen für	r Bürger, –	r Fremde, –n	vorher

Übung 1: Satzbeispiele und Umschreibungen
Übung 2: Wortbildung
Übung 3: Stammformen der Verben
Übung 4: Valenz der Verben

Siehe Reihe 1, Seite 18!

Reihe 3

Thema

Alter

Texte

1 Probleme im Alter
2 Die Alten und die Jungen
3 Siebzig Jahre
4 Der Großvater und der Enkel

Grammatik

Relativsatz	Mein Großvater, der . . . Frau Zeller, deren Kinder . . . Peter, von dem . . . In Hamburg, wo . . . Das ist etwas, was . . .

Attribute

Meinungen

Frau Lang, 72 Jahre alt, wohnt in einer großen Altbauwohnung im Stadtzentrum von Dortmund. Sie ist noch recht aktiv und eine große Hilfe für die ganze Familie. „Früh um halb acht kommt mein Schwiegersohn und bringt die beiden Enkelkinder, auf die ich aufpasse, bis meine Tochter mittags mit ihrer Arbeit fertig ist. Sie arbeitet nur halbtags, wissen Sie. Die Kleinen sind süß, wirklich, zwei liebe Kinder, mit denen man wunderbar spielen kann."
Nachmittags kümmert sich Frau Lang um ihren Mann, der seit einem Jahr krank ist und den sie pflegen muß. „Meine eigene Gesundheit ist leider auch nicht mehr die beste," sagt sie. „Manchmal überlege ich, ob es nicht besser wäre, wenn wir uns um einen Platz in einem Altenheim bewerben würden. Aber man hängt eben auch an der gewohnten Umgebung ..."

Diese Woche: Probleme im Alter

Frau Müller ist aus Mannheim. Sie lebt seit drei Jahren im Altenheim. Mit ihren 69 Jahren sucht sie noch immer Menschen, um die sie sich kümmern oder mit denen sie sich unterhalten kann. Sie besucht oft ältere Frauen, die allein in einer Wohnung leben und Hilfe brauchen; ihre Adressen bekommt sie vom Sozialamt. Zweimal wöchentlich singt sie abends in einem Gesangverein. So vergeht kein Tag, an dem sie nicht irgendetwas unternimmt. „Und trotzdem fühle ich mich oft einsam und bin traurig," sagt sie. „Mein Sohn, der in Hamburg eine Arztpraxis hat, besucht mich gewöhnlich nur einmal im Jahr, an Weihnachten. Und mein ehemaliger Mann – von dem ich geschieden bin – lebt im Ausland. Von dem höre ich sowieso nie etwas."
Herr Jakobs aus Frankfurt, 78 Jahre alt, lebt in einer Mietwohnung in einem zwanzigstöckigen Hochhaus. Er gehört zu den alten Menschen, die weder Kinder noch Angehörige haben; mit den anderen Leuten, die im Hochhaus wohnen, will er möglichst wenig zu tun haben. Nur ein alter Schulfreund besucht ihn ab und zu. „Ein Glück, daß der Franz immer mal wieder zu Besuch kommt," erzählt Herr Jakobs. „Letztes Jahr ist es mir passiert, daß ich im Bad ausgerutscht bin und mich verletzt habe. Ich konnte nicht mehr aufstehen. Ich habe um Hilfe gerufen, aber das hat niemand gehört. Zwei Tage habe ich so im Bad gelegen mit meinem kaputten Bein, ja, zwei Tage. Dann ist der Franz gekommen. Der hat die Polizei geholt, und die haben die Tür aufgemacht. Da hatte ich schon eine Lungenentzündung vom Liegen auf dem nassen Fußboden. Das war richtig lebensgefährlich ..."

Die Alten und die Jungen

- ● Haben Sie Feuer?
- ○ Feuer? Ja, hier. – In meiner Jugend hat es nicht so viele junge Leute gegeben, die geraucht haben. Wissen Sie auch, junger Mann, daß das Rauchen ungesund ist?
- ● Sie rauchen doch auch, oder nicht?
- ○ Ja, schon. Aber nur Pfeife, keine Zigaretten.
- ● Ach so, nur Pfeife. Und einen Tabak, der besonders gesund ist?
- ○ Besonders gesund? Wieso?
- ● Na ja, Sie sind damit jedenfalls recht alt geworden, oder nicht? Darf ich fragen, wie alt Sie sind?
- ○ Dreiundsiebzig.
- ● Sind Sie Rentner?

- ○ Ja, seit acht Jahren. Seit acht Jahren arbeite ich nicht mehr. Dafür habe ich viel Freizeit.
- ● Und Sie kommen immer in den Park hier, wenn schönes Wetter ist?
- ○ Ja – spazierengehen, radfahren, schwimmen ... Jeden Tag habe ich ein Programm, das mich in Bewegung hält. Nur so bleibt man jung.
- ● Und bei schlechtem Wetter? Was machen Sie da?
- ○ Da sitze ich zu Hause vor dem Fernseher. Oder ich lese. Mich interessieren wissenschaftliche Bücher. Und Reiseberichte, aus denen man etwas über das Leben in anderen Ländern erfährt.
- ● Haben Sie Kinder?
- ○ Ja, drei. Drei Söhne. – Ich hätte lieber eine Tochter gehabt. Die würde sich vielleicht eher um ihren alten Vater kümmern.
- ● Sagen Sie – was war denn die Zeit in Ihrem Leben, an die Sie am liebsten zurückdenken?
- ○ Die Zeit nach dem Zweiten Weltkrieg. Da ging es schnell aufwärts. Und das kann ich Ihnen sagen: die Jugend damals, die hat hart gearbeitet. – Heute ist das ja alles nicht mehr so . . .
- ● Was hat sich denn verändert?
- ○ Ach, die Jungen heute, denen geht's zu gut. Die denken doch nur noch ans Vergnügen.
- ● Das haben die Alten doch früher auch schon gesagt, oder nicht? Wir Jungen haben auch unsere Probleme . . .

Siebzig Jahre

Die Welt war erst einige Wochen alt, da bestimmte Gott allen Lebewesen ihre Lebenszeit. Der Esel kam und fragte: „Wie lange soll ich leben?“ – „Dreißig Jahre,“ antwortete Gott, „ist dir das recht?“ – „Ach,“ sagte der Esel, „das ist eine lange Zeit. Mein Leben ist schwer; der Rücken tut mir weh von den Lasten, die ich von morgens bis abends tragen muß, und von den Schlägen, die ich zum Dank für meine Arbeit bekomme. Laß mich nicht so lange leben!“ – „Nun gut,“ sprach Gott, „dann will ich dir achtzehn Jahre schenken, und du sollst nur zwölf Jahre leben.“

Der Esel ging zufrieden weg, und der Hund kam. „Dem Esel sind dreißig Jahre zuviel, aber du hast wohl nichts dagegen,“ sprach Gott zu ihm. – „Willst du wirklich, daß ich so lange lebe?“ antwortete der Hund. „Du weißt, wieviel ich laufen muß – dreißig Jahre halten meine Füße das nicht aus. Und wenn ich alt bin und meine Stimme und meine Zähne verloren habe, dann kann ich nur noch von einer Ecke in die andere laufen und aufpassen, daß mich die Kinder nicht schlagen.“ Der Hund hatte recht, und so schenkte Gott ihm zwölf Jahre.

Darauf kam der Affe. „Du möchtest doch sicher gern dreißig Jahre lang leben,“ sprach Gott zu ihm, „du brauchst nicht zu arbeiten wie der Esel und nicht zu laufen wie der Hund, und du bist immer guter Laune.“ – „Ach,“ antwortete der Affe, „das sieht so aus, ist aber anders. Immer soll ich lustig sein, denn die Leute wollen über mich lachen. Und wenn sie mir einen Apfel geben, und ich beiße hinein, so ist er sauer. Der ganze Spaß macht mich immer nur traurig. Nein, dreißig Jahre halte ich das nicht aus.“ Gott wollte es auch dem Affen leichter machen und schenkte ihm zehn Jahre.

Zuletzt erschien der Mensch, froh und gesund, „Dreißig Jahre sollst du leben,“ sprach Gott, „ist dir das genug?“ – „Warum nur eine so kurze Zeit?“ rief der Mensch; „wenn ich mein Haus gebaut habe, wenn ich Bäume gepflanzt habe, die blühen und Früchte tragen, und ich mit harter Arbeit etwas erreicht habe, dann soll ich schon sterben? Bitte, verlängere mir die Zeit, die ich leben darf!“ – „Gut, wenn du willst – die achtzehn Jahre des Esels sollst du länger leben,“ sagte Gott. – „Das ist noch nicht genug,“ antwortete der Mensch. – „Meinetwegen, dann sollst du auch die zwölf Jahre des Hundes haben.“ – „Immer noch zu wenig!“ rief der Mensch, – „Also,“ sprach Gott, „ich gebe dir auch noch die zehn Jahre des Affen, aber mehr erhältst du nicht.“ Da ging der Mensch fort; aber zufrieden war er immer noch nicht mit der Zeit, die ihm Gott zum Leben bestimmt hatte.

Der Großvater und der Enkel

Es war einmal ein alter Mann, seine Augen waren schon schlecht, er hörte nichts mehr, und die Knie zitterten ihm. Wenn er nun bei Tisch saß und den Löffel kaum halten konnte, vergoß er manchmal Suppe auf das Tischtuch, und es floß ihm auch wieder etwas aus dem Mund.

Sein Sohn und seine Schwiegertochter ekelten sich davor; deshalb mußte sich der alte Großvater schließlich hinter den Ofen in die Ecke setzen, und sie gaben ihm sein Essen in einer kleinen Schüssel. Oft bekam er nicht genug zu essen und zu trinken und blieb hungrig und durstig. Da sah er traurig zum Tisch hinüber, und Tränen kamen ihm in die Augen. Einmal konnten seine alten Hände die Schüssel nicht festhalten, sie fiel zur Erde und zerbrach. Die junge Frau schimpfte; er sagte aber nichts und ließ sich alles gefallen. Da kaufte sie ihm einen Teller aus Holz für ein paar Pfennige, daraus mußte er nun essen. Diesen Teller konnte der Großvater nun ruhig fallen lassen, er ging nicht kaputt.

Eines Tages trug der kleine Enkel von vier Jahren auf der Erde kleine Holzstücke zusammen.

„Was machst du da?“ fragte der Vater.

„Ich mache einen Teller,“ antwortete das Kind, „daraus sollen Vater und Mutter essen, wenn ich groß bin.“

Da sahen sich der Mann und die Frau eine Weile an und begannen zu weinen. Sie holten sofort den Großvater an den Tisch, und er durfte von nun an immer mitessen. Wenn er Hunger oder Durst hatte, brachten sie ihm etwas. Und sie sagten auch nichts, wenn er ein wenig auf den Boden vergoß.

Relativsatz

Das ist mein Großvater Er wohnt bei uns.	. . ., **der** bei uns wohnt.
Das ist meine Großmutter. Sie lebt bei meiner Schwester.	. . ., **die** bei meiner Schwester lebt.
Das ist ein Mädchen aus Köln. Es ist bei uns zu Besuch.	. . ., **das** bei uns zu Besuch ist.
Das ist ein Lehrer. Ich kenne seinen Namen nicht.	. . ., **dessen Namen** ich nicht kenne.
Das ist ein Schulfreund. Ich treffe mich oft mit ihm.	. . ., **mit dem** ich mich oft treffe.
Das war ein Mitarbeiter. Ich habe ihn lange nicht gesehen.	. . ., **den** ich lange nicht gesehen habe.

Relativpronomen	*Singular*			*Plural*
	m	*f*	*n*	
Nominativ	der	die	das	die
Genitiv	dessen	deren	dessen	deren
Dativ	dem	der	dem	denen
Akkusativ	den	die	das	die

w-Partikeln

Da, **wo** ich wohne, gibt es kein Kino.
Dort, **wo** der Baum steht, ist unser Haus.
Überall, **wo** Menschen sind, fühle ich mich zu Hause.

Wer viele Freunde hat, ist im Alter nicht allein.

Das ist	**alles,**	**was** ich brauche.
Hier gibt es	**vieles,**	**worüber** man sich ärgert.
Das ist	**etwas,**	**worauf** ich mich freue.
Hier ist	**nichts,**	

Attribute

Attribute vor dem Nomen

Adjektiv	eine	**neue**	Lehrerin
	ein	**gutes**	Buch
	die	**beiden neuen**	Straßen
Partizip 1		**entsprechende**	Vorschläge
		folgende	Fragen
Partizip 2	der	**bezahlte**	Urlaub
	der	**begonnene**	Bau
Zusammengesetzte Nomen	die	**Deutsch**	kenntnisse
	die	**Planungs**	gruppe
	die	**Altbau**	wohnung

Attribute nach dem Nomen

Genitiv	der Bau	**einer** Autobahn
	die Qualität	**des** Trinkwassers
	die Gesundheit	**der** Stadtbewohner
Präpositionalattribut	die Einladung	**zur** Fahrt nach Trier
	die Arbeit	**als** Praktikant
	eine Wohnung	**im** Stadtzentrum
Infinitivsatz	der Vorschlag,	einen Ausflug **zu** machen
	die Gelegenheit,	Deutsch **zu** lernen
Indirekter Fragesatz	Hinweise,	**wie** man am besten lernt
	die Frage,	**ob** der Wald krank ist
daß-*Satz*	der Eindruck,	**daß** die Mühe sich gelohnt hat
	das Problem,	**daß** der Verkehr zunimmt
Relativsatz	die Kinder,	**auf die** ich aufpassen soll
	Leute,	**die** Hilfe brauchen
Apposition	Frau Lang,	72 Jahre alt, . . .
	Herr Müller,	ein Nachbar von uns, . . .

Alter

Wenige leben in Heimen

Nur drei bis vier Prozent der 9,2 Millionen alten Menschen in der Bundesrepublik leben in Heimen. Darauf wies in Bonn das Kuratorium Deutsche Altershilfe hin. Ein erheblicher Teil, nämlich etwa 31 Prozent der Männer und Frauen über 65 Jahre, lebt sogar völlig allein.
Frauen haben eine höhere Lebenserwartung: Jede zweite der insgesamt 5,7 Millionen Frauen über 65 hat keinen Partner mehr, bei den 3,5 Millionen Männern ist es dagegen nur jeder sechste.

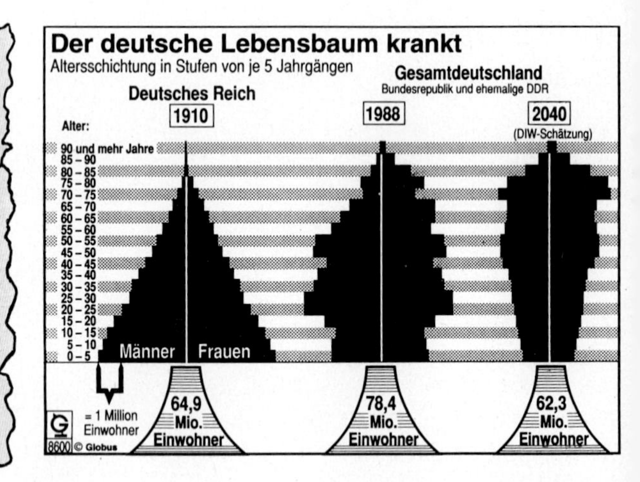

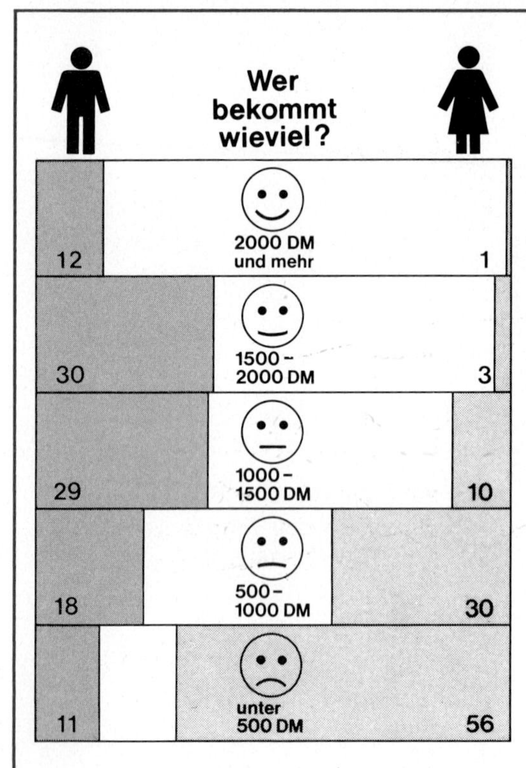

Wie hoch ist die Rente?

Die Höhe der Altersrente richtet sich in erster Linie nach der Höhe und der Anzahl der Beiträge, die ein Rentner vorher, während seines Arbeitslebens, an die Rentenversicherung bezahlt hat. Deshalb können sich die Altersruhegelder sehr stark voneinander unterscheiden. Versicherte, die lange gearbeitet und gut verdient haben, bekommen auch hohe Renten; andere, die weniger lang berufstätig waren oder weniger verdienten und deshalb niedrigere Beiträge bezahlten, müssen mit weniger zufrieden sein. Die Frauen, die wegen der Kindererziehung oft nicht so viele Jahre berufstätig sind wie die Männer und meistens auch nicht so gut verdienen, bekommen im Durchschnitt weniger Rente als die Männer; 1983 hatte mehr als die Hälfte aller Rentnerinnen eine Monatsrente von weniger als 500,– DM. Zum Glück müssen aber viele von ihnen nicht von diesem Betrag allein leben; sie bekommen dazu noch die Rente des Ehemannes oder eine Witwenrente.

Partnerübungen

1 Wer ist denn das?

Relativpronomen im Nominativ

Partner 1: Kennst du *den Mann* da drüben? Der hat uns gegrüßt.
Partner 2: Natürlich, das ist doch der Mann, der *uns den Fernseher verkauft hat.*
Partner 1: Der, der uns den Fernseher verkauft hat? Bist du sicher?

Der Mann hat uns den Fernseher verkauft.
Die Frau wohnt zwei Stockwerke über uns.
Der Junge bringt jeden Tag die Zeitung.
Der Mann ist im Supermarkt an der Kasse.
Der Arbeiter macht bei uns die Straße sauber.
Die Leute waren mit uns im Zug.
Das Mädchen hat früher in unserem Haus gewohnt.
Die Frauen arbeiten in der Kantine.

2 Wie sieht er aus?

Relativpronomen im Akkusativ und im Dativ

Partner 1: Wie sieht *der Mann* aus?
Partner 2: Welcher Mann denn?
Partner 1: Der, den ich *vom Bahnhof abholen* soll.
Partner 2: Ich weiß nicht, wen du abholen sollst.
Partner 1: Na, den, *mit dem* der Chef gestern *telefoniert* hat.
Partner 2: Ach, den! Woher soll ich denn wissen, wie der aussieht?

Ich soll		*Der Chef hat gestern*
einen Mann eine Frau ein Mädchen einen Jungen ein Kind Leute ...	vom Bahnhof abholen mit dem Auto mitnehmen zum Essen einladen ...	mit jemandem telefoniert jemandem den Betrieb gezeigt jemandem die falsche Rechnung geschickt von jemandem erzählt bei jemandem einen Vortrag gehalten ...

3 Ausgaben

Attribute

Partner 1: Übrigens, *das Essen* hat *dreihundertneunzehn Mark* gekostet!
Partner 2: Welches Essen denn?
Partner 1: Na, | das Essen am Geburtstag von Heinz.
| das Essen, das wir am Geburtstag von Heinz *gegeben* haben.
| .....
Partner 2: Ach so, du meinst das Geburtstagsessen.
Ja, ja, ich weiß. Das war nicht billig.

Geburtstagsessen für Heinz	319,— DM	brauchen
Hochzeitsgeschenk für Ulla	236,75 DM	geben
Begrüßungsfest für Bettina	470,— DM	haben
Zugfahrkarte nach Flensburg	162,10 DM	kaufen
Hotelzimmer	152,— DM	machen
Küchenschrank	215,95 DM	nehmen
Winterurlaubsreise	1300,— DM	sich entscheiden für

Schriftliche Übungen

1 Kombination

Relativsätze

Ist das der Brief, →	auf	das	du	sprechen möchtest?
Ist das die Stadt,	bei	dem		gewartet hast?
Ist das das Buch,	für	den		die Stelle versprochen hast?
Ist das etwas,	in	denen		Deutsch gelernt hast?
Ist das die Sekretärin,	mit	der		gern leben würdest?
Sind das die Kinder,	—	die		etwas gekauft hast?
Ist das der Lehrer,		was		interessant findest?
Sind das die Leute,		wo		gestern telefoniert hast?
Ist das alles,		worauf		brauchst?
		worüber		

Across – waagerechte
Down senkrechte

2 Kreuzworträtsel

Relativsatz

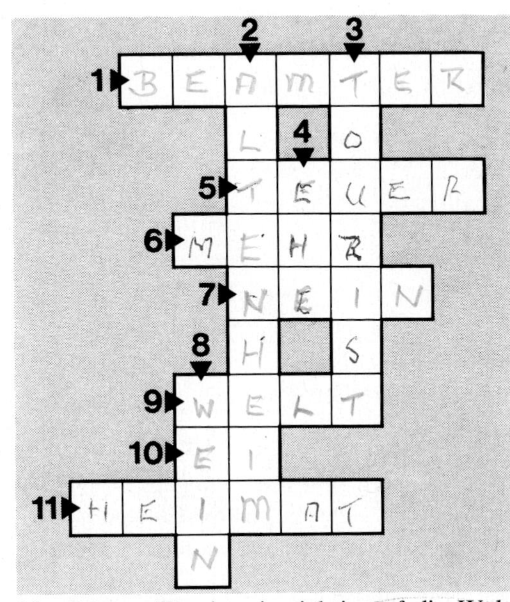

1 Diesem *Angestellten* kann man nicht kündigen.
2 In diesem *Haus* fühlen alte Leute sich gemeinsam einsam.
3 Dieser *Mensch* möchte fremde Länder kennenlernen.
4 Manche jungen Leute sind gegen diese *Gemeinschaft.*
5 Dieses *Wort* sagt ein Käufer, wenn er sparen will.
6 Dieses *Wort* sagt ein unzufriedenes Kind öfter als ein zufriedenes.
7 Mit dieser *Antwort* sollte man nicht immer zufrieden sein.
8 Von diesem *Getränk* bekommt mancher auch dann nicht genug, wenn er schon zuviel davon hat.
9 Auf diesen *Ort* kommt jeder, wenn er geboren ist.
10 Dieses *Tier* ist nie richtig auf die Welt gekommen.
11 Die schönen Seiten dieses *Landes* sieht mancher erst dann, wenn er einmal nicht mehr dort leben darf.

Wenn Sie das Kreuzworträtsel gelöst haben, dann schreiben Sie Definitionen nach den folgenden Beispielen:

10 Ein [E|I] ist ein *Tier,* das nie richtig auf die Welt gekommen ist.

4 Die [E|H|E] ist eine *Gemeinschaft,* gegen die . . .

3 Als Rentner . . .

Relativsatz

An was für einem Ort möchten Sie als Rentner am liebsten leben? Schreiben Sie:

Als Rentner möchte ich
an einem Ort
in einem Land
in einer Stadt

leben, . . .

4 Wortschatzübung

zum Vokabular Seite 46

Welches neue Verb paßt?

Text 1 Frau Weber muß sich den ganzen Tag um ihren kranken Mann kümmern. Er hat deshalb an ein Altenheim geschrieben, ob er einen Platz bekommen könnte. Aber beide trennen sich nicht gern von ihrer gewohnten Umgebung, und sie möchten nicht immer nur alte Leute um sich haben.

Text 2 Alte Leute erinnern sich gern an frühere Zeiten. Sie sagen, daß alles anders geworden ist. Axel besucht oft ältere Leute und hört so, wie sie über die heutige Jugend denken.

Text 3 Gott entschied die Lebenszeit der Tiere. Die Tiere sagten zu Gott: „Wenn wir alt sind, können wir nichts mehr fressen, weil wir keine Zähne mehr haben. Und die Kinder sind oft böse zu uns. So können wir nicht dreißig Jahre lang leben!" Aber der Mensch wollte nicht so jung aufhören zu leben – ein langes Leben war ihm gerade recht.

Text 4 Großvater konnte seine Hände nicht ruhig halten, und einmal fiel seine Schüssel herunter und ging kaputt. Eines Tages merkten seine Kinder, wie schlecht sie zu ihm waren, und Tränen kamen ihnen in die Augen.

Welches neue Nomen paßt?

Text 1 Frau Berger ist alt und braucht Pflege, sie möchte in ein _____. Manchmal kommen Leute vom _____ und helfen ihr zu Hause. Einmal ist sie auf dem nassen _____ im _____ ausgerutscht und hat sich am _____ verletzt. Sie hatte _____, daß ihre Freundin da war und sie zu einem Arzt brachte.

Text 2 Der alte Mann war schon über siebzig, er war seit acht Jahren _____. Der Junge wollte rauchen und bat um _____. Der Alte sagte: „Ich rauche _____, aber Sie rauchen _____. Das ist nicht gut." Der Junge antwortete: „In der Zeitung stehen immer wieder _____, daß jeder _____ schlecht ist für die Gesundheit."

Text 4 Der Mann war sehr alt. Er konnte kaum noch sehen, seine _____ waren schlecht; und beim Essen konnte er den _____ kaum halten, weil seine _____ zitterten. Einmal ließ er die _____ auf die _____ fallen, so daß sie zerbrach. Nun bekam er einen _____ aus Holz. Sie gaben ihm nur wenig zu essen und zu trinken, und so hatte er immer _____ und _____.

Kontrollübung

Erinnerung an frühere Zeiten

Das war eine Zeit, ______ ______ ich mich gern erinnere.
Da war die große Familie, ______ ______ ich gehörte.
Da waren die Kinder, ______ ______ ich aufpassen mußte.
Da war der Hund, ______ ______ ich mich so fürchtete.
Da war die Oma, ______ ______ ich mich auch kümmern sollte.
Da war meine Arbeit. Es gab oft etwas, ______ ich nicht tun mochte.
Da war mein Zimmer, ______ ______ ich mich wohlgefühlt habe.
Da war mein Freund, ______ ______ ich hier oft gewartet habe.
Da waren Bücher, ______ ______ ich mich interessiert habe.
Da gab es Geschenke, ______ ______ ich mich freuen konnte.
Da waren Freunde, ______ ______ ich viel Spaß hatte.
Da passierte vieles, ______ ich mich wundern mußte.
Da war einer, ______ ______ ich nichts zu tun haben wollte.
Das war Herr Mehl, ______ ______ seine Frau sich getrennt hat.
Er war ein Mann, ______ ______ alle Leute geschimpft haben.
Da war Frau Stöck, ______ ______ ich mich oft unterhalten habe.
Sie war eine alte Frau, ______ ______ ich manchmal sorgte.
Da, ______ ich lebe, ist meine Heimat, ______ ich liebe.
Aber viele, ______ ______ ich damals lebte, sind gestorben.
Da war der lustige Lehrer, ______ Namen ich vergessen habe.
Oder die Verkäuferin, ______ Lachen ich noch immer höre.
Oder der Bauer, ______ dankbar war, wenn ich ihm half.
Die Zeiten, ______ ______ ich spreche, sind vorbei.

Jetzt bin ich eine alte Frau, ______ anderen Mühe macht.
Das Bein, ______ ______ ich mich verletzt habe, tut mir weh.
Meine Enkel, ______ immer spielen wollen, machen mich müde.
Aber ______ mich besucht, ist nett zu mir.
Die alten Leute, ______ im Altenheim leben, haben es schwerer.
Ich bin froh, daß ich Kinder habe, ______ für mich sorgen.

an die
zu der
auf die
vor dem
um die
was
in dem
auf den
für die
über die
mit denen
worüber
mit dem
von dem
über den
mit der
für die
wo – die
mit denen
dessen
deren
der
über die/
von denen
die
an dem
die
wer
die
die

Text 1

pflegen	s Stadtzentrum, –zentren	r Schulfreund, –e	lieb
sich bewerben um	r Schwiegersohn, ¨e	s Glück	wunderbar
hängen an	s Enkelkind, –er	s Bad, ¨er	gewohnt
singen	s Kleine, –n	s Bein, –e	wöchentlich
vergehen	s Altenheim, –e	e Polizei	gewöhnlich
unternehmen	e Umgebung, –en	e Lungenentzündung	ehemalig
zu tun haben mit	s Sozialamt, ¨er	r Fußboden, ¨	-stöckig
aus/rutschen	r Gesangverein, –e		naß
verletzen	e Arztpraxis, –praxen		lebensgefährlich
	e Mietwohnung, –en	aktiv	
e Altbauwohnung, –en	s Hochhaus, ¨er	süß	ab und zu

Text 2

rauchen	sich verändern	r Rentner, –	besonders
spazieren/gehen		s Wetter	aufwärts
rad/fahren	e Zigarette, –n	e Bewegung, –en	eher
erfahren	e Pfeife, –n	r Reisebericht, –e	etwas in Bewegung h
zurück/denken	r Tabak		Haben Sie Feuer?

Text 3

bestimmen	blühen	r Rücken, –	zuviel
weh tun	sterben	e Last, –en	zuletzt
aus/halten	fort/gehen	r Schlag, ¨e	darauf (Zeit)
verlieren		e Stimme, –n	meinetwegen
schlagen	r Gott, ¨er	r Zahn, ¨e	
beißen	s Lebewesen, –	r Affe, –n	etwas dagegen haben
erscheinen (= kommen)	e Lebenszeit	r Apfel, ¨	etwas nicht zu tun brauchen
pflanzen	r Esel, –	e Frucht, ¨e	

Text 4

zittern	weinen	e Schüssel, –n	hungrig
vergießen	mit/essen	e Träne, –n	durstig
fließen		e Hand, ¨e	ruhig
sich ekeln vor	r Enkel, –	e Erde (= Boden)	eine Weile
hinüber/sehen	s Auge, –n	r Teller, –	sofort
fest/halten	s Knie, –	r Pfennig, –e	von nun an
fallen	r Löffel, –	s Holzstück, –e	ein wenig
zerbrechen	e Suppe, –n	r Hunger	
zusammen/tragen	s Tischtuch, ¨er	r Durst	sich etwas gefallen lassen
an/sehen	e Schwiegertochter, ¨	r Boden, ¨	

Übung 1: Satzbeispiele und Umschreibungen
Übung 2: Wortbildung
Übung 3: Stammformen der Verben
Übung 4: Valenz der Verben

Siehe Reihe 1, Seite 18!

Reihe 4

Thema

Gastarbeiter

Texte

1 Gastarbeiter in der Bundesrepublik Deutschland
2 Ich habe nichts gegen Ausländer
3 Vorurteile
4 Taner Çelik

Grammatik

Konjunktiv 1 bei der indirekten Rede	Er sagte, das sei . . .
	Er meinte, er habe . . .
	Er fand, man brauche . . .
	Er dachte, ich würde . . .

Meinung – Stellungnahme

Meinungen

Vera Kundic, 39 Jahre alt, ist Jugoslawin und lebt in Frankfurt. Sie arbeitet in einer Möbelfabrik, wo viele ausländische Arbeiterinnen angestellt sind. Sie meint, es sei ihr unverständlich, daß die Deutschen trotz ihres Wohlstands so ungesellig und wenig gastfreundlich sind. Es gehe ihnen doch gut, und sie hätten Geld genug, mit Freunden und Gästen große Feste zu feiern. Sie verstehe nicht, warum manche Deutsche so ernst seien und nur selten Lust hätten, in Gesellschaft mit anderen richtig lustig zu sein. Sie sehe das als einen großen Nachteil. Das Leben in Deutschland, so sagt sie, habe aber auch seine Vorteile: die Ordnung, die Sauberkeit und der Wohlstand seien etwas, was das Leben doch sehr viel leichter mache.

Wie sehen Gastarbeiter ihr Leben in der Bundesrepublik Deutschland? Wie sehen sie die Deutschen? Peter Burger berichtet, was ihm Gastarbeiter erzählt haben.

Emilio Hernandez, 42 Jahre alt, ist Spanier. Seit zwölf Jahren lebt er mit seiner Familie in Dortmund, wo er Besitzer eines kleinen Restaurants ist. Er steht auf dem Standpunkt, wer fleißig arbeite, könne es auch zu etwas bringen. Von den Deutschen halte er viel, weil sie nach dem Krieg ihr Land mit Fleiß und Verantwortungsgefühl wieder aufgebaut hätten. Eine solche Einstellung zur Arbeit sei ein großer Vorzug der Deutschen. Allerdings sehe er auch ihre schwachen Seiten, meint Emilio: Vor allem sollten sie ein bißchen weniger gehorsam sein und ihre Gesetze nicht immer für wichtiger halten als ihre Beziehungen zu anderen Menschen.

Petros Pattakos, 45 Jahre alt, ist Anfang der siebziger Jahre von Griechenland in die Bundesrepublik gekommen. Er arbeitet in einer Kölner Autofabrik. In dieses Land zu kommen, sei – so meint er – für ihn die einzig mögliche Entscheidung gewesen; in Griechenland hätte er nicht mehr genug verdienen können, um seine Familie zu ernähren. Verglichen mit seinen Landsleuten in Griechenland sei er jetzt ein reicher Mann. In Deutschland aber – und das müsse er als Nachteil feststellen – sei er als Gastarbeiter bei den deutschen Arbeitskollegen nicht sehr beliebt. Trotzdem lebe er ganz gern hier.

Ich habe nichts gegen Ausländer

- ● Wie findest du Damir?
- ○ Na ja, ich finde es nett, daß er mit uns auf dem Sportplatz trainiert, aber . . .
- ● Aber was?
- ○ Nichts. Nur, er ist eben Jugoslawe.
- ● Ach so. – Hast du was gegen Jugoslawen?
- ○ Unsinn, ich habe nichts gegen Ausländer. Auch nicht gegen Jugoslawen. Er kann ja schließlich nichts dafür, daß er kein Deutscher ist.
- ● Was meinst du damit? Glaubst du denn, daß die Deutschen besser sind als alle anderen?
- ○ Na ja, so will ich das nicht sagen, aber ich bin schon der Meinung, daß wir gebildeter sind als die Ausländer.
- ● Gebildeter? Na, ich weiß nicht . . . Sag mal, wie viele Ausländer kennst du eigentlich?
- ○ Kennen? Nun, wirklich kennen . . . eigentlich keinen. Ist ja klar, ich kann mich doch nicht einfach mit Ausländern an einen Tisch setzen!
- ● Warum denn nicht? Wegen deiner höheren Bildung vielleicht?
- ○ Ach nein . . . Da ist schon einmal das Sprachproblem. Die meisten Ausländer können doch nicht so gut deutsch, daß man sich richtig mit ihnen unterhalten kann. Aber es ist nicht nur das. Ich nehme einfach an, daß ich mich für andere Dinge interessiere als ein Gastarbeiter.
- ● Interessierst du dich denn nicht für sein Land? Oder für sein Leben hier in Deutschland? Ich möchte zum Beispiel wirklich gern wissen, wo Damir wohnt. Bestimmt in einem ganz kleinen Zimmer, für das er eine Menge Geld bezahlen muß . . .
- ○ Kann schon sein, das machen die Leute hier ja mit allen Gastarbeitern so. Aber ich finde wirklich, es ist genug, wenn wir sie höflich behandeln. Es ist nicht nötig, daß wir mit ihnen persönlich in Kontakt kommen.
- ● Ist es höflich, wenn man es vermeidet, mit jemandem in Kontakt zu kommen? Ich muß schon sagen, ich finde das sogar sehr unhöflich.
- ○ Sag mal, warum sprechen wir eigentlich immer über Ausländer?
- ● Ich finde, wir sollten uns darüber ruhig mehr Gedanken machen.

Vorurteile

- ● Frau Seibold, haben Sie's schon gehört? In die Wohnung von Frau Merk sollen jetzt Ausländer einziehen.
- ○ So, Ausländer?
- ● Mit drei Kindern, stellen Sie sich das vor! Drei Kinder, und die Großmutter auch noch!
- ○ Woher wissen Sie das denn?
- ● Frau Herder hat den Hausmeister gefragt. Drei Kinder, ich bitte Sie! . . .
- ○ Ach, das ist doch nicht so schlimm! Da kommt eben mal etwas Leben ins Haus.
- ● Leben ins Haus? Unsinn! Lärm und Streit gibt es, das ist alles. Und Unordnung! Das ist schon bei deutschen Kindern schlimm genug.
- ○ Ach so, und Sie meinen, bei ausländischen Kindern ist es dann noch schlimmer . . .

- ● Hören Sie, die Ausländer, die sind doch alle gleich, denen fehlt der Sinn für Ordnung und Sauberkeit. Ich möchte wissen, was unser Hausbesitzer sich dabei gedacht hat! Aber der ist wohl nur hinter dem Geld her.
- ○ Vielleicht findet er einfach, man müsse Ausländern eine Chance geben. Für sie ist es sehr schwer, eine Wohnung zu finden . . .
- ● Weil sie sich eben an unsere Lebensweise nicht anpassen wollen! Ich sage Ihnen, ich habe wieder angefangen, die Wohnungsanzeigen zu lesen . . .
- ○ Aber Frau Staiger! Sie wollen doch nicht deswegen ausziehen!
- ● Wenn diese Ausländer hier reinkommen . . . Haben Sie daran gedacht, wie es dann riecht im Treppenhaus, wenn die kochen?
- ○ Dann sagen wir ihnen, sie sollen die Küchentür zumachen, und das Fenster auf.
- ● Das ist ja auch so etwas! Diese Ausländer können doch nie Deutsch! Die verstehen es gar nicht, wenn man sie um etwas bittet.
- ○ Wenn man etwas langsam spricht, und nicht Dialekt . . .
- ● Die könnten sich wirklich mehr anstrengen und richtig Deutsch lernen! Sonst sollen sie wieder nach Hause zurückgehen! Niemand zwingt sie, hier zu bleiben!
- ○ Frau Staiger, Sie haben die Leute noch gar nicht gesehen! Ausländer sind genauso verschieden wie wir Deutschen, es gibt sehr nette und weniger nette! Sehen wir erst einmal, wer da kommt . . .

Taner Çelik

Ein Gastarbeiterportrait

Taner Çelik arbeitete in Deutschland zuerst in einem Bergwerk. Dann traf er einen Landsmann, der ihm eine Stelle in einer Baufirma vermittelte. Nach einer zweijährigen Lehrzeit ist Herr Çelik nun Facharbeiter, Schweißer. Er arbeitet im Schichtbetrieb: abwechselnd eine Woche Frühschicht und eine Woche Mittagsschicht.

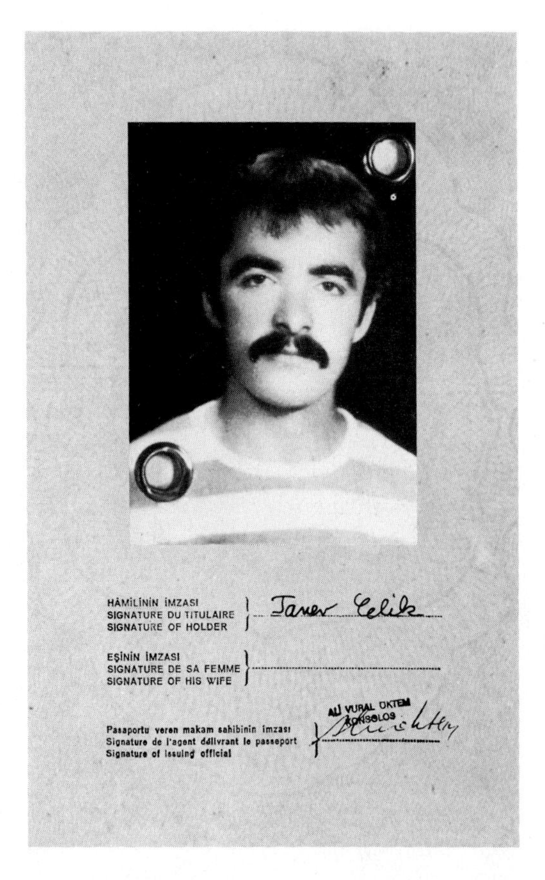

Wir Türken bekommen die schwerste und schmutzigste Arbeit im Betrieb, mit der man außerdem am wenigsten verdient. Ich habe bald gemerkt, wenn ich etwas gelten will in Deutschland und Geld verdienen möchte, dann muß ich eine gute Arbeit haben, und eine gute Arbeit bekomme ich nur, wenn ich gut Deutsch spreche und mich beruflich weiterbilde.
Von meinem Heimatort Side bis Dortmund sind es dreitausend Kilometer; aber genau genommen sind es dreitausend Jahre, die man überspringen muß. Ich hatte geglaubt, viel über Deutschland zu wissen, aber dann war doch alles ganz anders. Ja, man muß seine eigenen Erfahrungen machen, nicht alles, was andere sagen, ist wirklich die Wahrheit. Aber man kann sich gegenseitig helfen, dann wird alles leichter.
Deutschland ist ein sauberes Land, da hat alles seine Ordnung, und für alles gibt es Gesetze. Die Deutschen regeln alles bis ins kleinste, auch die Preise in den Geschäften. Schon draußen am Schaufenster kann man feststellen, was alles kostet. Für uns sind die Deutschen die ordentlichsten und die saubersten Menschen auf der Welt, die waschen sich vor jedem Essen – auch wenn sie in der Fabrik sind.
Wir kaufen viel im türkischen Laden in unserem Viertel, aber sonst haben wir uns schon an das deutsche Essen gewöhnt. Meine Frau geht zweimal die Woche auf den Markt einkaufen; da kauft sie Gurken und Melonen und Tomaten und Obst und Salat, und da trifft sie andere türkische Frauen, sie sprechen dann über ihre Sorgen. Der Nordmarkt in Dortmund ist ja fast nur noch für Ausländer; da gibt es Sachen, die haben die Deutschen vor ein paar Jahren noch nicht gekannt . . .

Konjunktiv 1 – Indirekte Rede

Gegenwart und Zukunft

Indikativ *Direkte Rede*	*Konjunktiv 1* *Indirekte Rede*	
Vera Kundic sagt:	Herr Richter berichtet über Vera Kundic:	
„Die Deutschen sind sehr ungesellig."	„Vera **sagt,**	die Deutschen **seien** sehr ungesellig."
„Die Deutschen haben genug Geld."	„Sie **denkt,**	die Deutschen **hätten** genug Geld."
„Den Deutschen geht es doch gut."	„Sie **findet,**	den Deutschen **gehe** es doch gut."
„Die Deutschen wollen ihre Ruhe haben."	„Sie **glaubt,**	die Deutschen **wollten** ihre Ruhe haben."
„Seid doch freundlicher zu Ausländern!"	„Sie **verlangt,**	die Deutschen **sollten** zu Ausländern freundlicher sein."

Vergangenheit

Indikativ *Direkte Rede*	*Konjunktiv 1* *Indirekte Rede*	
Petros Pattakos sagt:	Frau Bieg berichtet über Petros Pattakos:	
„Früher war ich arbeitslos."	„Petros **erzählt,**	er **sei** früher arbeitslos **gewesen.**"
„Ich hatte damals sehr wenig Geld."	„Er **weist darauf hin,**	er **habe** damals sehr wenig Geld **gehabt.**"
„Es ging mir in meiner Heimat nicht gut."	„Er **klagt,**	es **sei** ihm in seiner Heimat nicht gut **gegangen.**"
„Ich habe gehofft, im Ausland Arbeit zu finden."	„Er **meint,**	er **habe gehofft,** im Ausland Arbeit zu finden."
„Ich bin nicht bei meiner Familie geblieben".	„Er **erklärt,**	er **sei** nicht bei seiner Familie **geblieben.**"
„Ich wollte einen neuen Anfang machen".	„Er **sagt,**	er **habe** einen neuen Anfang **machen wollen.**"

Konjunktiv 1 – Verbformen

sein	haben	Verben	Modalverben
ich **sei**	hätte	würde gehen	**wolle**
du **seist**	hättest	würdest gehen	wolltest
er **sei**	**habe**	**gehe**	**wolle**
wir **seien**	hätten	würden gehen	wollten
ihr wäret	hättet	würdet gehen	wolltet
sie **seien**	hätten	würden gehen	wollten

Anstelle von manchen Formen des Konjunktiv 1 sind die Formen des Konjunktiv 2 häufiger.

Meinung – Stellungnahme

Dafür sein

Ich bin auch seiner Meinung.

Ich finde, Sie haben recht.
Ich bin dafür (Vorschlag).

Dagegen sein

Ich bin nicht seiner Meinung.
Ich bin anderer Meinung.
Ich finde, Sie haben nicht recht.
Ich bin dagegen (Vorschlag).

Fragen

Was ist Ihre Meinung dazu?
Wie denken Sie darüber?
Was halten Sie von . . .?
Finden Sie das richtig?
Sind Sie für . . .?
Sind Sie gegen . . .?

Sich zu Wort melden

Dürfte ich dazu etwas sagen? Meiner Meinung nach . . .
Ich möchte dazu folgendes sagen: . . .
Das kann man auch anders sehen.
Ich sehe das nicht so.

Hauptsatzstellung, ohne „daß"	Nebensatzstellung mit „daß"
Ich meine, sie hat recht.	Ich meine, daß sie recht hat.
Ich finde, er hat nicht recht.	Ich finde, daß er nicht recht hat.
Ich glaube, das war ein Fehler.	Ich glaube, daß das ein Fehler war.
Ich denke, das war kein Fehler.	Ich denke, daß das kein Fehler war.
Ich bin der Meinung, das stimmt.	Ich bin der Meinung, daß das stimmt.

Gastarbeiter

Ausländer bekommen in der Regel nur dann eine Aufenthaltserlaubnis für die Bundesrepublik Deutschland, wenn sie eine Arbeitserlaubnis haben. Die Aufenthaltserlaubnis wird meistens zuerst für ein Jahr gegeben und dann um jeweils zwei Jahre verlängert. Nach fünf Jahren Aufenthalt in der Bundesrepublik kann eine unbegrenzte Aufenthaltserlaubnis erteilt werden, wenn der Ausländer eine Arbeitserlaubnis hat, sich in deutscher Sprache verständigen kann, eine angemessene Wohnung hat und seine Kinder die Schule besuchen läßt.

Der Ausländer hat aber nie Sicherheit: Die Vorschriften gelten nur „in der Regel", man weiß also nie, wann man als „Ausnahme" betrachtet wird. Ganz schwierig wird es, wenn die Arbeitserlaubnis und auch die Aufenthaltserlaubnis nicht mehr gelten. Wenn der Ausländer dann zur Ausländerbehörde geht, so fragt diese nach der Arbeitserlaubnis; vom Arbeitsamt bekommt er die Arbeitserlaubnis aber nur dann, wenn er eine Aufenthaltserlaubnis vorzeigen kann …

„Ausländerbehörde entscheidet inhuman"

Münchner SPD verlangt vom Kreisverwaltungsreferat mehr Verständnis für die hier lebenden Ausländer

Auf einer Pressekonferenz wurde gestern das Kreisverwaltungsreferat kritisiert, weil es oft „herzlose und inhumane" Entscheidungen über ausländische Mitbürger treffe. Der SPD-Abgeordnete Manfred Jena stellte fest, daß das Kreisverwaltungsreferat versuche, die Zahl der hier lebenden Ausländer zu verringern, ohne dabei auf die Folgen für die betroffenen Personen Rücksicht zu nehmen. Die SPD verlangt deshalb, daß die Aufenthaltserlaubnis für Ausländer möglichst schnell erteilt und verlängert wird, daß Kinder und Jugendliche in keinem Fall mehr ausgewiesen werden und daß der Wohnraum von Ausländern nicht mehr überprüft wird.

Viele Übersiedler aus der ehemaligen DDR und Aussiedler aus den Ländern Osteuropas finden in der Bundesrepublik keine Arbeit. Schon 1989 hatte sich die Zahl der Arbeitslosen bei diesen beiden Gruppen der Bevölkerung verdoppelt, während sie zur gleichen Zeit bei den Bürgern der alten Bundesländer leicht zurückging. Fachkräfte mit einer guten Ausbildung finden aber fast immer schnell eine Arbeitsstelle.

Partnerübungen

1 In einem fremden Land

Konjunktiv 1, haben *und* sein

a. Partner 1: Ich habe gehört, Sie sind *aus Jugoslawien* ...
Partner 2: Von wem haben Sie gehört, ich sei aus Jugoslawien? Das stimmt nicht, ich bin aus Griechenland.
Partner 1: Ach so, Sie sind aus Griechenland! Ich weiß nicht mehr, wer mir gesagt hat, Sie seien aus Jugoslawien. Vielleicht habe ich es auch nur falsch verstanden.

sein	aus Jugoslawien?	–	aus Griechenland
haben	Familie in Deutschland?	–	Familie in Athen
	zwei Kinder?	–	drei Kinder
	keine Arbeitserlaubnis?	–	eine Arbeitserlaubnis
	Sohn einen Arbeitsplatz?	–	keinen Arbeitsplatz
	Frau krank?	–	Frau in Istanbul

b. Partner 1: Ich habe gehört, du bist aus Jugoslawien ...

2 Aus der Zeitung

Konjunktiv 1, Verben und Modalverben

Partner 1: Hast du das gelesen? In der Zeitung steht heute, *die Stadt plane neue Gesetze gegen die Luftverschmutzung.*
Partner 2: So? Letzte Woche stand in der Zeitung, *die Luftverschmutzung nehme weiter zu.*

Stadt plant neue Gesetze gegen Luftverschmutzung	Luftverschmutzung nimmt weiter zu
Ausländer sollen Arbeitserlaubnis jetzt schneller bekommen	Zwei Türken warten seit sieben Monaten auf Arbeitserlaubnis
Altenheim wird zu teuer: Stadt gibt kein Geld mehr	Stadt baut Sportplatz für 43 Millionen Mark
Stadt braucht neue Autobahn	Neue Autobahn löst Verkehrsprobleme nicht
Jeder kann einen Ausbildungsplatz bekommen	200000 Jugendliche finden keine Lehrstelle
Neuer Flughafen holt mehr Touristen ins Land	Stadt will keinen neuen Flughafen

3 Ausländer über Deutsche

Konjunktiv 1 und Indikativ (siehe Grammatik Seite 53)

Partner 1: Was sagt *Frau Kundic* über *die Geselligkeit* der Deutschen?
Partner 2: Sie sagt, es sei ihr unverständlich, daß viele Deutsche so ungesellig seien.
Partner 1: Findest du auch, daß viele Deutsche zu ungesellig sind? *oder:*
Könnte man auch bei uns sagen, daß viele Leute zu ungesellig sind?
Partner 2: Nein, ich finde, . . . / Ja, ich bin der Meinung, . . .

Vera Kundic	*Emilio Hernandez*	*Petros Pattakos*
Geselligkeit	Einstellung zur Arbeit	Beziehung zu anderen Menschen
Gastfreundschaft	Gehorsam	
Ordnung und Sauberkeit		

4 Vorteile und Nachteile

Meinung, Stellungnahme

Partner 1: Sind Sie der Meinung, daß *wir viel fernsehen* sollten?
Partner 2: Ich finde, wenn wir viel fernsehen, hat das große Vorteile: Wir hören und sehen, was in der Welt passiert.
Partner 1: Aber man sagt, wenn wir viel fernsehen, habe das auch große Nachteile: Es bleibe weniger Zeit für Freunde und Hobbies.
Partner 2: Das ist schon richtig. Alles hat seine Vor- und Nachteile.

	Vorteile	*Nachteile*
Sollten wir viel fernsehen? →	Wir lernen das fremde Land sehr gut kennen.	Sie leben nicht mehr in der Familie.
Sollten alte Menschen in Altenheimen wohnen?	→ Wir hören und sehen, was in der Welt passiert. →	Wir können den Kontakt zur Heimat verlieren.
Sollten Jugendliche möglichst bald eine eigene Wohnung haben?	Sie sind nicht von ihren Kindern abhängig.	→ Wir haben weniger Zeit für Freunde und Hobbies.
Sollten wir lange im Ausland leben?	Sie lernen schneller, selbständig zu leben.	Sie wissen noch nicht, was für sie gut oder schlecht ist.

Schriftliche Übungen

1 Zwei Berichte

Petra Schmidt hat eine afrikanische Freundin, Atu Kiti. In einem Hotel ist Frau Kiti vor kurzem etwas passiert. Das erzählt Petra Schmidt ihrer Freundin Elke Behr in einem Brief. Sie ist ganz sicher, daß alles, was Atu Kiti ihr berichtet hat, wahr ist; deshalb benutzt sie den Konjunktiv 1 nur für die Nebensätze nach Verben des Sagens:

„Am letzten Samstag rief Atu Kiti im Hotel zur Post an.
Sie fragte, ob ein Einzelzimmer frei sei. Der Hotelangestellte sah nach und gab ihr die Auskunft, daß sie ein Zimmer haben könne.
Daraufhin fuhr sie mit der U-Bahn zum Hotel, die Fahrt dauerte etwa eine Stunde.
Dort sagte sie, sie habe vor zwei Stunden telefonisch ein Zimmer bestellt.
Der Hotelangestellte wußte nicht so recht, wie er sich verhalten sollte.
Er erklärte ihr freundlich, es tue ihm leid, aber er könne ihr kein Zimmer geben.
Atu Kiti war sehr überrascht und wollte den Grund wissen.
Es sei eine Bestimmung des Besitzers, meinte der Hotelangestellte, sie würden an Schwarze keine Zimmer vermieten.
Sie fragte daraufhin, ob sie telefonieren dürfe, und rief vom Hotel die Polizei an.
Der Polizeibeamte kam zehn Minuten später und wies den Besitzer auf das Grundgesetz hin.
Er sagte, wenn er Frau Kiti kein Zimmer gebe, bekomme er eine hohe Geldstrafe.
Doch Atu Kiti wollte in diesem Hotel sowieso nicht bleiben und ging zu einem anderen Hotel, wo sie auch keine weiteren Probleme hatte."

Elke Behr erzählt das, was Petra Schmidt von Atu Kiti berichtet hat, ihrem Freund Hannes Lehr weiter. Elke ist nicht ganz sicher, daß alles wirklich so passiert ist, deshalb benutzt sie auch für alle Hauptsätze den Konjunktiv 1:

„Petra hat mir geschrieben, am letzten Samstag habe Atu Kiti im Hotel zur Post angerufen.
Sie habe gefragt, ob ein Einzelzimmer frei sei.
Der Hotelangestellte habe nachgesehen und ihr die Auskunft gegeben, daß . . ."

Versuchen Sie, einen kurzen Zeitungsbericht über das, was Atu Kiti passiert ist, zu schreiben:

Für Schwarze kein Zimmer frei!
Am Samstag abend . . .

2 Fernandos Auslandspläne

Indikativ, Konjunktiv 1, Konjunktiv 2

Fernando _____ ein gutes Angebot. Wenn er Zeit _____, dann _____ er nächstes Jahr nach Deutschland _____. Das _____ natürlich prima. Aber sein Chef _____, er _____ ihn, er _____ ein wichtiger Mann in der Firma. Am liebsten _____ er drei Monate in Bielefeld _____. Es _____ sicher interessant, dort bei einer Firma zu _____. Ein bißchen Angst _____ er allerdings. Seit zwei Jahren _____ er zwar Deutschunterricht, aber sein Deutschlehrer _____ der Meinung, Fernando _____ noch viel _____, um _____ mit Deutschen _____ zu _____. Aber warum _____ er _____ das alles? Er _____ das Angebot nicht _____.

sein
haben
nehmen
sagen
arbeiten
brauchen
bleiben
sich überlegen
sich unterhalten können
annehmen können
fahren können
lernen müssen

a. *Gegenwart:* Fernando hat ein gutes Angebot. . . .
b. *Vergangenheit:* Fernando hatte vor zwei Jahren ein gutes Angebot. . . .

3 „haben"

Wortschatz

Mit welchen Verben kann man „haben" umschreiben?
gehören, bekommen, mögen, gehen, arbeiten, müssen, besitzen, sein

Emilio hat ein kleines Restaurant.	Er _____ ein kleines Restaurant.
Bernd hat etwas gegen Ausländer.	Er _____ Ausländer nicht.
Damir hat früher in Ulm gelebt.	Er _____ früher in Ulm.
Osman hat viel zu tun.	Er _____ viel tun.
Seine Kinder haben Hunger.	Sie _____ hungrig.
Vera hat es nicht leicht.	Es _____ ihr nicht immer gut.
Petros hat ein Motorrad.	Ihm _____ das Motorrad.
Ivo möchte mehr Urlaub haben.	Er möchte mehr Urlaub _____.

Kontrollübung

sein	
Er fragte, ob ich aus Hamburg _____.	sei
Er hat gehört, du _____ nicht von hier.	seist
Er sagt, er _____ sehr neugierig.	sei
Er hatte den Eindruck, wir _____ Ausländer.	seien
Er meinte, ihr _____ Studenten.	wäret
Er glaubte, meine Eltern _____ weggefahren.	seien

haben	
Sie dachte, ich _____ schon ein Zimmer.	hätte
Sie glaubte, du _____ mir geschrieben.	hättest
Es hieß, sie _____ kein Geld mehr.	habe
Sie klagte, wir _____ ihr nicht geholfen.	hätten
Sie fand, ihr _____ keine Zeit für sie.	hättet
Sie sagte, ihre Freunde _____ sie vergessen.	hätten

Verben fahren, bleiben, denken	
Er fragte, ob ich nach Köln _____.	fahren würde
Er hat gehört, du _____ in Deutschland _____.	würdest . . . bleiben
Er sagte, er _____ oft an seine Heimat.	denke
Er glaubte, wir _____ zu unseren Eltern _____.	würden . . . fahren
Er war der Meinung, ihr _____ hier _____.	würdet . . . bleiben
Er erzählte, seine Eltern _____ an uns _____.	würden . . . denken

Modalverben müssen, sollen, dürfen, können	
Sie verlangte, ich _____ ihr den Text erklären.	solle
Sie sagte, du _____ das ohne Schwierigkeit.	könntest
Sie meinte, sie _____ dringend in Erholung.	müsse
Wir dachten, wir _____ sie nicht länger stören.	dürften
Sie versicherte, ihr _____ ruhig noch bleiben.	könntet
Sie bat, meine Freunde _____ sie einmal besuchen.	sollten

Text 1

berichten
ernähren
vergleichen mit
fest/stellen

r Gastarbeiter, –
e Möbelfabrik, –en
r Wohlstand
r Gast, ⸚e
e Gesellschaft, –en

r Nachteil, –e
r Vorteil, –e
r Spanier, –
r Besitzer, –
r Standpunkt, –e
r Fleiß
s Verantwortungsgefühl
e Einstellung, –en
(=) Meinung
r Vorzug, ⸚e

s Gesetz, –e
e Beziehung, –en
e Autofabrik, –en
r Arbeitskollege, –n

angestellt sein
unverständlich
ungesellig
gastfreundlich
ernst

schwach

trotz
selten

es zu etwas bringen
von jmdm. etwas halten
auf dem Standpunkt stehen

Text 2

trainieren
an/nehmen (= glauben)
behandeln
vermeiden

r Jugoslave, –n

r Sportplatz, ⸚e
e höhere Bildung
s Ding, –e
r Unsinn

gebildet

bestimmt
nötig
persönlich

etw. gegen jmdn. haben
nichts dafür können

sich mit jmdm. an einen Tisch setzen
kann schon sein
sich Gedanken machen über

Text 3

ein/ziehen
sich an/passen an
aus/ziehen
riechen
sich an/strengen

s Vorurteil, –e
r Hausmeister, –
r Hausbesitzer, –
e Chance, –n
e Lebensweise, –n

e Wohnungsanzeige, –n
s Treppenhaus, ⸚er

deswegen

Sinn für etwas haben
hinter etwas her sein
ich bitte Sie . . .
da kommt Leben ins Haus

Text 4

vermitteln
gelten
sich weiter/bilden
überspringen
regeln

s Gastarbeiter-portrait, –s
s Bergwerk, –e

r Landsmann, –leute
e Baufirma, –firmen
e Lehrzeit
r Facharbeiter, –
r Schweißer, –
r Schichtbetrieb
e Frühschicht, –en
e Mittagsschicht, –en
r Heimatort, –e

e Erfahrung, –en
e Wahrheit, –en
r Preis, –e
s Schaufenster, –
s (Stadt)Viertel, –
r Markt, ⸚e
(Einkauf)
e Gurke, –n
e Melone, –n

e Tomate, –n
r Salat

schmutzig
–jährig
abwechselnd
gegenseitig
ordentlich
genau genommen

Übung 1: Satzbeispiele und Umschreibungen
Übung 2: Wortbildung
Übung 3: Stammformen der Verben
Übung 4: Valenz der Verben

Siehe Reihe 1, Seite 18!

Reihe 5

Thema

Lohn

Texte

1 Bewerbungsschreiben
2 Akkord
3 Der Auftrag
4 Till Eulenspiegel

Grammatik

Temporalsätze	wenn als nachdem
Finalsätze	damit um ... zu
Konsekutivsätze	so daß
Plusquamperfekt	Sie hatten mir damals versprochen, ... Ich war schon vorher umgezogen, weil ...

Wir suchen

Fremdsprachen-Korrespondentin

zur selbständigen Erledigung unserer französischen und englischen Korrespondenz.

Bewerbungen bitte an
Reinhold Steffens KG, Wächterstraße 27, 4100 Duisburg

Vera Heim
Tulpenstraße 23
4350 Recklinghausen

Firma
Reinhold Steffens
Wächterstraße 27
4100 Duisburg

Recklinghausen, den 27.2.19..

Ihr Stellenangebot in der Duisburger Rundschau vom 27.2.19..

Sehr geehrte Damen und Herren,

in Ihrem Stellenangebot suchen Sie eine erfahrene Fremdsprachen-Korrespondentin. Ich denke, daß ich die Voraussetzungen erfülle, denn ich bin bereits einige Jahre auf diesem Gebiet tätig.

Für Fremdsprachen hatte ich immer großes Interesse. Als ich die Schule beendet hatte, hatte ich die Gelegenheit, ein halbes Jahr als Deutschlehrerin in England zu arbeiten. Anschließend machte ich in Essen einen einjährigen Kurs an der Sprachenschule Bernholz, um meine Englisch- und Französischkenntnisse weiter zu verbessern. Seit März 19.. arbeite ich hier bei der Firma Weber (medizinische Apparate und Instrumente) in ungekündigter Stellung. Ich erledige die Auslandskorrespondenz (weltweit) und schreibe englische und französische Texte für die Werbeabteilung. Außerdem gehört es zu meinen Aufgaben, zu dolmetschen, wenn Sitzungen mit ausländischen Geschäftspartnern stattfinden.

Von meiner Bewerbung bei Ihnen verspreche ich mir eine berufliche Verbesserung. Mein bisheriges Gehalt beträgt 1800.-- DM. Was das Gehalt und die Selbständigkeit meiner Tätigkeit betrifft, hoffe ich, daß ich in Ihrer Firma weiter vorankommen kann, als das bei meiner jetzigen Stelle möglich ist.

Ich würde mich freuen, wenn Sie meine Bewerbung berücksichtigen und mich zu einem Vorstellungsgespräch einladen könnten.

Mit freundlichen Grüßen

Vera Heim

Akkord

Wie jeden Tag war sie um fünf vor sechs in der Fabrik, an ihrem Arbeitsplatz. Sie machte das Licht und den Strom an ihrer Maschine an, nahm wie jeden Tag die Tasse aus ihrem Schrank, schüttete zwei Löffel Kaffee rein und ging zum Waschraum, um heißes Wasser zu holen. Dann ging sie zurück zu ihrer Maschinc und erhöhte die Laufgeschwindigkeit. Das war gegen die Vorschrift, aber das machten alle; so hatte man mehr Zeit für die Vorbereitung der Werkstücke. Sie mußte nur aufpassen, ob der Zeitnehmer kam. Wenn er hinter ihr im Gang stand und seine Stoppuhr aus der Tasche holte, dann mußte die Maschine wieder mit normaler Geschwindigkeit laufen, weil sonst die Fabrikleitung die Zeit für jedes Werkstück verringern würde. Punkt sechs Uhr begann die Arbeit, nachdem eine Minute vorher ein Zeichen alle an ihre Plätze gerufen hatte. Drei Minuten nach sechs hatte sie schon ihr erstes Werkstück geschweißt.

An diesem Tag kam tatsächlich der Zeitnehmer; aber als sie ihn sah, war es schon zu spät, um die Maschine langsamer einzustellen. Eine Viertelstunde lang kämpfte sie gegen die Stoppuhr; sie machte so viel wie möglich, um die Bearbeitung des Werkstückes vorzubereiten, sie reinigte die Maschine genauestens, sie nahm sich viel Zeit für die Kontrolle des Materials, damit das Werkstück nicht zu schnell fertig wurde.

Aber alles war vergeblich: an diesem Tag berücksichtigte der Zeitnehmer die Vorbereitungen gar nicht; er interessierte sich nur für die Zeit, die das Werkstück für die Bearbeitung in der Maschine brauchte. Und diese Zeit war um zwanzig Prozent kürzer als vorher. Die Stückzeit betrug jetzt nicht mehr drei Minuten vierzig Sekunden, wie bisher, sondern zwei Minuten fünfundfünfzig Sekunden. Um in Zukunft so viel zu verdienen wie bisher, mußte sie pro Schicht vierzig Stück mehr herstellen. Sie mußte schneller arbeiten und vielleicht mehr Überstunden machen. Sie hatte den Kampf verloren.

Der Zeitnehmer hatte den Kampf gewonnen, aber für ihn hatte sich nichts geändert; er verdiente weiter das gleiche wie vorher. Der wirkliche Gewinner war die Fabrikleitung: sie hatte erreicht, daß jede Arbeiterin pro Schicht vierzig Stück mehr produzieren mußte.

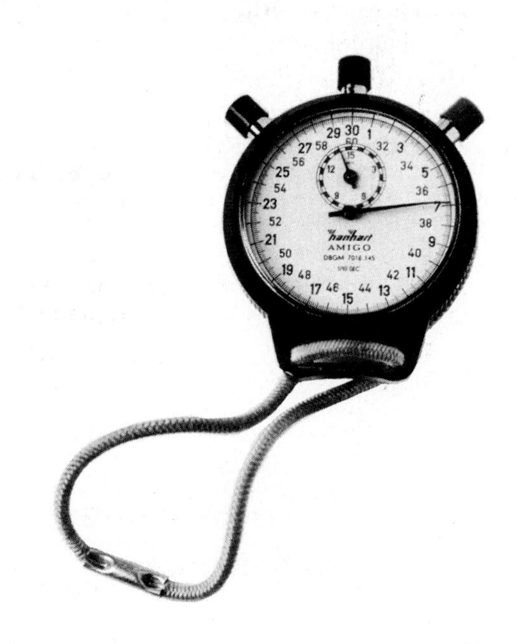

Der Auftrag

Herr Hänsel hatte in seinem Garten einen großen Baum. Dieser Baum stand zu nahe am Haus, so daß er ihn fällen mußte. Das Holz konnte er gut gebrauchen, er wollte seinen Ofen damit heizen.

Da traf er einmal Heiko Engler, der von Gartenarbeiten lebte; immer wenn man jemanden brauchte, dann holte man ihn. Es hieß, Heiko Engler sei ordentlich, ehrlich und fleißig.

„Tag, Herr Engler! Viel Arbeit zur Zeit?" fragte Herr Hänsel.

Heiko Engler schüttelte den Kopf. „Nein, zur Zeit nicht. Haben Sie vielleicht was?"

„Ja, bei mir gibt es etwas zu tun. Einen Baum fällen und das Holz kleinmachen." – „Gut, einverstanden," meinte Heiko Engler.

Jetzt ging es darum, welchen Lohn er verlangen würde. „70 Schilling die Stunde, ist das in Ordnung?" bot Herr Hänsel an. Aber Heiko Engler lehnte ab: „Mindestens 100. Ich glaube, das ist nicht zuviel." – „Wieviel? 100 Schilling für die Stunde? Das zahlt Ihnen niemand! Haben Sie nicht bei meinem Nachbarn den Garten umgegraben und nur 60 Schilling für die Stunde bekommen?"

Heiko Engler hatte wohl nicht damit gerechnet, daß Herr Hänsel das wußte. Er antwortete: „Ja, ich erinnere mich. Das war in der ersten Oktoberwoche, als es noch einmal so heiß geworden war. Da habe ich geschwitzt und immer wieder Pause machen müssen. Aber jetzt ist es furchtbar kalt, da muß ich die ganze Zeit ohne Unterbrechung arbeiten, um nicht zu frieren. Dabei mache ich in kurzer Zeit sehr viel Holz klein – viel mehr als an heißen Tagen."

Herr Hänsel war überrascht und wunderte sich darüber, wie Heiko Engler seine Forderung begründete. Aber er gab ihm den Auftrag und machte einen Termin mit ihm aus. Und als Heiko Engler mit der Arbeit fertig war und seinen Lohn abholte, da mußte Herr Hänsel ihm recht geben. Um den Baum zu fällen und das Holz kleinzumachen, hatte er nur zwei Tage gebraucht. Ein anderer hätte vielleicht langsamer gearbeitet, und dann wären es sicher doppelt so viele Tage gewesen.

Till Eulenspiegel

Till Eulenspiegel ist vermutlich um das Jahr 1300 in Kneitlingen bei Braunschweig zur Welt gekommen und 1350 in Mölln gestorben; aber sicher ist es nicht, ob er wirklich einmal gelebt hat. Er ist der Held eines deutschen Volksbuches, der mit bäuerlichem Witz seine Mitmenschen kritisiert. Das Buch gibt es in fast allen europäischen Sprachen.

Einmal arbeitete Till Eulenspiegel als Lastträger. Da kam ein Mann zu ihm, der war in der ganzen Stadt als geizig bekannt. Till sollte ihm einen Korb mit teurem Geschirr in die Wohnung tragen. Als Lohn hatte ihm der Mann zehn Pfennig versprochen.
Aber unterwegs meinte der Geizige: „Till, du bist noch jung und kannst noch viele Jahre lang Geld verdienen. Ich zahle dir nur neun Pfennig.“ Till Eulenspiegel war einverstanden. Ein paar Straßen weiter wollte der Alte ihm nur noch acht Pfennig zahlen, dann nur noch sieben. „Ein paar Pfennige sind besser als gar nichts,“ dachte Till Eulenspiegel und trug den Korb weiter.
Nun ging der Alte mit dem Lohn immer weiter herunter, und als sie endlich vor dem Haus angekommen waren, wollte er nur noch einen Pfennig zahlen. Er sagte: „Till, wenn du nicht einmal diesen einen Pfennig willst, dann gebe ich dir drei gute Lehren.“ Till sagte nichts, und der Alte sprach weiter: „Wenn man dir sagt, Hunger sei besser als ein voller Magen, so glaube es nicht! Wenn man dir sagt, ein Armer lebe besser als ein Reicher, so glaube es nicht! Und wenn man dir sagt, zu Fuß gehen sei angenehmer als im Wagen fahren, so glaube es nicht!“

Till hatte geduldig zugehört und schleppte dann die schwere Last wortlos die Treppe hinauf. Als er oben war, sagte er: „Hör, Alter, auch ich will dir eine gute Lehre geben.
Wenn man dir sagt, in diesem Korb sei nichts zerbrochen, so glaube es nicht!“ Und er warf den Korb die Treppe hinunter, so daß die Scherben nach allen Seiten flogen. Und Till Eulenspiegel beeilte sich und machte, daß er wegkam.

Nebensätze

temporal — **Präpositionalangaben**

Gleichzeitigkeit	wenn	als
Nebensatz:	*Präsens*	*Präteritum*
Hauptsatz:	*Präsens*	*Präteritum*

Frage: wann? zu welchem Zeitpunkt?

Nebensatz	Präpositionalangabe
Wenn ich mit dem Chef **spreche,** mußt du mir die Daumen halten.	**Bei meinem Gespräch** mit dem Chef mußt du mir die Daumen halten.
Als ich kündigte, war auch Frau Behrens dabei.	**Bei meiner Kündigung** war auch Frau Behrens dabei.
Aber: **Wenn ich** mit Herrn Beck **diskutierte,** gab es immer Streit.	**Bei Diskussionen** *(Plural!)* mit Herrn Beck gab es immer Streit.

Vorzeitigkeit	wenn	als/nachdem
Nebensatz:	*Perfekt*	*Plusquamperfekt*
Hauptsatz:	*Präsens*	*Präteritum*

Nebensatz	Präpositionalangabe
Wenn ich mit dem Chef **gesprochen habe,** komme ich zu dir.	**Nach dem Gespräch** mit dem Chef komme ich zu dir.
Als ich gekündigt hatte, bekam ich plötzlich Angst.	**Nach der Kündigung** bekam ich plötzlich Angst.
Nachdem mir Bremen **ein Angebot gemacht hatte,** ging es wieder aufwärts.	**Nach dem Angebot** aus Bremen ging es wieder aufwärts.

final

damit

bei gleichem Subjekt auch um . . . zu

Frage: warum? wozu? zu welchem Zweck?

Nebensatz	Präpositionalangabe
Wir brauchen neue Maschinen, **damit** die Produktion **sich erhöht.**	**Für die Erhöhung** der Produktion brauchen wir neue Maschinen.
Die Kasse braucht das Geld, **um** die Löhne **auszuzahlen.**	Die Kasse braucht das Geld **zur Auszahlung** der Löhne.

konsekutiv

so daß

Frage: mit welcher Folge?

Nebensatz	Präpositionalangabe
Der Firma ging es wirtschaftlich sehr schlecht, **so daß sie** keine neuen Mitarbeiter **einstellen konnte.**	**Für eine Einstellung** neuer Mitarbeiter ging es der Firma wirtschaftlich zu schlecht.

Plusquamperfekt – Vorzeitigkeit

Ich	**hatte**	... **gesagt.**	Ich	**war**	... **abgefahren.**
Du	**hattest**	... **gefragt.**	Du	**warst**	... **umgezogen.**
Er	**hatte**	... **geschrieben.**	Es	**war**	... **passiert.**
Wir	**hatten**	... **gehört.**	Wir	**waren**	... **weggegangen.**
Ihr	**hattet**	... **diskutiert.**	Ihr	**wart**	... **aufgestanden.**
Sie	**hatten**	... **versprochen.**	Sie	**waren**	... **angekommen.**

Im Hauptsatz
Ich rief bei Frau Silka an.
Sie **hatte** mir eine Woche vorher die Stelle **versprochen.**

Im Nebensatz

Als	ich die Schule	**beendet**	**hatte,**	ging ich auf Arbeitssuche.
Nachdem	ich die Stelle	**bekommen**	**hatte,**	zog ich nach Augsburg um.

Übersicht: wenn – als – nachdem

Bedingung: *In welchem Fall? Unter welcher Bedingung?*
Ich würde mich freuen, **wenn** Sie meine Bewerbung berücksichtigen könnten.

Wiederholung: *Bei welcher Gelegenheit?*
Ich muß dolmetschen, **wenn** Sitzungen mit Ausländern stattfinden.
Wenn Briefe aus dem Ausland kamen, dann übersetzte ich sie sofort.

Zeitpunkt: *Wann? Zu welchem Zeitpunkt?*
Du bekommst die zehn Pfennig, **wenn** wir zu Hause sind.
Als sie angekommen waren, wollte der Mann gar nichts mehr zahlen.
Nachdem Till geduldig zugehört hatte, sagte er: „. . .“

Grund: *Warum?*
Nachdem niemand mehr kommt, kann ich ja gehen.

Partikel „als“
Vergleich: Du bist jünger als ich.
Beruf: Einmal arbeitete Till Eulenspiegel als Lastträger.

Wer hat wieviel?

Selbständige	Nicht Erwerbstätige	Arbeiter	Angestellte	Landwirte	Beamte
35,2 % des Vermögens bei 7,3 % der Haushalte	20,9 % bei 35,3 %	15,8 % bei 28,2 %	14,8 % bei 20,1 %	8,9 % bei 2,9 %	4,4 % bei 6,3 %

Bruttolohn und Nettolohn

Im Jahr 1960 gingen vom durchschnittlichen Bruttolohn eines Arbeitnehmers 16,1% an den Staat und an die Sozialversicherung. Zwölf Jahre später, 1972, betrugen diese Abgaben schon fast ein Viertel des Bruttolohns, nämlich 24,8 %. Und nach weiteren zwölf Jahren, also 1984, gingen vom Bruttolohn sogar 33 % weg, also ein Drittel.

(Statistische Angaben:
Ifo-Institut für Wirtschaftsforschung)

Wer streikt am meisten?

Im internationalen Vergleich streiken die Arbeitnehmer in der Bundesrepublik nicht sehr oft. Von 1970 bis 1982 verlor die deutsche Wirtschaft nur 20 Arbeitsminuten jährlich pro Arbeitnehmer. Die Zahlen für die einzelnen Länder in Minuten:

Italien	673	Japan	51
England	246	Bundesr. D.	20
USA	213	Niederlande	18
Belgien	120	Österreich	4
Frankreich	88	Schweiz	1
Schweden	67		

(Institut der deutschen Wirtschaft)

Partnerübungen

1 Wozu brauchen Sie das?

Finalsatz

Partner 1: Wo sind *die Rechnungen?* Könnten Sie mir die geben?
Partner 2: Wozu brauchen Sie denn die Rechnungen?
Partner 1: { Um *die Ausgaben zusammenzustellen.*
Damit ich *die Ausgaben zusammenstellen* kann. }
Partner 2: Das habe ich schon gemacht.

Partner 1 möchte die Rechnungen für die Zusammenstellung der Ausgaben
die Formulare zur Anmeldung für den Kurs
den Terminkalender für die Planung des Treffens
die Fotos zur Erklärung der Baupläne
das Wörterbuch für die Übersetzung dieses Briefes
den Fahrplan zur Überprüfung der Abfahrtszeiten
die Adresse der Firma Sino zur Bestellung der Maschine
die 400,— DM von Herrn Klug zum Kauf der Fachbücher

2 Karl und seine Schwester

Temporalsatz mit als

Partner 1: 1960 *kam* Karl *in die Schule,* und seine Schwester *war drei Jahre alt.*
Partner 2: Ja, richtig, als Karl in die Schule kam, war Anna *gerade* drei Jahre alt.

1960 – Karl kommt in die Schule. Anna ist gerade drei Jahre alt.
1963 – Karl geht in die vierte Klasse. Anna kommt gerade in die Schule.
1969 – Karl macht eine Lehre. Anna geht in die siebte Klasse.
1973 – Karl bekommt eine Stelle. Anna will aus der Schule.
1975 – Karl baut sein eigenes Geschäft auf. Anna macht gerade das Abitur.
1977 – Karl heiratet. Anna studiert.
1979 – Karl läßt sich scheiden. Anna heiratet.
1983 – Karl geht ins Ausland. Anna bekommt einen Sohn.

3 Wir sind gute Freunde

Temporalsatz mit immer wenn

a) Partner 1: *Besucht* er euch *oft?*
   Partner 2: Ja, immer wenn er *in München ist.*

   Er ist oft in München. Dann besucht er uns immer.
   Er hat oft Schwierigkeiten. Dann helfen wir ihm immer.
   Er versteht manchmal den Text nicht. Dann erklären wir ihm immer die Wörter.
   Er kann oft die Miete nicht bezahlen. Dann leihen wir ihm immer Geld.
   Er kommt am Wochenende manchmal zu uns. Dann machen wir immer Musik.
   Wir treffen oft Deutsche. Dann sprechen wir immer Deutsch.

b) Partner 1: Hat er euch oft besucht?
   Partner 2: Ja, immer wenn er in München war.

Schriftliche Übungen

1 Stellenwechsel

Temporalsatz mit ‚nachdem'

15. 4. Protest gegen Arbeitsplatzwechsel. Entschluß zu kündigen.
21. 4. Schriftliche Kündigung. Lesen von Stellenanzeigen.
Anruf bei Firma Knopf in Lübeck. Schriftliche Bewerbung.
28. 4. Einladung zum Vorstellungsgespräch. Fahrt nach Lübeck.
29. 4. Vorstellung bei Frau Silka. Mittagessen mit Herrn Stein.
10. 5. Einverständnis der Firma. Beginn der Wohnungssuche in Lübeck.
2. 6. Umzug. Beginn der Arbeit bei der neuen Firma.

Erzählen Sie der Reihe nach, was passiert ist:
„Nachdem ich gegen den Arbeitsplatzwechsel protestiert hatte, entschloß ich mich zu kündigen.
Nachdem ich schriftlich gekündigt hatte, . . .'
Nachdem ich . . ."

2 Regelungen und Bestimmungen

Nebensätze mit als, nachdem, wenn, um . . . zu, damit

Beispiel

Als wir aus der Wohnung auszogen,	mußten wir alle Räume saubermachen.
Beim Auszug aus der Wohnung	mußten wir alle Räume saubermachen.
Zur Verlängerung des Passes	muß man zum Meldeamt.
Nach Beginn des Vortrags	durften wir nicht mehr rauchen.
Zum Schutz unserer Gesundheit	müssen wir die Luft sauber halten.
Für den Bau dieses Hauses	brauchen Sie eine Erlaubnis vom Bauamt.
Zur Feststellung der Personalien	nahm uns die Polizei mit.
Nach Einzug in die Wohnung	mußten wir sofort die Miete bezahlen.
Nach Erledigung des Auftrags	konnten wir Urlaub machen.
Nach Beendigung des Vortrags	sollten Sie das Licht ausmachen.
Nach Erhalt der Rechnung	sollten Sie den Betrag überprüfen.
Bei Benutzung dieses Apparats	übernehmen wir keine Verantwortung.
Für die Reinigung der Straßen	sind Angestellte der Stadt zuständig.

3 Vor der Gewerkschaftssitzung

wenn – als – nachdem

Angestellter A: _______ es Ihnen recht ist, komme ich morgen mal vorbei.
Angestellter B: Gern. _______ bald Gewerkschaftssitzung ist, sollten wir einiges besprechen.
Angestellter A: Es hat ja damals ziemlich Ärger gegeben, _______ die Firma meinte, sie müsse 20 Mitarbeitern kündigen.
Angestellter B: Jaja, _______ der Chef das gesagt hatte, war der Protest groß.
Angestellter A: Sie behandeln uns wieder härter _______ in früheren Jahren. _______ Angestellter hat man nichts zu lachen.
Angestellter: B: _______ Sitzung ist, können wir darüber sprechen, was wir tun sollten.

a) *Setzen Sie* wenn – als – nachdem *ein!*
b) *Bestimmen Sie die Verwendung: Bedingung, Wiederholung, Zeitpunkt, Grund, Vergleich oder Beruf.*

4 Till Eulenspiegel

Stellung der Zeitpartikeln

______ sollte ______ für einen Mann Geschirr tragen.
______ versprach ______ zehn Pfennig Lohn.
______ wollte ______ immer weniger zahlen.
______ sagte ______ nichts.
______ kamen ______ bei der Wohnung an.
______ wollte ______ gar keinen Lohn mehr zahlen.
______ war ______ mit seiner Geduld am Ende:
Er warf den Korb mit Geschirr die Treppe hinunter.
______ lief ______ weg.

anfangs
da
danach
dann
einmal
jetzt
schließlich
zuerst

5  Welche Bedeutungen hat „machen“?

Wortschatz

Mit welchen Verben kann man „machen“ umschreiben?
Ändern Sie für die Umschreibung die unterstrichenen Wörter!

Was machen Sie beruflich?
Die Fabrik, in der ich arbeite, macht Möbel.
Haben Sie heute Ihre Arbeit schon gemacht?
Ich muß das Lager noch machen.
Was soll ich inzwischen machen?
Machen Sie bitte die Tür zu!
Das geht nicht, da kann man nichts machen.
Machen Sie bitte nicht das Fenster auf!
Was würden Sie an meiner Stelle machen?
Ich würde eine Reise nach Amerika machen.
Gut, machen wir einen Termin aus!
Wieviel macht das?
Den Reiseplan habe ich selbst gemacht.
Machen Sie sich Sorgen?
Das macht doch nichts.

kosten
tun
öffnen
ändern
erledigen
aufräumen
zusammenstellen
reisen
sich verhalten
sich treffen
haben
nicht schlimm sein
nicht geöffnet lassen
herstellen
arbeiten

Kontrollübung

Nebensätze: wenn, als, nachdem; weil; ob, wieviel, wo, was; daß, so daß, damit, um . . . zu; zu; den, die; uneingeleiteter Nebensatz

Ihr Lieben,

Euer Brief, ____ ich gestern erhalten habe, hat mich sehr ge-	den
freut. Ich weiß, ____ Ihr schon lange auf einen Brief von mir	daß
wartet. Heute habe ich endlich Zeit, ____ auf Euere Fragen ____	– / zu
antworten. Ihr habt mich gefragt, ____ ich etwas über Löhne in	ob
der Bundesrepublik berichten könne. Nun, einiges, ____ ich dar-	was
über gehört habe, interessiert Euch sicher.	
____ wir gestern Mittagspause hatten, unterhielt ich mich mit	Als
einem deutschen Kollegen. Er meinte, ____ die Gewerkschaft	–
sei doch da, ____ für die Forderungen der Arbeitnehmer ____	um / zu
kämpfen. Sie müsse hart sein, ____ wir höhere Löhne und	damit
mehr Urlaub bekommen. Aber manche Kollegen hätten Angst, ____	–
die Firmen würden noch mehr Leuten kündigen, ____ die Gewerk-	wenn
schaft zu hohe Löhne verlange. Überall, ____ es möglich sei,	wo
würde man dann Computer und Maschinen kaufen, ____ die billi-	weil
ger seien als die Arbeitslöhne. Viele fürchten, ____ noch	daß
mehr Leute arbeitslos werden könnten. ____ wieder mehr Men-	Damit
schen Arbeit bekommen, will die Gewerkschaft erreichen, ____	daß
die 35-Stunden-Woche Gesetz wird.	
Die Löhne, ____ die Arbeiter hier bekommen, scheinen ziemlich	die
hoch, ____ man sie mit den Löhnen bei uns vergleicht. Aber	wenn
____ gut leben ____ können, muß man auch eine Menge ausgeben.	um / zu
____ ich auf Wohnungssuche war, merkte ich sehr schnell,	Als
____ Geld die Deutschen für die Miete bezahlen. Oder für alles,	wieviel
____ mit Freizeit, Urlaub oder Auto zu tun hat.	was
Letzte Woche, kurz ____ Ihr angerufen hattet, hat mich übri-	nachdem
gens Rainer besucht. Ich muß sagen, ____ wir sind in der	–
letzten Zeit oft zusammen und mögen uns sehr, ____ ich mich	so daß
manchmal frage, ____ das nicht schon mehr als Freundschaft ist.	ob
Ich hoffe, ____ es Euch gut geht und Ihr Euch keine Sorgen macht.	daß

Herzlichst
Eure Reka

Text 1

erledigen
voran/kommen
berücksichtigen
statt/finden

sich etw. versprechen von

was ... betrifft

s Bewerbungsschreiben, –
e Korrespondentin, –nen
e Erledigung, –en
e Korrespondenz, –en
s Stellenangebot, –e
e Voraussetzung, –en
s Interesse, –n
r Apparat, –e

s Instrument, –e
e Stellung, –en
e Werbeabteilung, –en
e Sitzung, –en
r Geschäftspartner, –
e Verbesserung, –en
e Selbständigkeit
s Vorstellungsgespräch, –e

erfahren
tätig sein
anschließend
medizinisch
ungekündigt
weltweit
bisherig
jetzig
bereits

Text 2

an/machen
rein/schütten
erhöhen
verringern
schweißen
ein/stellen (Maschine)
vor/bereiten
reinigen
her/stellen
ändern
produzieren

r Akkord
r Strom
e Tasse, –n
r Kaffee
r Waschraum, ¨e
s Wasser
e Laufgeschwindigkeit
e Vorschrift, –en
e Vorbereitung, –en
s Werkstück, –e
r Zeitnehmer, –

r Gang, ¨e
e Stoppuhr, –en
e Tasche
s Zeichen
e Bearbeitung
e Kontrolle, –n
s Material, –ien
e Stückzeit, –en
e Schicht, –en
r Kampf, ¨e
r Gewinner, –

e Fabrikleitung, –en

heiß
nachdem
damit
vergeblich
bisher
Punkt sechs Uhr
in Zukunft

Text 3

fällen
gebrauchen
heizen
von etwas leben
schütteln
klein/machen
an/bieten
ab/lehnen

um/graben
rechnen mit
schwitzen
frieren
begründen

r Auftrag, ¨e
r Garten, ¨ –

r Kopf, ¨e
r Schilling, –e
e Pause, –n
e Unterbrechung, –en
e Forderung, –en

furchtbar
kalt

doppelt

so daß
mindestens
überrascht sein
jdm. recht geben
mit jdm. einen Termin aus/machen

Text 4

kritisieren
zu/hören
hinauf/schleppen
hinunter/werfen
fliegen
sich beeilen

r Held, –en
s Volksbuch, ¨er
r Witz, –e
r Lastträger, –
r Korb, ¨e
s Geschirr
r Magen, ¨ –
r Wagen, –

e Treppe, –n
e Scherbe, –n

bäuerlich
geizig
arm
angenehm
wortlos

unterwegs

zur Welt kommen
mit dem Lohn heruntergehen
jmdm. eine Lehre geben

Übungen 1–4: Siehe Reihe 1, Seite 18!

Reihe 6

Thema

Verkehr

Texte

1 Verkehrsmittel
2 Der Verkehrsunfall
3 Gefahren für die Umwelt durch den Autoverkehr
4 Unfallmeldungen aus der Zeitung

Grammatik

Das Passiv

Präsens:	Eine Straße	wird gebaut.
Präteritum:	. . .	wurde gebaut.
Perfekt:	. . .	ist gebaut worden.

Wortbildung: Nomen aus Verben

Verkehrsmittel

Aus Lexikonartikel „Eisenbahn“

Die E. war das erste schnelle Massenverkehrsmittel und hatte sehr großen Einfluß auf die techn., wirtsch. und polit. Entwicklung der industrialisierten Staaten. 1825 fuhr erstmals eine Dampflokomotive in England. 1835 wurden die belgischen Städte Brüssel und Mecheln mit einer Dampfbahn verbunden. Am 7. Dez. 1835 folgte Deutschland mit der ersten Strecke zwischen Nürnberg und Fürth. 1839 wurde die 115 km lange Strecke zwischen Leipzig und Dresden eröffnet. 1850 besaß Deutschland schon 5470 km E.strecke . . .

Aus Lexikonartikel „Flugzeug“

Um 1500 zeichnete Leonardo da Vinci Flugapparate, deren Flügel mit den Armen bewegt wurden. Erst vier Jahrhunderte später wurde mit den bis 300 m weiten Versuchsflügen O. Lilienthals der Traum vom Fliegen Wirklichkeit (1891–96). Nachdem den Gebrüdern Wright die Verbesserung des Segelflugs gelungen war, starteten sie 1903 mit einem 12-PS-Benzinmotor zu ersten Motorflügen. Im Juli 1909 überquerte Louis Blériot mit einem solchen Motorflugzeug den Ärmelkanal. Die weitere Entwicklung: H. Junkers stellte 1915 das erste Ganzmetall-F. her. 1927 gelang C. A. Lindbergh der erste Direktflug von New York nach Paris. Das erste Düsenflugzeug (Heinkel He-178) flog 1939. Seit den 50er Jahren werden Düsenflugzeuge auch für den Luftverkehr verwendet . . .

Aus Lexikonartikel „Kraftwagen“

Die Entwicklung des Kraftwagens (Automobil, Auto) hat in Deutschland begonnen. 1876 erfand N. A. Otto den Viertaktmotor, 1886 wurden erstmals die von G. W. Daimler / W. Maybach und von C. Benz entwickelten Automobile der Öffentlichkeit vorgestellt. Zu Anfang des 20. Jh. übernahmen die USA die Führung in der Kraftwagenindustrie. Dort begann mit H. Ford die Massenproduktion. Zwischen den beiden Weltkriegen wurde der Automobilexport fast nur durch die USA bestimmt. Seit dem 2. Weltkrieg spielen Europa und Japan die wichtigste Rolle im Automobilexport.

Der Verkehrsunfall

Emil Wagner hat zusammen mit seiner Freundin Ulrike eine Spazierfahrt auf seinem neuen Moped gemacht. Da ist ein Unfall passiert. Zum Glück wurden sie nur leicht verletzt. Von einem Polizisten wird Emil Wagner jetzt gefragt, wie es zu dem Unfall gekommen ist.

Emil: Ich wollte meiner Freundin mein Moped zeigen, das ich mir letzte Woche gekauft habe. Wir sind aus der Bergedorfer Straße gekommen und in die Ringstraße abgebogen.

Polizist: Aber Sie wissen doch, daß es verboten ist, zu zweit auf einem Moped zu fahren!

Emil: Wir wollten nur ein paar Minuten das Moped ausprobieren. Ganz kurz nur. Hier vor der Ampel haben wir einen Freund getroffen, und da habe ich wohl für ein paar Augenblicke nicht auf den Verkehr geachtet.

Polizist: Und da sind Sie gestürzt ...

Emil: Ja, ich bin ins Schleudern geraten und gegen den Randstein geprallt. Es ging alles so schnell. Plötzlich gab es einen Schlag, und Ulrike und ich lagen auf der Straße. Ulrike blutete an der rechten Hand, und ich hatte eine Wunde am Kopf.

Frau Meier und Herr Krause wurden auch in den Unfall verwickelt.
Jetzt werden sie befragt.

Polizist: Können Sie mir bitte schildern, wie es zu dem Unfall kam?

Frau Meier: Ich war auf dem Weg nach Hause. Da kam mir ein Moped entgegen, auf dem zwei Jugendliche saßen. Dahinter fuhr ein Auto, das die beiden überholen wollte. Der Fahrer schien es recht eilig zu haben. Ja, und dann geriet das Moped ins Schleudern.

Herr Krause: Das ist richtig. Ich wollte gerade das Moped überholen. Da mußte ich noch weiter auf die Gegenfahrbahn fahren, um dem Moped ausweichen zu können. Ich konnte nicht mehr rechtzeitig bremsen. Da war's passiert.

Frau Meier: Ja, und mein Auto streifte das Auto dieses Herrn.

Polizist: Die beiden auf dem Moped hatten noch Glück im Unglück, es hätte schlimmer kommen können ...

Gefahren für die Umwelt durch den Autoverkehr

Aus einer Rede

... Die Erfindung des Automobils hat uns zwar die Möglichkeit gegeben, uns schnell und bequem von einem Ort zu einem anderen zu bewegen, aber wir wissen heute auch, daß das Auto als Massenverkehrsmittel unserer Umwelt sehr schadet. Noch immer werden diese Schäden zu wenig berücksichtigt. Welche Schäden sind das?
Mit jedem Liter Benzin werden 3,5 Kilogramm Sauerstoff verbrannt. Für die Verbrennung von 50 Litern Benzin, mit denen man ungefähr 600 Kilometer fahren kann, braucht ein Automotor genauso viel Sauerstoff wie ein Erwachsener innerhalb eines ganzen Jahres. Es wird angenommen, daß bereits jetzt die Luft sauerstoffärmer geworden ist.
Autos geben außerdem Kohlendioxyd an die Luft ab. Das Ergebnis ist, daß die Atmosphäre immer wärmer wird. Das könnte eines Tages zu einer Veränderung des Klimas führen.
Autos geben auch Kohlenmonoxyd an die Luft ab. Durch diesen giftigen Stoff wird das menschliche Blut geschädigt; es kann dem Körper nicht mehr genug Sauerstoff zuführen.
Ein dritter Schadstoff, der von Automotoren an die Luft abgegeben wird, sind Bleiverbindungen. Der Mensch nimmt sie vor allem über Nahrungsmittel auf und behält diese besonders für die Knochen schädlichen Stoffe im Körper.
In der Großstadt leiden viele Menschen, die an verkehrsreichen Straßen wohnen, unter dem Lärm der Autos. Der Lärm macht sie nervös und auf die Dauer sogar krank, weil ihr Schlaf ständig gestört wird. Um trotz des Lärms schlafen zu können, nehmen viele abends eine Beruhigungs- oder Schlaftablette.
Und ein letzter Punkt: Wir alle wissen, daß jedes Jahr weltweit viele hunderttausende von Menschen bei Verkehrsunfällen getötet werden, viele Millionen werden jährlich verletzt.
Vielleicht, liebe Zuhörer, fragen Sie jetzt: „Was können wir dagegen tun? Das ist eben der Preis, den wir für den technischen Fortschritt zu zahlen haben." Darauf möchte ich antworten: Wir können eine Menge ändern. Motoren, die keine giftigen Stoffe an die Luft abgeben und die sehr leise laufen, sind technisch kein Problem. Auch für die Verkehrssicherheit auf den Straßen könnte man viel tun. Daß dafür Geld ausgegeben wird, sollte uns im Interesse unserer Gesundheit nicht leid tun ...

Unfallmeldungen

Unglücksfahrer hatte Lebens-
retter

Dem Mut und der Schnelligkeit einer jungen Frau verdankt der 30jährige Soldat
sein Leben, der in der Nacht zum vergangenen Freitag – wie berichtet – mit seinem
Wagen gegen einen Kiosk in Forstenried
geprallt war. Das Auto und der Kiosk
standen sofort in Flammen. Retterin des
Zeitsoldaten Heinz M. aus Tutzing war
eine 22jährige Taxifahrerin aus München,
die wenige Sekunden nach dem Unglück
zur Stelle gewesen war. Die Feuerwehr
hatte zuerst angenommen, der Autofahrer
habe sich selbst aus dem brennenden Wagen retten können.
„Ich war gerade im Keller beim Wäschewaschen, als es in unmittelbarer Nähe einen furchtbaren Knall gab," berichtet Daniela Nicolaus. „Da ich nur 50 Meter von
dem Kiosk entfernt wohne, lief ich sofort
zur Unfallstelle, sah, was geschehen war
und daß es im Motor des Unfallwagens
brannte." Wie Daniela Nicolaus schilderte, habe sie – da die Tür sich nicht öffnen
ließ – den verunglückten Fahrer aus einem
Seitenfenster herausgezogen.
„Ich hatte den Verunglückten nur vier
oder fünf Meter weit wegziehen können,
als auch das Wageninnere in Flammen
stand," schilderte die 22jährige weiter. In
der Zwischenzeit habe ihre Mutter Polizei
und Feuerwehr angerufen. Sie habe für
den Verletzten dann noch eine Decke geholt.

Nach Auskunft der Polizei geht es dem
verunglückten Heinz M. „der Schwere des
Unfalls entsprechend" recht gut. Er werde
wahrscheinlich schon in den nächsten Tagen entlassen.

Zwei Verletzte
bei Schulbusunglück

Beim Zusammenstoß zwischen einem
Lastwagen und einem Schulbus wurden in
Schwaighausen beide Fahrer schwer verletzt. Sechs Kinder, die im Bus saßen, blieben unverletzt. An den zwei Fahrzeugen
entstand ein Schaden in Höhe von rund
35 000 Mark. Nach Auskunft der Polizei
war der Lkw-Fahrer betrunken und hatte
die Vorfahrt des Schulbusses nicht beachtet.

Auf dem Heimweg verunglückt

Zwei 19jährige Jugendliche sind bei einem
schweren Verkehrsunfall bei Kirchfem-
bach getötet worden. Wie die Polizei mitteilte, geriet das Auto in einer Linkskurve
vermutlich wegen zu hoher Geschwindigkeit ins Schleudern. Es kam von der Straße
ab und prallte gegen einen Baum. Das
Auto überschlug sich und blieb nach etwa
25 Metern auf dem Dach liegen. Ein auf
dem Rücksitz mitgefahrener dritter 19jäh-
riger wurde aus dem Fahrzeug geschleu-
dert. Er wurde mit Knochenbrüchen ins
Krankenhaus gebracht.

Passiv – Verbformen

Aktiv Präsens	**Passiv Präsens**
Man fragt mich um Rat.	Ich **werde** um Rat **gefragt.**
Man braucht dich.	Du **wirst gebraucht.**
Man baut eine Straße.	Eine Straße **wird gebaut.**
Man holt uns nach Bonn.	Wir **werden** nach Bonn **geholt.**
Man ruft euch an.	Ihr **werdet angerufen.**
Man baut neue Städte.	Neue Städte **werden gebaut.**
Aktiv Präteritum	**Passiv Präteritum**
Man fragte mich um Rat.	Ich **wurde** um Rat **gefragt.**
Man brauchte dich.	Du **wurdest gebraucht.**
Man baute eine Straße.	Eine Straße **wurde gebaut.**
Man holte uns nach Bonn.	Wir **wurden** nach Bonn **geholt.**
Man rief euch an.	Ihr **wurdet angerufen.**
Man baute neue Städte.	Neue Städte **wurden gebaut.**
Aktiv Perfekt	**Passiv Perfekt**
Man hat mich um Rat gefragt.	Ich **bin** um Rat **gefragt worden.**
Man hat dich gebraucht.	Du **bist gebraucht worden.**
Man hat eine Straße gebaut.	Eine Straße **ist gebaut worden.**
Man hat uns nach Bonn geholt.	Wir **sind** nach Bonn **geholt worden.**
Man hat euch angerufen.	Ihr **seid angerufen worden.**
Man hat neue Städte gebaut.	Neue Städte **sind gebaut worden.**

Merke:
„worden" *ist das Partizip II vom Hilfsverb* „werden"
Der Brief ist beantwortet **worden.**
„geworden" *ist das Partizip II vom Vollverb* „werden"
Es ist ein langer Brief **geworden.**

Präpositionalgruppen beim Passiv

Aktiv	*Passiv*
Deutsche haben das Automobil erfunden.	Das Automobil wurde **von Deutschen** erfunden.
Die USA bestimmten lange den Automobilexport.	Der Automobilexport wurde lange **durch die USA** bestimmt.

Unpersönliches Passiv

Aktiv	*Passiv*
Man tut zu wenig gegen Unfälle.	**Es wird** zu wenig gegen Unfälle **getan.**
Man plant, Straßen zu bauen.	**Es wird geplant,** Straßen zu bauen.
Man fährt sonntags nicht viel.	Sonntags **wird** nicht viel **gefahren.**

werden-Passiv und sein-Passiv

Der Motor **wird geprüft.** (Den Motor sehen wir nach.)
Der Motor **ist geprüft.** (Den Motor haben wir nachgesehen, er ist in Ordnung.)

Das Auto **wird verkauft.** (Wir suchen einen Käufer.)
Das Auto **ist verkauft.** (Wir haben einen Käufer gefunden.)

Wortbildung: Nomen aus Verben

Nomen ohne Suffix

1 *Aus starken Verben, z.B.*
anbieten → das Angebot
verlieren → der Verlust

2 *Aus schwachen Verben, z.B.*
versuchen → der Versuch
verkaufen → der Verkauf

3 *Substantivierung, z.B.*
vorhaben → das Vorhaben
schreiben → das Schreiben

Nomen mit Suffix

1 *Suffix -ung, z.B.*
erfinden → die Erfindung
herstellen → die Herstellung

2 *Suffix -ion, z.B.*
informieren → die Information
diskutieren → die Diskussion

Nomen mit Präfix Ge-, *z.B.*
denken → der Gedanke
sprechen → das Gespräch

Verkehr

Im Personenverkehr wird zu 80 % das Privatauto benützt, für die öffentlichen Verkehrsmittel bleibt nur ein Fünftel: 6 % des Personenverkehrs entfällt auf die Eisenbahn, 2 % auf Flugzeuge; die restlichen 12 % verteilen sich auf Nahverkehrsmittel, also Bus, U-Bahn oder Straßenbahn.
Anders ist es beim Güterverkehr; hier rollt „nur" gut die Hälfte, nämlich 51 %, per Lastwagen über die Straßen der Bundesrepublik. 24 % der Güter werden mit der Eisenbahn transportiert, 21 % mit Schiffen auf dem Fluß- und Kanalnetz. Per Flugzeug finden 1 % der Transporte statt, und 3 % wird per Ölleitung erledigt.
(Grundlage für diese Prozentzahlen sind die gefahrenen „Personenkilometer" und „Tonnenkilometer")

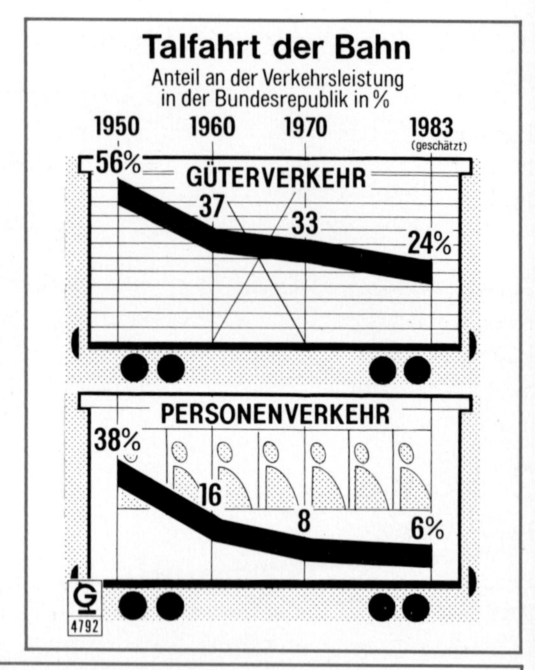

Die Ursachen von Verkehrsunfällen

Bei insgesamt ca. 530 000 Unfällen mit Verletzten auf den Straßen der Bundesrepublik Deutschland im Jahr 1986 lag in fast 447 000 Fällen die Ursache bei einem Fahrzeugführer. Am häufigsten, nämlich fast 90 000 mal, führte zu hohe Geschwindigkeit zu einem Unfall; und über 65 000 Unfälle passierten, weil die Vorfahrt nicht beachtet wurde. Bei über 32 000 Unfällen war Alkohol mit im Spiel.

An den Fahrzeugen war dagegen die Ursache „nur" bei rund 6000 Unfällen zu suchen. Dabei wurden am häufigsten schlechte Reifen als Grund für den Unfall festgestellt.

Über 36 000 Unfälle wurden durch Fußgänger verursacht, die meisten davon durch falsches Verhalten beim Überqueren der Straße.

Bestand an Personenkraftwagen

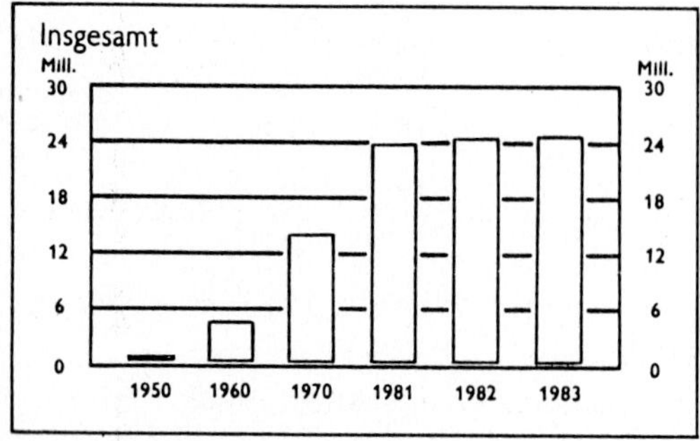

Straßenverkehrsunfälle und dabei Verunglückte

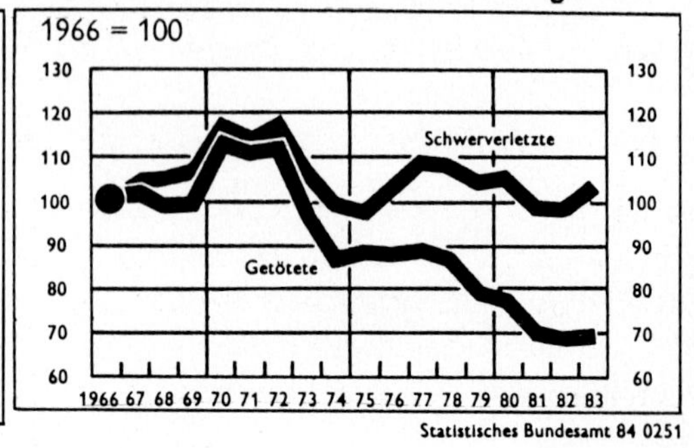

Statistisches Bundesamt 84 0251

Partnerübungen

1 Das ist noch nicht fertig.

Passiv, Präsens

Partner 1: Das *Angebot* – wo ist das denn?
Partner 2: Das ist noch nicht fertig. Das wird gerade *zusammengestellt.*
Partner 1: Ach so, das wird erst zusammengestellt.
Ich dachte, das sei schon fertig.

Angebot zusammenstellen	Auto waschen
Bericht schreiben	Buch übersetzen
Fabrik bauen	Zimmer aufräumen
Schrank machen	Essen kochen

2 Draußen ist jemand.

Passiv, Präsens

Partner 1: Sie werden *gesucht.* Draußen ist jemand.
Partner 2: Ich werde gesucht? Wer ist denn da?
Partner 1: *Eine ältere Frau.*

Eine ältere Frau sucht Sie.	Ein älterer Herr braucht Sie.
Ein junger Mann holt dich ab.	Ein kleiner Junge ruft dich.
Eine Dame bittet euch zu warten.	Ein junges Mädchen fragt euch, wann ihr fertig seid.

3 Weißt du das?

Passiv, Präteritum

Partner 1: Mich hat gestern jemand gefragt, wann *die erste Eisenbahnstrecke gebaut* wurde.
Weißt du das?
Partner 2: Ich glaube, sie wurde 1825 gebaut.

Bau der ersten Eisenbahnstrecke: 1825	Eröffnung der ersten Autobahnstrecke: 1935
Erfindung des Automobils: 1886	Verwendung des ersten Düsenflugzeugs: 1939
Entwicklung des ersten Motorflugzeugs: 1903	Start des ersten Satelliten: 1957
Herstellung des ersten Ganzmetallflugzeugs: 1915	

4 Eine Neuigkeit

Passiv, Perfekt

Partner 1: Hallo, grüß dich!
Partner 2: Nett, daß du anrufst. Was gibt's Neues?
Partner 1: Du, stell dir vor: Meine *Bewerbung* ist *angenommen* worden!
Partner 2: Sprich bitte etwas lauter, die Verbindung ist sehr schlecht. – Was ist angenommen worden?
Partner 1: Meine Bewerbung ist angenommen worden.

Bewerbung annehmen	Gepäck finden	Urlaub verlängern
Bild verkaufen	Reise bezahlen	Buch übersetzen

5 Mir ist das noch nie passiert!

Passiv mit von

Partner 1: Gestern war ich wirklich überrascht: Ich bin von *Herrn Pilz eingeladen* worden! Er spricht doch sonst mit niemandem von uns.
Partner 2: Da wäre ich auch überrascht gewesen. Mir ist das noch nie passiert, ich bin von ihm noch nie eingeladen worden.

Herr Pilz hat mich eingeladen.
Frau Werner hat mich angerufen.
Herr Burger hat uns im Auto mitgenommen.
Frau Becher hat mich etwas gefragt.

Herr Staiger hat mich zu einer Tasse Kaffee abgeholt.
Frau Zech hat mir zum Geburtstag gratuliert.

6 Zeitungsmeldungen

Passiv, Präsens/Präteritum/Perfekt

Partner 1: Haben Sie's gelesen?
Es wurde *entschieden,* daß *kein neuer Flughafen gebaut* wird.
Partner 2: Na ja, man sagt, es sei entschieden worden. Aber es wird viel geredet und geschrieben. Die Wirklichkeit sieht meist anders aus.

die Entscheidung, keinen neuen Flughafen zu bauen
das Verbot, im Stadtzentrum mit dem Auto zu fahren
die Entscheidung, bald nur noch unschädliches Benzin zu verkaufen
das Verbot, noch schnellere Autos zu bauen
die Entscheidung, die Bewohner vor dem Lärm der Autos zu schützen
das Verbot, nachts über dem Stadtgebiet zu fliegen

Schriftliche Übungen

1 Zur Verkehrsplanung

Unpersönliches Passiv, Präsens/Perfekt

Verwenden Sie in Haupt- und Nebensatz das unpersönliche Passiv anstelle der unterstrichenen Nomen! Beispiel: Es ist beklagt worden, daß zu wenig gegen Verkehrsunfälle getan wird.

a) Berichten Sie, worüber viele Bürger auf einer Versammlung diskutiert haben.

Die Bürger haben beklagt, daß	Die Stadt soll die Bürger nach ihrer Meinung fragen.
Die Bürger haben verlangt, daß	Die Stadt will eine Spielstraße wieder in eine Autostraße umbauen.
Die Bürger haben protestiert, daß	Kann die Stadt nicht mehr Spielplätze für Kinder planen?
Die Bürger haben gefragt, ob	→ Die Stadt tut zu wenig gegen Verkehrsunfälle.

b) Die Stadtverwaltung erklärt, was sie für wichtig hält.

Die Stadt prüft, ob	Die Stadt will mehr Gespräche mit Bürgern organisieren.
Die Stadt plant, daß	Die Bürger sollen jeden Vorschlag und jede Meinung genau begründen.
Die Stadt sorgt dafür, daß	→ Vielleicht hat die Stadt bei der Planung Fehler gemacht.
Die Stadt bittet darum, daß	Die Stadt will in der Nähe von Schulen neue Ampeln aufstellen.

2  Welche Bedeutungen hat „tun“?

Wortschatz

Mit welchen Verben kann man das Verb „tun“ (tat, hat getan) umschreiben?
arbeiten, böse sein zu jemandem, den Eindruck machen, sich entscheiden, helfen, keinen Kontakt haben mit, sich kümmern um, machen

Tu, was du willst!	Er will mit mir nichts zu tun haben.
Ich habe ihm nichts getan.	Sie tut nichts für ihre Gesundheit.
Ich tue gern etwas für Sie!	Ihr tut zur Zeit wirklich viel!
Was soll ich denn nur tun?	Ihr tut so, als ob ihr das nicht wüßtet.

3 Eine Autofirma

Wortbildung: Nomen aus Verben

Aus der Firmengeschichte

Bau der ersten Fabrik
Beginn der Autoproduktion
Entschluß zur Erhöhung der Produktion
Auszug aus den alten Büroräumen
Einzug in die neuen Büroräume
Einstieg in Geschäfte mit dem Ausland
Verlust von 100 Millionen Mark
Angebote zum Verkauf der Firma
Feier des 30jährigen Bestehens
Wahl der neuen Firmenleitung
Versprechen der Arbeitsplatzsicherheit
Kündigung von 600 Angestellten

Beispiel: Bau → bauen

Die Firma baut die erste Fabrik.
Die Firma baute die erste Fabrik.
Die Firma hat die erste Fabrik gebaut.

Aus dem Tagebuch eines Mitarbeiters

Abfahrt zu einer Südamerikareise
Ankunft in Sao Paulo
Anruf bei der Firmenleitung
Fahrt nach Mexico City
Besuch bei Autofirma in Puebla
Dank an die Gastgeber
Bericht von der Reise
Bitte um baldige Entscheidung
Einkauf moderner Maschinen
Protest gegen schlechte Qualität
Reise nach Südostasien
Verlust des Arbeitsplatzes

Der Mitarbeiter fährt ...
...
...

4 Mitarbeiter der Firma

Wortbildung: Nomen auf -ung

a) Wofür sind die Mitarbeiter zuständig?
Beispiel: Herr Huber ist für die Prüfung aller Rechnungen zuständig.

Frau Schmidt stellt neue Mitarbeiter ein.
Herr Meyer übersetzt die Briefe aus dem Ausland.
Herr Franke stellt die Produktionskosten fest.
Herr Huber prüft alle Rechnungen.
Frau Ohlsen führt unsere Besucher.
Frau Böhm plant neue Produkte.

b) Was verlangen die Mitarbeiter?
Beispiel: Sie verlangen, daß Kündigungen genauer begründet werden.

eine genauere Begründung von Kündigungen
bessere Bezahlung für schwere Arbeiten
eine frühzeitige Regelung der Urlaubszeiten
die Verlängerung der Öffnungszeiten der Kantine

Kontrollübung

Setzen Sie die Sätze ins Passiv!

Man erfand diese Maschine vor einigen Jahren.
Man verwendet sie beim Straßenbau.
Mein Kollege hat sie in Hannover bestellt.
Die Firma Liedholz stellt solche Maschinen her.
Wir wissen nicht, wie man einige Teile wechselt.
Man hat uns das nicht erklärt.
Wir hoffen, daß uns die Firma jemanden schickt.
Wir haben die Maschine vor einem halben Jahr gekauft.
Unsere Arbeiter haben sie bisher nicht oft benutzt.
Man pflegt sie auch bestens.
Wir bitten, daß man uns mitteilt, wann jemand kommen kann.

Gestern stellte man mich zwei Angestellten euerer Firma vor.
Warum schimpft man so über eueren Chef?
Man hat mich vor ihm gewarnt.
Behandelt er euch schlecht?
Man erzählt, ihr würdet weniger verdienen als wir.
Ich habe gehört, der Chef hat dich gebeten, nicht zu kündigen.

Diese Maschine wurde vor einigen Jahren erfunden.
Sie wird beim Straßenbau verwendet.
Sie ist von meinem Kollegen in Hannover bestellt worden.
Solche Maschinen werden von der Firma Liedholz hergestellt.
Wir wissen nicht, wie einige Teile gewechselt werden.
Das ist uns nicht erklärt worden.
Wir hoffen, daß uns von der Firma jemand geschickt wird.
Die Maschine ist von uns vor einem halben Jahr gekauft worden.
Sie ist von unseren Arbeitern bisher nicht oft benutzt worden.
Sie wird auch bestens gepflegt.
Wir bitten, daß uns mitgeteilt wird, wann jemand kommen kann.

Gestern wurde ich zwei Angestellten euerer Firma vorgestellt.
Warum wird so über eueren Chef geschimpft?
Ich bin vor ihm gewarnt worden.
Werdet ihr von ihm schlecht behandelt?
Es wird erzählt, ihr würdet weniger verdienen als wir.
Ich habe gehört, du bist vom Chef gebeten worden, nicht zu kündigen.

Text 1

folgen
besitzen
zeichnen
bewegen
gelingen
starten
überqueren
verwenden
vor/stellen

s Verkehrsmittel, –
r Lexikonartikel, –

e Eisenbahn, –en
s Massenverkehrs-
mittel, –
r Einfluß, –flüsse
e Dampflokomotive, –n
e Dampfbahn, –en
e Strecke, –n
s Flugzeug, –e
r Flug, ¨–e
r Flügel, –
r Arm, –e
s Jahrhundert, –e

Gebrüder (Pl.)
r Segelflug, ¨–e
e PS (Pferdestärke, –n)
s Benzin
r Motor, –en
r Ärmelkanal
s Metall, –e
s Düsenflugzeug, –e
r Kraftwagen, –
r Viertaktmotor, –en
e Öffentlichkeit
e Massenproduktion

r Automobil-
export, –e

industrialisiert
belgisch
entwickelt

erstmals

die Führung über-
nehmen
eine Rolle spielen

Text 2

ab/biegen
aus/probieren
achten auf
stürzen
prallen gegen
bluten
verwickeln in
schildern
entgegen/kommen

überholen
aus/weichen
bremsen
streifen

r Unfall, ¨–e
e Spazierfahrt, –en
s Moped, –s
r Polizist, –en

e Ampel, –n
r Augenblick, –e
r Randstein, –e
e Wunde, –n
e Gegenfahrbahn, –en
s Unglück, –e
verboten
recht

eilig
rechtzeitig

zu zweit

Wie ist es zu …
… gekommen?
ins Schleudern
geraten

Text 3

schaden
verbrennen
ab/geben
schädigen
zu/führen
behalten
leiden unter
töten

e Umwelt
e Rede, –n

e Möglichkeit, –en
r Schaden, ¨–
r Liter, –
s Kilogramm, –
r Sauerstoff
r Erwachsene, –n
s Kohlendioxyd
s Ergebnis, –se
e Atmosphäre
s Klima
s Kohlenmonoxyd

r Stoff, –e
s Blut
r Körper, –
e Bleiverbindung
s Nahrungsmittel, –
r Knochen, –
e Beruhigungsta-
blette, –n

bequem
sauerstoffarm

warm
giftig
schädlich
verkehrsreich
nervös
ständig
leise

innerhalb
auf die Dauer

Text 4

verdanken
sich retten
geschehen
entlassen
beachten
verunglücken
mit/teilen
ab/kommen von
sich überschlagen

e Unfallmeldung, –en
r Mut
e Schnelligkeit
r Soldat, –en
s Taxi, –s
r Keller, –
s Wäschewaschen
r Knall
s Seitenfenster, –
s Wageninnere

e Decke, –n
r Zusammenstoß,
–stösse
r Lastwagen, –
s Fahrzeug, –e
r Lkw (Lastkraftwagen)
e Vorfahrt
e Linkskurve, –n
r Rücksitz, ¨–e

vergangen
unmittelbar
entfernt
betrunken

in Höhe von
entsprechend (Dat.)

in Flammen stehen
zur Stelle sein
da = weil

Übungen 1–4: siehe Reihe 1, S. 18!

Reihe 7

Thema

Gesundheitswesen

Texte

1 Ein Tag im Krankenhaus
2 Beim Arzt
3 Meinungen zur Sterbehilfe
4 Erklärung über die Rechte des Patienten

Grammatik

Dreiteilige Verbformen im Passiv

muß . . . eingeliefert werden
soll . . . untersucht werden
kann . . . operiert werden

Alternativen zum Passiv

man
ist . . . zu
sich . . . lassen

Wortbildung: Zusammengesetzte Nomen

Ein Tag im Krankenhaus

Man hat uns heute früher als sonst geweckt. Nachtschwester Petra kommt herein und sagt, ich soll – wie jeden Morgen – zuerst Temperatur messen. „37 Grad, kein Fieber“, stellt sie fest, „Frau Seifert, Sie dürfen heute mal versuchen, allein aufzustehen. Aber vorsichtig!“ Noch vor einer Woche mußte ich von zwei Krankenhelfern hochgehoben werden, damit das Bett gemacht werden konnte. Das ist Gott sei Dank vorbei.

Die Ärztin kommt zur Untersuchung. Sie ist zufrieden mit meinem Gesundheitszustand und versichert, ich müsse am Bein nicht mehr operiert werden. Etwas enttäuscht bin ich trotzdem, weil ich noch nicht entlassen werden kann. „Seien Sie ein bißchen geduldig,“ hat Frau Doktor Sengle gemeint, „alles braucht seine Zeit! Freuen Sie sich erst einmal darüber, daß Sie nicht operiert werden müssen!“ Sie hat recht. Und ist es nicht auch ganz schön, sich mal von Schwestern bedienen und pflegen zu lassen?

Frühstück. Schwesternhelferin Inge bringt Tee, Kaffee, Milch, Brot mit Butter und Marmelade. Mein Appetit ist besser und es schmeckt mir. Ich habe auch schon zwei Kilo zugenommen. Gestern bin ich gewogen worden: mein Gewicht ist wieder normal, ich wiege 51 Kilo. Schwester Elisabeth, die immer lustig und bester Laune ist, meinte: „Ich sage der Küche, daß Sie jetzt nichts mehr zu essen kriegen, sonst werden Sie zu dick!“

Besuchszeit. Harald kommt zusammen mit den Kindern. Sie haben sich etwas verspätet. „Jetzt gibt's viel Hausarbeit, jeden Tag muß eingekauft, gekocht, gespült, abgetrocknet und geputzt werden. Aber wir schaffen das schon, mach dir nur keine Sorgen!“ Es ist gar nicht so schlecht, denke ich mir nachher, wenn sie mal sehen, wieviel Hausarbeit an einer Mutter hängen bleibt . . .

Beim Arzt

● So, guten Tag, Herr Wacker. Na, was fehlt Ihnen denn?

○ Guten Tag, Herr Doktor. Ich weiß nicht, ich fühle mich seit ein paar Tagen einfach nicht mehr richtig gesund.

● Aha. Haben Sie Schmerzen?

○ Nun, Schmerzen eigentlich nicht. Nur, ich bin immer so schnell müde. Beim Treppensteigen zum Beispiel.

● Hm! Haben Sie das Gefühl, daß Sie keine Luft bekommen?

○ Nein, also das wäre zuviel gesagt. Aber ich bekomme leicht Herzklopfen.

● Machen Sie bitte den Oberkörper frei. – So, tief atmen ... Husten Sie mal bitte ... Noch einmal ...

○ Ein Bekannter von mir meint, das sei der Blutdruck, ich solle jeden Tag ein Glas Rotwein trinken.

● Soso? Ich meine aber ganz das Gegenteil: Trinken Sie überhaupt keinen Alkohol. Sie sollten übrigens auch nicht mehr so viel rauchen.

○ Sie meinen, das Rauchen ist schuld?

● Ihr Herzklopfen hängt sicher damit zusammen. Wenn alle Leute dazu gebracht werden könnten, mit dem Rauchen und Trinken aufzuhören, dann hätte ich nur noch halb so viele Patienten.

○ Ach wissen Sie, Herr Doktor, ich habe es schon oft versucht, aber ich schaffe es einfach nicht. Daheim rauche ich ja ganz wenig, aber dafür im Büro um so mehr ...

● Es ist schwierig, ich weiß. – Essen Sie gut? Haben Sie Appetit?

○ Ja. Na ja, normal. Seit gestern habe ich übrigens leichten Durchfall, aber ...

● Aha. – Ja, Herr Wacker, ich glaube nicht, daß es sich bei Ihnen um eine eigentliche Krankheit handelt. Sie sind zwar etwas erkältet, aber vor allem haben Sie einfach zu wenig Bewegung und zu viel Arbeit. Machen Sie jeden Abend vor dem Essen einen richtigen Spaziergang. Und versuchen Sie wirklich, weniger zu rauchen!

○ Und ... brauche ich kein Medikament?

● Sehen Sie, Herr Wacker, ich könnte Ihnen natürlich Tabletten verschreiben. Aber davon halte ich nicht viel. Essen Sie mehr Obst und Gemüse und machen Sie Ihren Spaziergang jeden Abend – das nützt mehr, und außerdem macht es mehr Spaß. Auf Wiedersehen, Herr Wacker!

○ Auf Wiedersehen, Herr Doktor.

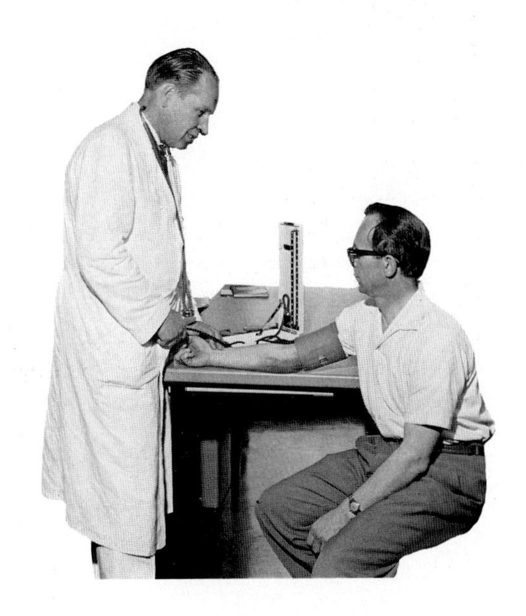

Meinungen zur Sterbehilfe

In der Industriegesellschaft stirbt der Mensch meist nicht mehr im Kreis der Familie. Schwerkranke kommen in ein Krankenhaus, wo ihnen jede nur mögliche medizinische Hilfe gegeben werden kann. Mit Apparaten und Maschinen können auch Todkranke noch am Leben gehalten werden, die ohne diese Technik längst gestorben wären. Deshalb wird immer häufiger darüber diskutiert, wann bei hoffnungslos Kranken die Apparate abgeschaltet werden dürfen, um dem Warten auf das Sterben ein Ende zu machen.

Paul Frieß, 27 Jahre: Meine Großmutter ist nach einem fast einjährigen Krankenhausaufenthalt gestorben. Warum mußte ihr Leiden durch medizinische Apparate so verlängert werden? Ich fand es unmenschlich, sie nicht in Frieden sterben zu lassen. Warum sollte es unsere Pflicht sein, einen alten Menschen am Sterben zu hindern, wenn es keine Hoffnung mehr für ihn gibt? Meiner Meinung nach ist es in diesen Fällen christlicher und weit mehr im Sinne Gottes, die Natur ihren Lauf nehmen zu lassen.

Dr. med. Heinz Reuter, Arzt, 58 Jahre: Nichts ist schwieriger für einen Arzt als zu sagen, wie groß die Chance bei einem schwerkranken Patienten ist, ihn wieder zu einem lebenswerten Leben zu bringen. Auch Ärzte mit großer Erfahrung können sich irren. Wann also ist ein Kranker – medizinisch gesehen – ein „hoffnungsloser Fall"? Weil das niemand mit Sicherheit feststellen kann, müssen vom Arzt alle nur möglichen medizinischen Behandlungsmethoden versucht werden.

Dr. med. Karin Lerch, Ärztin, 34 Jahre: Der Fortschritt der Medizin führt dazu, daß der Arzt immer größere Verantwortung bekommt. Eine seiner Aufgaben ist es, dem Patienten Medikamente zu geben, damit er möglichst wenig Schmerzen hat – auch wenn diese Medikamente sein Leben verkürzen. Das kann ein Arzt verantworten. Aber zu welchem Zeitpunkt hat er das Recht, auf Verlangen des Patienten oder der Angehörigen die Maschinen abzuschalten? Ich weiß keine Antwort darauf.

Maria Schröder, 43 Jahre: Ich war nach einem Unfall lebensgefährlich verletzt. Ich wußte, daß ich nie mehr würde gehen können. Ich bat damals die Ärzte, mich schmerzlos sterben zu lassen. Aber zwei Jahre später bedeutete mir auch ein Leben im Rollstuhl wieder so viel, daß ich dankbar war, gerettet worden zu sein.

Erklärung über die Rechte des Patienten

1. Der Patient hat das Recht, regelmäßig über die Diagnose, die Behandlung und die Heilungsaussichten informiert zu werden. Wenn es medizinisch nicht günstig erscheint, dem Patienten solche Informationen zu geben, sollten sie statt dessen einer geeigneten anderen Person gegeben werden.
2. Der Patient hat das Recht, sich von seinem Arzt vor Beginn irgendeiner medizinischen Behandlung alle notwendigen Informationen über mögliche Risiken geben zu lassen.
3. Jeder Patient, der voll urteilsfähig ist, hat das Recht zu entscheiden, ob er behandelt werden will. Wenn er die Behandlung ablehnt, muß er über die medizinischen Folgen seiner Entscheidung unterrichtet werden.
4. Der Patient hat das Recht auf vertrauliche Behandlung seines Falles. Er muß sicher sein können, daß alle ärztlichen Mitteilungen und Berichte bezüglich seiner Krankheit und Pflege nicht an andere Personen weitergegeben werden.
5. Der Patient hat das Recht auf Überweisung in ein anderes Krankenhaus. Er kann überwiesen werden, wenn dies medizinisch notwendig ist. Der Patient muß über die Notwendigkeit der Überweisung vorher unterrichtet werden.
6. Der Patient hat das Recht auf Beratung, wenn das Krankenhaus medizinische Versuche an Menschen vorschlägt. Die Teilnahme an solchen Forschungen kann vom Patienten abgelehnt werden.
7. Der Patient hat das Recht zu erwarten, daß er im Krankenhaus durch seinen Arzt über eine nach seiner Entlassung notwendige Nachbehandlung informiert wird.

Passiv – dreiteilige Verbformen

Aktiv	Passiv			
Im Hauptsatz				
Herr Erg hatte einen Unfall.	Er **ist** bei dem Unfall	**verletzt**	**worden.**	
Man muß ihn ins Krankenhaus bringen.	Er **muß** ins Krankenhaus	**gebracht**	**werden.**	
Der Arzt soll ihn untersuchen.	Er **soll** vom Arzt	**untersucht**	**werden.**	
Man kann ihn noch nicht operieren.	Er **kann** noch nicht	**operiert**	**werden.**	
Im Nebensatz				
Frau Erg sagt,				
daß man ihn ins Krankenhaus bringen muß.	daß er ins Krankenhaus	**gebracht**	**werden**	**muß.**
daß ein Arzt ihn untersuchen soll.	daß er von einem Arzt	**untersucht**	**werden**	**soll.**
daß man ihn noch nicht operieren kann.	daß er noch nicht	**operiert**	**werden**	**kann.**

Passiv – vierteilige Verbformen

Im Hauptsatz					
Ein Arzt meinte aber, man hätte ihn sofort operieren müssen.	er **hätte** sofort		**operiert**	**werden**	**müssen.**
Im Nebensatz					
daß man ihn sofort hätte operieren müssen.	daß er sofort	**hätte**	**operiert**	**werden**	**müssen.**

Alternativen zum Passiv

man	*Passiv*
Man bringt das Kind zum Arzt. Man soll es untersuchen.	Es wird zum Arzt gebracht. Es soll untersucht werden.
ist zu	
Das Kind ist zu beruhigen.	Es muß beruhigt werden. Es kann beruhigt werden. Es soll beruhigt werden.
sich lassen	
Das Kind läßt sich nicht untersuchen.	Es kann nicht untersucht werden. Es will nicht, daß es untersucht wird.
-bar	
Das Problem ist nicht lösbar	Das Problem kann nicht gelöst werden.

Wortbildung

Nomen + Nomen		
Fotoapparat	Geburtstag**s**geschenk	Bauer**n**haus
Zugfahrplan	Betrieb**s**ausflug	Auge**n**arzt
Adjektiv + Nomen		
Großstadt	Vollbeschäftigung	Höchstgeschwindigkeit
Kleinkind	Heißluft	Fremdsprachenlehrerin
Verb + Nomen		
Fahrpreis	Erzählstunde	Schwimmverein
Lesebuch	Warteraum	Anmeldestelle
Partikel + Nomen		
Nachuntersuchung	Außenwand	Untergewicht
Vorbesprechung	Innenpolitik	Zwischenergebnis

Krankheit

Die gesetzliche Krankenversicherung

Etwa 92% der Bürger in der Bundesrepublik sind bei einer gesetzlichen Krankenkasse versichert. Die meisten **müssen** versichert sein:

- Arbeiter und Lehrlinge
- Angestellte, deren Monatsgehalt unter 4050,– DM liegt
- Rentner
- Studenten
- Landwirte
- Behinderte
- Künstler und Journalisten

Nicht gesetzlich versichert sein müssen Selbständige, Beamte und Angestellte mit einem Monatsgehalt über 4050,– DM. Sie können sich aber bei einer privaten Krankenkasse versichern lassen.

Die private Krankenversicherung

Private Krankenversicherung individuell und vorteilhaft

Vollversicherungen

- mit Beitragsrückerstattung für Beamte, Angestellte und Selbständige

Zusatzversicherung für Mitglieder gesetzlicher Krankenkassen

- Absicherung der Kosten eines Krankenhausaufenthaltes im Ein- oder Zweibettzimmer einschließlich privatärztlicher Behandlung

Für den Urlaub: Auslandsreise-Krankenversicherung

- Absicherung des Kostenrisikos einer Erkrankung im Ausland mit Flugrückholdienst

BAYERISCHE
VERSICHERUNGSKAMMER
BAYERISCHE BEAMTENKRANKENKASSE

Notfälle gibt es in allen Bereichen des täglichen Lebens. Nicht nur Unfälle, sondern auch plötzlich auftretende Erkrankungen können jeden einzelnen in Lebensgefahr bringen. Sekunden entscheiden dann über Menschenleben oder über schwerwiegende Folgeschäden.

Was ist eine Notsituation?

Eine Notsituation liegt vor, wenn aufgrund einer
Erkrankung
ärztliche Hilfe in Kürze erforderlich ist, ohne daß jedoch unmittelbare Lebensgefahr besteht.

In erster Linie sind Hausarzt oder ärztlicher Notfalldienst anzurufen.

1. Hausarzt:
Für neu auftretende Erkrankungen oder bei einer Verschlimmerung bestehender Leiden ist zunächst ihr Hausarzt zuständig, den Sie jederzeit anrufen können.

2. Ärztlicher Notfalldienst:
Da ihr Hausarzt jedoch nicht rund um die Uhr erreichbar sein kann, gibt es den Ärztlichen Notfalldienst, der in dieser Zeit die Dienstbereitschaft garantiert.

Was ist ein Notfall?

Ein Notfall ist ein plötzlich eintretendes Ereignis, welches eine
unmittelbare Gefahr für Leben
oder Gesundheit des Menschen bedeutet.

Im Notfall erreichen Sie den **Notarztdienst** über die allgemeinen Notrufnummern (Tel.: 110–112).

Der Notarzt ist ein Arzt, der

- in der Notfallmedizin besonders erfahren ist
- rasch und hochqualifiziert Erste Hilfe leistet
- die Transportfähigkeit des Notfallpatienten herstellt und für seinen schonenden Abtransport sorgt
- rund um die Uhr über die Rettungsleitstelle erreicht werden kann

Partnerübungen

1 Sonst klappt nichts mehr!

Passiv mit können

Partner 1: Wie können wir nur *die Arbeit besser organisieren?*
Partner 2: Ich weiß auch nicht, wie sie sich besser organisieren läßt.
Partner 1: Aber wir müssen unbedingt einen Weg finden, wie sie besser organisiert werden kann. Sonst klappt nichts mehr!

die Arbeit besser organisieren
so hohe Ausgaben vermeiden
eine bessere Zusammenarbeit erreichen
die Arbeitszeiten ändern
die Produktion genauer planen
die Qualität der Produkte verbessern

2 Das muß noch heute gemacht werden!

Passiv mit müssen, *Zustandspassiv*

Partner 1: Bist du mit *dem Brief* fertig?
Partner 2: Nein, der ist noch nicht *geschrieben.*
Partner 1: Das geht aber nicht. Der muß noch heute geschrieben werden!
Partner 2: Heute habe ich keine Lust dazu.

einen Brief schreiben
das Büro aufräumen
die Wäsche waschen
den Text übersetzen
die Arbeit machen
das Paket wegschicken

3 Im Krankenzimmer

Passiv mit dürfen

Partner 1: Im Krankenzimmer darf nicht *geraucht* werden!
Partner 2: Entschuldigen Sie! Ich wußte nicht, daß hier nicht geraucht werden darf!

Rauchen verboten!
Fernsehen verboten!
Kochen verboten!
Nicht Wein trinken!
Nicht Musik machen!
Nicht Radio hören!
Nicht Wäsche waschen!
Nicht die Fenster öffnen!

4 Geht das bis morgen?

Passiv mit können

Partner 1: Guten Tag!
Partner 2: Guten Tag! Sie wünschen?
Partner 1: Ich hätte eine Frage: Kann *dieser Fernsehapparat* bei Ihnen *überprüft* werden?
Partner 2: Ja, wir machen das.
Partner 1: Bis morgen? Geht das?
Partner 2: Nein, tut mir leid. Ich glaube nicht, daß ein Fernsehapparat in einem Tag überprüft werden kann. Wir brauchen schon zwei Tage.
Partner 1: Gut, dann komme ich übermorgen und hole ihn ab. Auf Wiedersehen!

Fernsehapparat – überprüfen
Hose – reinigen
Mantel – verlängern

Brief – übersetzen
Tasche – machen
Uhr – nachsehen

5 Wo tut's weh?

Situation: Beim Arzt

Partner 1 ist der Arzt:
________________ ?
________________ ?
...

Was fehlt Ihnen denn?
Wo haben Sie Schmerzen?
Wo tut's weh?
Haben Sie Fieber?
Machen Sie mal den Oberkörper frei!
Legen Sie sich hier aufs Bett!
Atmen Sie tief!
Ich verschreibe Ihnen Tabletten.
Nehmen Sie zwei Tabletten dreimal täglich!
Ich schreibe Sie krank.
...

Partner 2 ist der Patient:
________________ .
________________ .
...

Ich habe Kopfschmerzen (Kopfweh).
Bauchschmerzen (Bauchweh).
Halsschmerzen (Halsweh).
eine Grippe.
eine Erkältung.
Husten.
Ich habe keinen Appetit.
Ich fühle mich nicht wohl.
Ich kann nicht schlafen.
Ich habe 38,5 (achtunddreißig fünf).
Ich habe mich nicht gemessen.
Wann kann ich wieder arbeiten?
...

Schriftliche Übungen

1 Bennos Unfall auf dem Schulweg

Passiv

Benno ist mit dem Fahrrad von der Schule nach Hause gefahren. Sein Freund Bruno Tanner hat ihn dort abgeholt. Die beiden haben sich unterhalten, und Benno hat vermutlich auf den Verkehr nicht aufgepaßt. Jedenfalls hat ihn ein Auto überholt und beim Überholen gestreift. Er ist mit dem Fahrrad an den Randstein gekommen und gestürzt. Das Auto hat ihn zum Glück nicht überfahren. Aber er ist mit dem Kopf gegen den Randstein geprallt und hat sich verletzt. Sein Freund Bruno konnte ihn gleich ins Krankenhaus bringen. Dort hat ihn auch sofort ein Arzt untersucht. Außer einer kleinen Wunde am Kopf konnte der Arzt nichts weiter feststellen. Benno hatte Glück im Unglück. Bruno Tanner hat mich dann angerufen und über alles informiert.

a) Bennos Mutter berichtet von diesem Unfall ihren Eltern in einem Brief: „Liebe Eltern, gestern wäre Benno fast etwas Schlimmes passiert. Er ist ...“ *Setzen Sie die unterstrichenen Formen ins Perfekt Passiv!*

b) Bennos Mutter schreibt einen Bericht an den Leiter der Schule: „Sehr geehrter Herr Neesen, auf Ihren Wunsch hin möchte ich Ihnen über den Unfall meines Sohnes berichten. Benno fuhr ...“ *Setzen Sie die Verben ins Präteritum Aktiv bzw. Passiv!*

2  Was ist das?

Alternativen zum Passiv

Was kann gemietet werden? ____________________
Was muß ausgefüllt werden? ____________________
Was kann wiederholt werden? ____________________
Was muß geschützt werden? ____________________
Was soll geändert werden? ____________________
Was kann geöffnet werden? ____________________
Auf was muß aufgepaßt werden? ____________________
Was kann gehoben werden? ____________________
Was soll bestraft werden? ____________________

muß man
läßt sich
kann man
ist ... zu
soll man
-bar

3 Lange Wörter

Wortbildung

Ein Fremdsprachenlehrbuch ist ein _____, mit dem man eine _____ _____ lernt.
Eine Ganztagsschule ist eine _____, in der die Schüler den _____ _____ bleiben.
Die Unfallmeldepflicht ist die _____, einen _____ zu _____.
Ein Schnellkochtopf ist ein _____, mit dem man _____ _____ kann.
Ein Schwerverletzter ist einer, der bei einem Unfall _____ _____ worden ist.
Die Patientenberatungsgesellschaft ist eine _____, die _____ _____.
Ein Umweltschutzprogramm ist ein _____ zum _____ der _____.
Das Sonntagsfahrverbot _____ allen Autofahrern, am _____ zu _____.
Eine Zahnarztpraxis ist die _____ eines _____.
Ein Studienanmeldeformular ist ein _____, mit dem man sich für ein _____ _____ kann.
Das Ärzteausbildungsgesetz ist ein _____ zur _____ der _____.
Eine Bushaltestelle ist die _____, an der ein _____ _____.

Finden Sie weitere Beispiele!

4 Kombination

Wortbildung

Eine Langzeitbehandlung → bekommen Patienten mit einer Krankheit, die nicht schnell zu heilen ist.
Die Marktchancen
Ein Nahverkehrszug
Ein Großraumbüro
Ein Spaßmacher
Der Mieterschutzverein

ist einer, der andere zum Lachen bringen kann.
ist ein Raum, in dem viele Leute an ihren Schreibtischen arbeiten.
bekommen Patienten mit einer Krankheit, die nicht schnell zu heilen ist.
sind die Aussichten, wie sich ein Produkt verkaufen läßt.
versucht Leuten zu helfen, denen die Wohnung gekündigt worden ist.
verbindet eine Großstadt mit kleineren Orten außerhalb.

Finden Sie weitere Beispiele!

 Kontrollübung

Setzen Sie die Sätze ins Passiv!

Man muß die Ausbildung der Ärzte verbessern.	Die Ausbildung der Ärzte muß verbessert werden.
Vor der Apparatemedizin ist zu warnen.	Vor der Apparatemedizin muß gewarnt werden.
Für komplizierte Fälle sollte man Fachärzte holen.	Für komplizierte Fälle sollten Fachärzte geholt werden.
Schlechte Ärzte sollte man zur Verantwortung ziehen.	Schlechte Ärzte sollten zur Verantwortung gezogen werden.
Über das Einkommen der Ärzte läßt sich diskutieren.	Über das Einkommen der Ärzte könnte diskutiert werden.
Die Krankenhäuser sollten alle Krankenberichte sammeln.	Alle Krankenberichte sollten von den Krankenhäuser gesammelt werden.
Man mußte früher zu viele Formulare ausfüllen.	Früher mußten zu viele Formulare ausgefüllt werden.
Man hat jetzt die Zusammenarbeit der Ärzte besser geregelt.	Die Zusammenarbeit der Ärzte ist jetzt besser geregelt worden.
Die Rechte der Patienten sind zu schützen.	Die Rechte der Patienten müssen geschützt werden.
Die Besucher dürfen in den Krankenzimmern keinen Lärm machen.	Von den Besuchern darf in den Krankenzimmern kein Lärm gemacht werden.
Man kann die Patienten zwischen 15 und 17 Uhr besuchen.	Die Patienten können zwischen 15 und 17 Uhr besucht werden.
Besucher dürfen das Geschirr der Kranken nicht benutzen.	Von Besuchern darf das Geschirr der Kranken nicht benutzt werden.
Auf Wunsch der Patienten hat man die Besuchszeiten verlängert.	Auf Wunsch der Patienten sind die Besuchszeiten verlängert worden.
Man erreichte durch die Behandlung keine Besserung.	Durch die Behandlung wurde keine Besserung erreicht.
Über die Krankheit soll man mit dem Patienten sprechen.	Über die Krankheit soll mit dem Patient gesprochen werden.
Diese Krankheit ließ sich nur schwer behandeln.	Diese Krankheit konnte nur schwer behandelt werden.

Text 1

wecken	ab/trocknen	e Schwesternhelferin, –nen	e Besuchszeit, –en
messen	putzen		
hoch/heben	schaffen	r Tee	vorsichtig
schmecken		e Milch	enttäuscht
zu/nehmen (Gewicht)	e Nachtschwester, –n	e Butter	Gott sei Dank
wiegen	e Temperatur, –en	e Marmelade, –n	
operieren	r Grad, –e	r Appetit	die Arbeit bleibt an mir hängen
bedienen	s Fieber	s Gewicht	
sich verspäten	r Krankenhelfer, –	r Gesundheitszustand	
spülen	s Frühstück	r Doktor	

Text 2

atmen	s Treppensteigen	r Alkohol	tief
husten	s Gefühl, –e	r Patient, –en	erkältet
zusammen/hängen	s Herzklopfen	r Durchfall	
auf/hören	r Oberkörper, –	r Spaziergang, ¨–e	daheim
sich handeln um	r Bekannte, –n	s Medikament, –e	um so mehr
verschreiben	r Blutdruck	e Tablette, –n	schuld sein
	s Glas, ¨–er		jmdn. zu etwas bringen
r Schmerz, –en	s Gegenteil	leicht (= schnell)	

Text 3

ab/schalten	r Krankenhausaufenthalt, –e	r Zeitpunkt	meiner Meinung nach
hindern		r Rollstuhl, ¨–e	
sich irren	s Leiden, –	häufig	im Sinne jmds. sein
verkürzen	r Friede	christlich	etw. seinen Lauf nehmen lassen
verantworten	e Pflicht, –en	lebenswert	
	e Hoffnung, –en	schmerzlos	das führt dazu, daß …
e Sterbehilfe	e Behandlungsmethode, –n	längst	
e Industriegesellschaft, –en	e Verantwortung	im Kreis der Familie	das Recht haben, … zu …

Text 4

informieren	e Behandlung, –en	e Forschung, –en	vertraulich
überweisen	e Heilungsaussicht, –en		ärztlich
vor/schlagen	s Risiko	regelmäßig	
erwarten	e Folge, –n	günstig	statt dessen
	e Notwendigkeit, –en	geeignet	voll (= ganz)
s Recht, –e	e Beratung, –en	notwendig	bezüglich
e Diagnose, –n	e Teilnahme	urteilsfähig	

Übung 1: Satzbeispiele und Umschreibungen
Übung 2: Wortbildung
Übung 3: Stammformen der Verben
Übung 4: Valenz der Verben

Siehe Reihe 1, S. 18!

Reihe 8

Thema

Jugend

Texte

1 Was ich mit vierzig erreicht haben will
2 Aus dem Elternhaus ausziehen?
3 Brief eines 21jährigen – Brief des Vaters
4 Wie Studenten leben

Grammatik

Partikeln	Intentionalpartikeln	aber, bloß, denn, doch, eben, eigentlich, endlich, ja, mal, schon, wirklich
	Negationspartikeln	kein, nicht, nichts, nie niemand noch nicht, nicht mehr nicht einmal, gar nicht, überhaupt nicht
	W-Partikeln	wann? wo? wohin? warum? wie?

Meinungen

Haralt Bickel, 22 Jahre
Was ich mir von meinem Leben erwarte? Na ja, was Großes will ich nicht erreichen, das habe ich mir gar nicht in den Kopf gesetzt. Ich wäre schon ziemlich glücklich und zufrieden, wenn alles einigermaßen glatt laufen würde – ohne größere Schwierigkeiten. Ich bin nämlich nicht der Typ, der sich unbedingt durchkämpfen muß, um glücklich sein zu können. Ich weiß natürlich, daß ich arbeiten muß, um Geld zu verdienen; aber ich will nicht nur leben, um zu arbeiten. Darum ist's für mich auch nicht so wichtig, was ich beruflich mache. Hauptsache, das Geld reicht und ich habe genug Freizeit. Was für mich das Wichtigste im Leben ist? Selbstverständlich eine Frau, bei der ich mich richtig zu Hause fühlen kann, und Kinder.

Diese Woche: Was ich mit vierzig erreicht haben will

Anke Bechthold, 20 Jahre
Ob ich mal heirate, weiß ich noch nicht. Ein geregeltes Eheleben, Haushalt und Kinder – ich kann mir das jetzt noch nicht so recht vorstellen. Wenn Erwachsensein bedeutet, daß man sich nur noch um sich selbst und um die eigene Familie kümmert, dann möchte ich so lange wie nur irgend möglich zur Jugend gehören. Die meisten Erwachsenen sehen sich doch jeden Abend im Fernsehen ruhig an, was so in der Welt passiert: Kriege, Hunger, Umweltverschmutzung usw. Sie haben eine schrecklich dicke Haut bekommen und tun so, als ginge sie das alles gar nichts an. Ich fordere jeden auf, sich aktiv gegen Armut, Hunger und Unrecht zu engagieren. Nur so können wir etwas ändern. Das ist zur Zeit mein Lebensziel.

Bernhard Lehner, 19 Jahre
Wenn ich vierzig bin, möchte ich sagen können, daß ich beruflich Erfolg hatte und es zu etwas gebracht habe. Meiner Ansicht nach ist der berufliche Erfolg noch immer die Grundlage für ein zufriedenes Leben. Man wird dann als Fachmann auf seinem Gebiet von anderen geachtet, hat Verantwortung in einer leitenden Stellung und – nicht zuletzt – man hat ein gutes Einkommen. Um dieses Ziel zu erreichen, muß ich natürlich mein Privatleben etwas zurückstellen. Aber das geht halt eben nicht anders.

Aus dem Elternhaus ausziehen?

Paul: Da bist du ja endlich! – Was ist denn los mit dir? Du machst ja ein Gesicht wie drei Tage Regenwetter!

Karin: Ach, laß mich in Ruhe!

Paul: Na, sag schon! Was ist denn los?

Karin: Zu Hause hat's Ärger gegeben.

Paul: So? Mit deinem Bruder?

Karin: Nein, mit meinen Eltern, wegen gestern abend. Nur, weil ich erst um ein Uhr nach Hause gekommen bin.

Paul: Deswegen? Na hör mal, mit 19 kannst du doch tun und lassen, was du willst! Du bist doch kein kleines Kind mehr!

Karin: Das finde ich auch. Aber gestern abend bin ich heimgekommen, da stand schon mein Vater da und regte sich furchtbar auf: „Was fällt dir eigentlich ein? Wo kommst du denn her? Du weißt doch, daß du nicht so spät nach Hause kommen sollst!"

Paul: Und dann habt ihr euch kräftig gestritten?

Karin: Gar nicht. Heute morgen habe ich gleich Christa angerufen und ihr alles erzählt. Sie meinte, ich solle doch einfach zu ihr ziehen, sie habe genug Platz. Was hältst du denn davon?

Paul: Also, bei mir ist das sowieso anders. Ich verstehe mich ja mit meinen Eltern bestens, wir haben ein prima Verhältnis. Und da muß ich mich auch um nichts kümmern, habe mein Essen, die Wäsche wird mir gewaschen ... Ich könnte mir gar keine eigene Wohnung leisten.

Karin: Natürlich, bequemer habe ich es auch bei meinen Eltern. Aber ich verzichte gern auf den vollen Kühlschrank und auf die Familie, die sich dauernd um mich Sorgen macht. Ich will meine Freiheit.

Paul: Und Miete mußt du bei Christa doch auch zahlen? Oder kannst du dort umsonst wohnen?

Karin: Nein, so 200 Mark müßte ich zahlen. Das geht schon. Wenn's mit dem Geld knapp wird, verdiene ich mir eben am Wochenende was dazu – in dem Café um die Ecke, die brauchen immer eine Bedienung ...

Paul: Also, wenn ich mir's so überlege: schlecht wäre es für uns zwei nicht. Du müßtest abends nicht immer auf die Uhr sehen ...

Aus dem Brief eines 21jährigen an seinen Vater

Diesen Monat habe ich verbracht, ohne irgendetwas zu tun. Ich habe aufgehört zu arbeiten und lebe ohne Uhr, frei von Pflichten. Niemand zwingt mich, etwas zu tun, niemand kontrolliert mich. In der Arbeit wurde immer so viel verlangt, daß ich abends todmüde war und mich erholen mußte, um am nächsten Morgen wieder als Arbeitsmaschine funktionieren zu können. Ich sehe keinen Sinn mehr darin.

Ihr Erwachsenen versteht uns nicht. Für Euch ist es unverständlich, daß wir nicht nur an Geld und technischen Fortschritt glauben. Aber seht Euch doch selbst an: Seid Ihr durch all das Geld und den Fortschritt glücklicher geworden? Ganz im Gegenteil. Unsere Welt wird immer ärmer: die Natur geht kaputt, bald gibt es keine Rohstoffe mehr, und ein weltweiter Atomkrieg kann eines Tages das Ende der Menschheit bedeuten.

Zur Zeit tue ich überhaupt nichts, ich lebe von dem bißchen Geld, das ich mir gespart habe. Im Februar will ich mit dem Fahrrad durch Deutschland und Südeuropa ziehen und dann auf dem Land zusammen mit anderen jungen Leuten leben und arbeiten. Das Landleben gefällt mir: ich will mich als ein Teil der Natur fühlen.

Aus dem Brief des Vaters

Du schreibst, Du seist gegen eine feste Arbeit, weil sie Dir Unfreiheit und Abhängigkeit bedeute. Aber was wäre, wenn jeder so streiken würde wie Du? Willst Du wirklich, daß aus unserer Industriegesellschaft wieder ein Land von Bauern wird? Meiner Meinung nach läßt sich das Rad der Geschichte nicht zurückdrehen.
Über Arbeit denken wir Älteren anders: Sie hat uns nach dem Krieg, nach 1945, erst wieder Wohlstand gebracht. Wir standen vor dem Nichts und mußten hart arbeiten, um all das zu schaffen, was wir heute tagtäglich verbrauchen und was auch Ihr für so selbstverständlich haltet.
Warum willst Du unser Land verlassen, ohne Dich ein bißchen zu bemühen, das Erreichte zu sichern und das, was man besser machen kann, zu verbessern? Stattdessen träumst Du von einer heilen Welt, die es nie geben kann ...

Wie Studenten leben

Ute: Ich studiere in Bochum, weil wir damals in der Nähe wohnten, als ich mit dem Studium anfing. Später hat sich mein Vater allerdings beruflich verändert, und unsere Familie ist nach Aachen gezogen. Das war natürlich zu weit weg, und so habe ich mir dann ein Zimmer in Bochum genommen, bei einer Rentnerin – für 180 Mark im Monat, aber leider ohne Kochgelegenheit.
Finanziert wird mein Studium so, daß ich von meinen Eltern eine monatliche Unterstützung bekomme; und ich habe bis vor kurzem noch in den Sommerferien gearbeitet, um Urlaubsreisen und andere Wünsche zu finanzieren – meistens in einem Büro, irgendwelche Schreibarbeiten. Das habe ich jetzt aber aufgegeben, da eben das Staatsexamen näher kommt und ich keine Zeit mehr habe zu arbeiten.

Lutz: Ich wohne mit vier anderen Studenten und Studentinnen zusammen in einer Wohnung hier in der Nähe der Uni. Wir sind zu fünft, und jeder zahlt 150 Mark, ohne Nebenkosten. Aber bei uns ist das so, daß jeder unabhängig ist, und nicht so wie in Wohngemeinschaften, wo man immer versucht, alles gemeinsam zu machen.
Meine Eltern sehe ich ziemlich selten, manchmal schicken sie mir noch etwas Geld. Im großen und ganzen kann ich aber mein Studium von dem Stipendium finanzieren, das ich bekomme. Ich muß also meine Eltern nicht um finanzielle Unterstützung bitten.

Eva: Um mein Studium zu finanzieren, bin ich gezwungen, in den ganzen Semesterferien zu arbeiten. Meine Eltern können mir nicht viel Geld geben, ich habe nämlich noch drei jüngere Geschwister. Mit 500 Mark reicht es so gerade, Kino oder sonstige Freizeitvergnügungen kann ich mir allerdings nicht mehr leisten.
In den ersten zwei Semestern habe ich noch bei meinen Eltern gewohnt. Da ist es mir aber dann doch zu eng geworden. Jetzt bin ich bei einer Freundin, die ist in eine Wohngemeinschaft gezogen, und ich fühle mich da sehr wohl. Wir legen alle unser Geld in eine Kasse, der eine mehr, der andere weniger – und es läuft bis jetzt recht gut.

Partikeln

Intentionalpartikeln

Diese Partikeln – häufig bei Gesprächen im Alltag verwendet – weisen auf Gefühle und Absichten (Intentionen) des Sprechers hin. Ihre Bedeutung verändert sich je nach Sprechsituation und Satzmelodie.

Sich informieren			
Wohin gehst du	**denn**	?	*persönlich-freundliche Frage*
	eigentlich		*neugierige Frage*
	denn eigentlich		*ungeduldige Frage*
Auffordern			
Ruf mich	**mal**	an!	*freundliche Aufforderung*
	einfach mal		*dringende Bitte*
Besuch mich	**doch**	!	*deutlicher Wunsch*
	doch mal		
Komm	**endlich**		
	schon		*ungeduldige Aufforderung*
	endlich mal		
Meinen			
Das macht	**doch**	nichts.	*Ausdruck der eigenen Meinung*
Das ist	**ja**	nicht schlimm.	*als Widerspruch*
Das war	**eben**	ein Fehler.	*als Beruhigung*
Überrascht sein			
Das ist	**ja**	prima!	*freudige Überraschung*
Das ist	**aber**	schrecklich!	*oder*
Das ist	**wirklich**	schade!	*schlimme Nachricht*
Wünschen			
Wenn er	**doch**	käme!	*starker Wunsch*
	doch nur		*ungeduldiger Wunsch*
	bloß		
Warnen			
Tu das	**ja**	nicht!	*deutliche Warnung*
	bloß		

Negationspartikeln

Positiv	*Negativ*
Vera hat einen Bruder.	Uwe hat **keinen** Bruder.
Vera spricht Englisch.	Uwe spricht **kein** Englisch.

kein *verneint unbestimmte Nomen.*

Vera kennt Herrn Müller.	Uwe kennt Herrn Müller **nicht.**
Vera besucht ihn.	Uwe besucht ihn **nicht.**

nicht *verneint bestimmte Nomen und Pronomen.*

Vera kommt heute.	Uwe kommt heute **nicht.**
Vera hat das Buch gelesen.	Uwe hat das Buch **nicht** gelesen.
Vera hat morgen frei.	Uwe hat morgen **nicht** frei.

nicht *verneint den ganzen Satz.*

Vera geht	noch	zur Schule.	Uwe geht	**nicht mehr**	zur Schule.
Vera kommt	noch einmal	zu uns.	Uwe kommt	**nicht mehr**	zu uns.
Vera hat	noch	Ferien.	Uwe hat	**keinen Urlaub**	mehr.
Vera war	schon einmal	im Ausland.	Uwe war	**noch nie**	im Ausland.
Vera möchte	etwas	essen.	Uwe möchte	**nichts**	essen.
Vera möchte	noch etwas	kaufen.	Uwe möchte	**nichts mehr**	kaufen.
Vera war	oft	in Hamburg.	Uwe war	**noch nie**	in Hamburg.
Vera fährt	immer	mit dem Zug.	Uwe fährt	**nie**	mit dem Zug.
Vera hat	jemanden	getroffen.	Uwe hat	**niemanden**	getroffen.
Vera hat	uns	besucht.	Uwe hat uns	**nicht einmal**	angerufen.
Vera spricht	sehr gut	Deutsch.	Uwe spricht	**überhaupt nicht**	Deutsch.
Vera lernt	sehr	gern.	Uwe lernt	**gar nicht**	gern.

W-Partikeln

Zeit	*Ort*	*Grund*	*Art*
wann?	wo? wohin?	warum?	wie?
später	da	deshalb	sehr
oft	hier	darum	wirklich
plötzlich	drunten	nämlich	ziemlich
...	...	...	...

Jugend

Was machen Jugendliche in ihrer Freizeit?

Aus verschiedenen Umfragen ergibt sich, daß für Jugendliche zwischen 12 und 23 Jahren die folgenden Freizeitaktivitäten am wichtigsten sind:

Musik hören
Freunde besuchen
Lesen
Sport treiben
Fernsehen

Weniger wichtig sind Discotheken-, Kino- und Theaterbesuch, Tanzen und Weiterbildung; häufiger verbringen Jugendliche ihre Freizeit noch mit Handarbeiten, aktivem Musikmachen, Fotografieren und mit technischen Hobbies wie Modelleisenbahnbauen oder Elektronik.

Schulabschluß	1960	1970	1975	1980	1985
kein Hauptschulabschluß	76,1% (zusammen)	19,2%	13,6%	11,5%	6,6%
Hauptschulabschluß		49,2%	44,0%	40,5%	28,9%
mittlere Reife	13,6%	20,2%	28,1%	32,5%	37,6%
Abitur	10,4%	11,4%	14,3%	15,5%	27,0%

Von allen Abiturienten wollten auf jeden Fall studieren:	1972:	90%		1982:	66%

Partnerübungen

1 Udo und Evi

Textlogik/Partikeln

a) An welcher Stelle im Dialog paßt das, was Evi sagt?

Udo: Gibt's bei dir zu Hause eigentlich auch oft Ärger mit den Eltern, wenn du abends mal weggehen willst?
Evi: ____________________
Udo: Was heißt das? Du gehst dann nicht weg?
Evi: ____________________
Udo: Warum nur müssen immer solche Diskussionen sein?
Evi: ____________________
Udo: Erwachsen! Schließlich sind wir alt genug, um zu wissen, was wir tun.
Evi: ____________________

1 Weiß auch nicht. Meine Mutter sagt, sie mache sich halt Sorgen um mich, ich sei ja noch nicht erwachsen.

2 Richtig! Das sage ich auch immer. Aber es nützt nichts.

3 Das ist schon normal, hab mich ziemlich daran gewöhnt.

4 Doch, doch. Aber vorher wird erst mal diskutiert, wohin ich gehe, wie lange und so weiter.

b) Welche Partikeln drücken ein Gefühl oder eine Meinung des Sprechers aus?
Welche Partikeln machen eine nähere Angabe über Ort, Zeit, Grund usw.?

2 Evis Eltern

Intentionalpartikeln

Vater: Weißt du ______, was mit Evi los ist?
Mutter: Wieso, was soll ______ mit ihr los sein?
Vater: ______, sie geht ______ fast jeden Abend weg.
Mutter: Jetzt hör ______ auf! Höchstens zweimal jede Woche. Sie ist ______ jetzt in dem Alter, da will man nicht ______ bei den Eltern sitzen.
Vater: Du sagst ______, sie kann ______ mit Freunden weggehen. Ich mach mir ______ Sorgen.
Mutter: Willst du ihr ______ verbieten wegzugehen?
Vater: Verbieten nicht. Ich möchte ______ wissen, was für Leute das sind, mit denen sie befreundet ist . . .

Setzen Sie folgende Partikeln ein:

bloß
ruhig
also
eigentlich
eben
na ja
etwa
denn
nur
halt
aber
doch

3 Vater und Sohn

Bedeutung der Intentionalpartikeln

Udo: Tschüß, ich geh jetzt!
Vater: Wohin denn?
Udo: Zu Freunden. Hast du was dagegen?
Vater: Denk mal etwas mehr an die Schule und weniger ans Vergnügen!
Udo: Oh je, wenn ich das nur nicht immer hören müßte! Du tust doch jetzt auch nichts nach der Arbeit und sitzt vor dem Fernseher . . .
Vater: Ja schon, aber mit deinen Noten steht's schlecht. Glaub ja nicht, du könntest mit solchen Noten dieses Jahr die Schule schaffen!
Udo: Das ist ja das Neueste! In Mathematik hab ich gestern eine zwei bekommen . . .
Vater: Schon gut, schon gut, du mußt es selbst wissen.
Udo: Also tschüß dann!

Was drücken die unterstrichenen Partikeln aus?

Warnen	Sich informieren
Meinen	Beruhigen
Wünschen	Widersprechen
Auffordern	Überraschtsein

4 Udos Mutter und ihre Schulfreundin

Dialogproduktion/Intentionalpartikeln

1. *Udos Mutter hat ihre Schulfreundin schon lange nicht mehr gesehen. Sie möchte unbedingt, daß sie zu Besuch kommt. Ihre Schulfreundin würde gern kommen. Sie wünscht sich, daß sie jemand hätte, der auf die Kinder aufpaßt.*

   Beispiel: Partner 1: . . . Wann besuchst du mich endlich mal wieder?
   Partner 2: Ich würde gern kommen. Wenn ich nur jemand hätte, der auf die Kinder aufpaßt! . . .

2. *Die Schulfreundin steht eines Tages unangemeldet vor der Tür. Udos Mutter ist überrascht und begrüßt sie freudig. Die Schulfreundin fragt, ob sie stört ober ob sie etwas länger bleiben kann.*

3. *Udos Mutter fordert ihre Schulfreundin auf, von allen Neuigkeiten zu erzählen. Sie entschuldigt sich auch, daß die Wohnung nicht aufgeräumt ist. Ihre Schulfreundin beruhigt sie und sagt, daß ihr das nichts macht.*

   Schreiben Sie ähnliche Texte für Dialoge mit Intentionalpartikeln!

Schriftliche Übungen

1 Jugendliche sind sehr verschieden

Steigerungspartikeln

Wie denken Sie über Haralt Bickel, Anke Bechthold und Bernhard Lehner?

_____ ist wahrscheinlich mit dem Leben später meist _____ zufrieden.
_____ war in der Schule sicher _____ fleißig.
_____ interessiert sich vermutlich _____ für Politik.
_____ findet Geld sicher _____ wichtig.
_____s Eltern waren sicher _____ streng.
_____s späterer Ehepartner hat es wahrscheinlich _____ schwer mit ihm/ihr.

sehr
besonders
wirklich
ganz
ziemlich
recht
nicht so
gar nicht
überhaupt nicht

Begründen Sie außerdem Ihre Meinung mit den W-Partikeln denn, weil, nämlich!

2 Der Junge im Supermarkt – Ein Schulaufsatz

Textlogik/W-Partikeln

a) *Bringen Sie die Sätze in die richtige Ordnung!*

Dann merkte es ein Verkäufer.
Niemand konnte ihn mehr halten.
Ich brauchte nämlich neue Schuhe.
Überall nahm er sich Sachen aus den Regalen und steckte sie in seine Jacke.
Vorn an der Kasse wollte er schließlich bezahlen.
Gestern war ich in der Stadt beim Einkaufen.
Anfangs sah außer mir niemand, was passierte.
Der Junge machte aber trotzdem weiter und ließ sich überhaupt nicht stören.
Zuerst ging ich in ein Schuhgeschäft.
Da kam der Verkäufer her und versuchte, ihm die Jacke zu öffnen.
Er warf ein Regal um und lief weg, so schnell er konnte.
Danach mußte ich noch einiges im Supermarkt holen.
Als der Junge das merkte, verlor er plötzlich jede Kontrolle über sich.
Ein Junge nützte die besonders gute Gelegenheit.
Dort war es ziemlich voll.

b) *Bestimmen Sie, zu welcher Gruppe die unterstrichenen Partikeln gehören (Zeit, Ort, Grund, Art)!*

3 Kombination

Umschreibung von Partikeln

Wie lassen sich die Partikeln umschreiben?

a) die Partikel „so“

Ich gehe jetzt. – So? → Wirklich?
Sie ist so groß wie ich.
So ein Glück!
Das ist nicht so wichtig.
Wenn jeder so streiken würde wie du . . .
Und so bin ich wieder abgefahren.
So, Sie sind operiert worden!
So, wir können jetzt fahren.
So habe ich es nicht gesagt.
Das hat ihn so geärgert, daß er abfährt.

Nun, wir sind fertig.
Was sagen Sie?
Wirklich?
dann/deshalb
Wie Sie es sagen, . . .
sehr
genauso
was für/welch
in gleicher Weise
derartig

b) die Partikel „erst“

Erst wollen wir die Sache besprechen.
Er will erst morgen kommen.
Wir haben erst 5 Seiten übersetzt.
Sein Bruder ist erst 14.
Wirklich? Es ist erst 10 nach 5?
Wir sind erst in der Nähe von Köln.

nicht weiter als
zuerst
nicht eher als
nicht später als
nicht mehr als
nicht älter als

c) die Partikel „gerade“

Sie ist gerade nicht zu Hause.
Wir haben den Bus gerade noch erreicht.
Gerade das Gegenteil ist der Fall.
Er war nicht gerade freundlich.

besonders
genau
in diesem Augenblick
nur mit Mühe

d) die Partikel „eben“

Er ist eben nach Hause gekommen.
Mit dem Bus dauert es eben lange.
Er hätte eben nicht wegfahren sollen!
Eben!

. . ., das ist immer so.
vor ein paar Minuten
Der Meinung bin ich auch!
. . ., das ist meine Meinung.

Kontrollübung

Intentionalpartikeln: endlich, doch, nur, ja, eben, eigentlich, denn, mal

Vater: Na hör mal, wie siehst du _____ aus?
Sohn: Das ist _____ schließlich meine Sache, oder?
Vater: Du könntest dir _____ die Haare schneiden lassen!
Sohn: Wenn du mich damit _____ in Ruhe lassen würdest!
Vater: Du solltest _____ vernünftig werden.
Willi geht _____ auch regelmäßig zum Friseur.
Sohn: Was kümmern mich _____ die anderen?
Vater: Das ist _____ das Problem!

eigentlich
doch
mal
nur
endlich
ja
denn
eben

Negationspartikeln: schon einmal, schon, nichts mehr, noch, noch nicht, noch etwas, schon sehr, nicht mehr

Tochter: Hast du die Fotos _____ abgeholt?
Mutter: Nein, _____ _____. Ich fahre um elf in die Stadt.
Soll ich dir sonst _____ _____ mitbringen?
Tochter: Nein, ich brauche sonst _____ _____.
Weißt du _____, wo das Fotogeschäft ist?
Bist du _____ _____ dort gewesen?
Mutter: Ja, mit Peter. Aber ich glaube, ich finde es _____ _____
Tochter: Hier ist die Adresse. Ich freue mich _____ _____ auf.
die Fotos.

schon
noch nicht
noch etwas
nichts mehr
noch
schon einmal
nicht mehr
schon sehr

W-Partikeln: dann, sofort, deshalb, zuerst, gestern, ziemlich, schließlich

Liebe Ilona,
_____ habe ich meine Eltern gefragt, ob ich mit dir zusammen in Urlaub fahren darf. Sie waren _____ überrascht.
_____ haben sie gesagt, ich sei noch zu jung.
_____ haben sie es sich noch einmal überlegt.
_____ haben sie mir die Erlaubnis gegeben.
Ich freue mich sehr, _____ schreibe ich
Dir _____.

Herzlichst
Dein Ulli

Gestern
ziemlich
Zuerst
Dann
Schließlich
deshalb
sofort

Reihe 8 Vokabular

Text 1

sich durch/kämpfen
auf/fordern
sich engagieren
etwas zurück/stellen

r Typ, –en
e Hauptsache
s Eheleben
s Erwachsensein

e Umweltverschmutzung
e Haut
e Armut
s Unrecht
s Lebensziel, –e
e Ansicht, –en
e Grundlage, –n
r Fachmann, –leute
s Ziel, –e

geregelt
schrecklich
dick
leitend
privat

einigermaßen
darum

selbstverständlich
halt

sich etwas in den Kopf setzen
etwas läuft glatt
eine dicke Haut bekommen
so tun, als (ob)

Text 2

heim/kommen
sich auf/regen
her/kommen
sich verstehen mit

s Elternhaus, ¨–er
s Gesicht, –er
r Regen
s Regenwetter
s Verhältnis, –se

r Kühlschrank, ¨–e
e Freiheit
s Café, –s
e Bedienung, –en

kräftig
dauernd
knapp

umsonst

Text 3

kontrollieren
ziehen durch
streiken
zurück/drehen
verbrauchen
sich bemühen
sichern

r Rohstoff, –e
r Atomkrieg, –e
e Menschheit
s Fahrrad, ¨–er
Südeuropa
s Landleben
e Unfreiheit

e Abhängigkeit, –en
s Erreichte

todmüde
arm
tagtäglich

ohne ... zu

als Arbeitsmaschine funktionieren
das Rad der Geschichte zurückdrehen
die heile Welt

Text 4

ziehen nach
finanzieren
auf/geben

e Kochgelegenheit
e Unterstützung, –en
Sommerferien (Pl.)

e Urlaubsreise, –n
e Schreibarbeit, –en
s Staatsexamen
Nebenkosten (Pl.)
e Wohngemeinschaft
s Stipendium, Stipendien

Semesterferien (Pl.)
s Freizeitvergnügen, Freizeitvergnügungen

finanziell
sonstig

eng

meistens

im großen und ganzen
so gerade

Übung 1: Satzbeispiele und Umschreibungen
Übung 2: Wortbildung
Übung 3: Stammformen der Verben
Übung 4: Valenz der Verben

Siehe Reihe 1, S. 18!

Reihe 9

Thema

Technik und Wissenschaft

Texte

1 Wie werden die Menschen im Jahr 3000 leben?
2 Das Gerücht
3 Ein Irrtum
4 Mein „Raketenwagen“

Grammatik

Futur I Wie wird die Welt im Jahr 3000 aussehen?

Futur II Du wirst zu schnell gefahren sein.

Vorhersage
Vermutung
Versprechen
Aufforderung

Meinungen

Angela M., Programmiererin, 25 Jahre
Was im Jahr 3000 sein wird? Das ist wohl für niemanden so recht vorstellbar. Wer hätte zum Beispiel die technische Entwicklung in diesem Jahrhundert vorhersagen können! Von den ersten Flugversuchen bis zur Landung auf dem Mond hat es wenig mehr als fünfzig Jahre gedauert. Man hätte doch vor fünfzig Jahren jeden für verrückt gehalten, der diese Entwicklung vorhergesagt hätte! Oder Erfindungen wie Rundfunk und Fernsehen und die ganze Elektronik – innerhalb weniger Jahrzehnte hat sich unser Alltagsleben doch völlig verändert! Ich glaube, keiner kann sich heute vorstellen, was nach tausend Jahren alles passiert sein wird.

Wie werden die Menschen im Jahr 3000 leben?

Kurt P., kaufmännischer Angestellter, 52 Jahre
Ich könnte mir vorstellen, daß es bis zum Jahr 3000 für Mediziner selbstverständlich sein wird, Menschen beliebig lange am Leben zu erhalten. Ebenso werden vermutlich andere große Probleme gelöst sein: Es wird keinen Hunger mehr geben, denn die Nahrungsmittelproduktion wird vollautomatisch funktionieren. Dafür sorgen die Computer. Auch die Energiefrage dürfte zu diesem Zeitpunkt endgültig gelöst sein, aus allen Stoffen wird man mühelos Energie gewinnen können. Und Kriege können nicht mehr geführt werden, weil der einzelne Mensch nur noch als Teil des Weltgehirns existiert – eines übergroßen Computers, der die Zusammenarbeit zwischen allen Menschen problemlos regelt. Dieses Weltgehirn wird bis zum Jahr 3000 im Weltall neue Aufgaben gefunden haben.

Julia S., Biologin, 34 Jahre
Ich denke, im Jahr 3000 werden die Menschen nicht weiter sein als heute. Im Gegenteil: Atomkriege dürften inzwischen große Teile der Erde zerstört haben. Als Folge davon wird die Zahl der Menschen auf der Erde stark zurückgegangen sein. Und die, die noch da sind, werden vermutlich kaum noch Interesse an technischen Entwicklungen haben, sondern von den Zeiten träumen, als es noch saubere Meere, gesunde Pflanzen und genügend Nahrungsmittel gab. Aber an der Tatsache, daß der Mensch die Erde kaputt gemacht hat, werden sie nichts mehr ändern können.

Das Gerücht

● Weißt du's schon, Stefan?
○ Was denn?
● Daß in dem Gebäude neben Müllers seit einigen Tagen wieder jemand wohnt.
○ Ja, ich habe schon davon gehört.
● Zwei Männer, heißt es.
○ So? Ist das was Besonderes?
● Nein, das nicht. Aber man vermutet so einiges.
○ Wie immer. Das kenne ich bei dir, Ulli. Was redet man denn so?
● Ach, so einiges. Genaueres weiß niemand. Aber komisch ist es schon. Dauernd nachts dieser Maschinenlärm!
○ Wieso? Seit einigen Wochen wird in der Nähe gebaut. Viele Leute klagen über die Ruhestörung in der Nacht.
● Das meine ich doch nicht. Bei den Arbeitern weiß man, daß sie Maschinen benutzen. Aber bei den beiden Männern ... Wozu brauchen sie Maschinen in einem Wohngebäude? Und gestern waren sie im Eisenwarengeschäft.

○ Ja und? Seit wann darf man denn nicht mehr in ein Eisenwarengeschäft? Ist das schon verdächtig? Du hast wirklich eine blühende Vorstellungskraft!
● Und du findest das alles normal. Ich kenne einen von der Polizei, der hat mir was von einer Falschgeldwerkstatt erzählt, und daß man noch eine zweite suche. – Ich weiß nicht, aber der Lärm ist schon wirklich merkwürdig.
○ ... und deshalb kommst du auf den Gedanken, die Leute hier könnten Falschgeld drucken.
● So direkt will ich das nicht sagen.
○ Aber du denkst das doch wohl, oder nicht?
● Du verstehst schon, was ich meine. Wir können doch nicht so tun, als sei das alles normal. Vielleicht sollte ich mal meinen Bekannten von der Polizei anrufen und ihm erzählen, daß ...
○ Nur weil du irgendeinen Verdacht hast? Oder gibt's sichere Beweise?
● Nein, das nicht, aber alle reden doch schon davon, nur du ...
○ Das sind doch nur Gerüchte! Viele Leute haben Spaß daran, Gerüchte zu erfinden. Ich finde es nicht richtig, deshalb jemanden zu verdächtigen.

Ein Irrtum

1883 wurden in Cannstatt zwei Männer bei der Polizei angezeigt, weil man sie verdächtigte, sie würden Falschgeld drucken. Die beiden wohnten in einem alten Haus mit einem schönen, parkähnlichen Garten, in dem ein kleines Gartenhaus stand; in diesem Holzhaus brannte oft bis Mitternacht Licht. Die Nachbarn hatten beobachtet, daß die beiden Männer – niemand kannte sie persönlich – große Mengen Material ins Haus brachten; und oft war bis spät in der Nacht der Lärm irgendeiner Maschine zu hören. Die Leute waren neugierig; sie hätten gern gewußt, was die beiden Fremden in dem Gartenhaus machten; es entstanden alle möglichen Vermutungen, und aus den Vermutungen wurde allmählich der Verdacht, daß in diesem Holzhaus eine Falschgeldwerkstatt versteckt sein könnte.

Kurz nach der Anzeige erschienen spät abends zwei Polizisten; sie klingelten an der Haustür, und als niemand aufmachte, gingen sie durch den Park zum Gartenhaus, aus dem man auch jetzt wieder diesen merkwürdigen Lärm hörte. Einer der Polizisten klopfte an die Tür und rief: „Aufmachen!" Da hörte der Lärm auf, und jemand rief von innen: „Herein!" Die Polizisten machten die Tür auf und standen gleich darauf in einem Raum, in dem es nach Benzin roch. Mitten im Raum stand eine Maschine, die vielleicht für alles mögliche zu gebrauchen war, aber bestimmt nicht zum Drucken von falschen Geldscheinen. Die beiden Fremden standen daneben, ihre Hände und Kleider voll Öl, und offenbar waren sie nicht wenig überrascht über den späten Besuch.

Als die beiden hörten, unter welchem Verdacht sie standen, mußten sie lächeln. Einer von ihnen sagte: „Erlauben Sie, daß wir uns zuerst vorstellen. Mein Name ist Maybach, und das ist Herr Daimler. Und das hier," dabei zeigte er auf den Apparat, „das ist ein Motor, an dem wir arbeiten. Dieser Motor wird die Räder eines Wagens antreiben, der Wagen wird sich dann von selbst fortbewegen können."
Die beiden Erfinder erklärten den Polizisten kurz, wie ein Motor funktioniert. Nachdem die Polizisten gegangen waren, sagte Daimler: „Ich fürchte nur, die Leute werden sich bald wieder über uns wundern. Was werden sie vermuten, wenn wir in zwei Wochen die ersten Versuche auf der Straße machen?"
„Alles mögliche! Aber auf keinen Fall, daß wir Falschgeld drucken!"

Mein „Raketenwagen“

Wernher von Braun, geb. 1921, gest. 1977, amerikan. Physiker und Raketeningenieur dt. Herkunft. – Beschäftigte sich seit 1930 mit Problemen der Raketentechnik; Entwicklung der ersten automat. gesteuerten Flüssigkeitsrakete. Seit 1945 in den USA; seit 1959 Mitarbeiter der NASA; ab 1960 Entwicklung großer Trägerraketen („Saturn“-Raketen) für das amerikan. Raumfahrtprogramm.

Wenn ich zurückdenke, mit welch jugendlicher Dummheit ich meine ersten Raketenversuche machte, so stehen mir noch heute die Haare zu Berge. Ich war dreizehn Jahre alt und hatte wohl noch nie davon gehört, daß jede Rakete, die fliegt, auch explodieren kann und daß das Spiel mit Raketen in der Garage oder gar auf der Straße eine sehr gefährliche Sache ist.
Ich beschloß, selbst einen Raketenwagen zu bauen. Für meinen alten Holzwagen, der nur aus Hupe, Sitz und vier Rädern bestand, besorgte ich mir einige der größten Feuerwerksraketen. In einer Ecke unseres Kellers begann ich dann, die Raketen zusammenzubauen und hinten an meinen Wagen zu stecken. Es war ein herrlicher, sonniger Tag, als ich meinen „Raketenwagen“ ausprobierte. In der Tiergartenallee, in der wir wohnten, machten viele Leute einen Nachmittagsspaziergang. Daß ich mit meinem Vorhaben ihr Vergnügen stören würde, kam mir natürlich überhaupt nicht in den Sinn. Mir war allein der Gedanke wichtig, endlich einen schnellen „Raketenwagen“ zu fahren. An mögliche Gefahren dachte ich überhaupt nicht. Ich schob den Wagen in die Mitte des Bürgersteiges und zündete mit einem Streichholz die Raketen an. Da rollte er los – mit jeder Sekunde immer schneller. Als ich merkte, daß der Wagen nicht mehr in die geplante Richtung fuhr und einigen Fußgängern gefährlich nahe kam, erschrak ich furchtbar. Durch lautes Rufen wollte ich auf die Gefahr aufmerksam machen. Die Fußgänger sprangen daraufhin im letzten Moment zur Seite. Schließlich kam der Wagen unter starker Rauchentwicklung zum Stehen.
Was danach passierte, ist mir in wenig angenehmer Erinnerung. Ein Fußgänger nahm mich an der Hand und brachte mich zur Polizei. Dort behielt man mich einige Stunden. Zum Glück war niemand durch meinen „Raketenwagen“ verletzt worden. So wurde meinem Vater gesagt, er solle mich abholen. Natürlich schimpfte er mich kräftig aus, und ich mußte zur Strafe einen ganzen Tag lang in meinem Zimmer bleiben.

Futur 1

Vorhersage

Es **wird** alles anders **kommen.**	Ich bin sicher, daß alles anders kommt.
Kriege **werden** nicht mehr möglich **sein.**	Ich glaube, daß Kriege nicht mehr möglich sind.

Vermutung

Eva **wird** zu Hause arbeiten.	Sie arbeitet vermutlich zu Hause.
Sie **wird** viel zu tun **haben.**	Sie hat sicher viel zu tun.

Absicht/Versprechen

Ich **werde kommen.**	Ich habe vor zu kommen.
Ich **werde** euch **besuchen.**	Ich verspreche, euch zu besuchen.
Ich **werde** morgen **abfahren.**	Ich fahre morgen ab.

Aufforderung

Wirst du jetzt **aufhören?**	Hör auf!
Du **wirst** jetzt **aufräumen!**	Räum jetzt auf!

Futur 2

Vermutung – Vergangenheit

Du **wirst** zu schnell **gefahren sein.**	Ich vermute, du bist zu schnell gefahren.
Er **wird** sich wohl **aufgeregt haben.**	Er hat sich vermutlich aufgeregt.
Es **wird** nicht **geklappt haben.**	Ich nehme an, daß es nicht geklappt hat.

Vermutung/Hoffnung – Zukunft

Ich **werde** es bald **geschafft haben.**	Ich habe es sicher bald geschafft.
Bis morgen **wird** er das Geld **bekommen haben.**	Morgen hat er vermutlich das Geld.

Formen von „werden“ und Wortstellung

Ich werde	morgen	kommen.	**Wir werden**	uns bald	melden.
Du wirst	wenig Zeit	haben.	**Ihr werdet**	uns hoffentlich	besuchen.
Er **Sie wird** **Es**	im Büro	sein.	**Sie werden**	sicher auch	mitkommen.

Vermutung

Ist das der Freund deines Bruders?

1. Ich **glaube,** / Ich **vermute,** / Ich **nehme an,** — er ist es. / daß er es ist.
2. **Mir scheint,** / **Mir ist,** / **Mir kommt** es **vor,** — als ob er es wäre. / als wäre er es. / als wenn er es wäre.
3. Er **dürfte** / Er **muß/müßte** / Er **kann/könnte** — es sein.
4. **Wahrscheinlich** / **Vermutlich** / **Vielleicht** — ist er es.

Meinung anderer Leute

Es heißt, er lebe im Ausland.
Man sagt, daß er im Ausland lebe.
Er **soll** im Ausland **leben.**

Die Leute sagen das.
Ich weiß nicht, ob es stimmt.

Erfinder

Gutenberg, Johannes, Erfinder des Buchdrucks mit beweglichen Lettern.
* um 1397, † Mainz 3. 2. 1468.
G. beschäftigte sich spätestens seit 1436 mit dem Problem des Buchdrucks. Um seine Idee zu verwirklichen, lieh er sich viel Geld (1550 Gulden von JOHANN FUST). 1455 wurde als erstes großes Werk der neuen Kunst die 42zeilige lateinische Bibel *(Gutenberg-Bibel)* gedruckt. Es gelang G. nicht, seine neue und revolutionäre Technik geheimzuhalten. Für jeden Buchstaben und jedes Zeichen wurde ein Stahlstempel geschnitten. Dieser wurde dann in ein Kupferblöckchen eingeschlagen, so daß eine Matrize entstand. Daraus konnten beliebig viele Einzelbuchstaben gegossen werden. G. erfand auch ein Handgießinstrument und die Legierung des Gießmetalls (Zinn, Blei, Antimon und etwas Wismut).

Daimler, Gottlieb, Maschineningenieur.
* Schorndorf 17. 3. 1834,
† Cannstatt, 6. 3. 1900.

D. war von 1872 bis 1881 technischer Direktor der Gasmotorenfabrik Deutz. 1882 gründete er mit W. MAYBACH eine Versuchswerkstätte in Cannstatt und baute da 1883 einen schnellaufenden, kleinen und leichten Benzinmotor (Patent 1883), der bis 1885 zum eigentlichen Fahrzeugmotor weiterentwickelt wurde. 1885 baute D. einen Motor in ein hölzernes Zweirad ein, 1886 wurden ein Boot und ein Pferdewagen mit einem Daimlermotor ausgerüstet. 1890 wurde die *Daimler-Motoren-Gesellschaft* gegründet, die durch den Mercedes-Kraftwagen (vier Zylinder, 35 PS, 72 km/h) bekannt wurde. Diese Firma vereinigte sich 1926 mit der Firma Benz zur *Daimler-Benz AG.*

Zeppelin, Ferdinand Graf von, Erfinder des lenkbaren Luftschiffs.
* Konstanz 8. 7. 1838,
† Berlin 8. 3. 1917.

Schon 1874 hatte sich Z. mit dem Bau eines Luftschiffes beschäftigt. 1892 begann er unter Mitwirkung des Ingenieurs TH. KOBER die Arbeit. Die Militärverwaltung lehnte 1895 den Entwurf als „unverwertbar" ab. Z. gründete 1898 eine „AG. zur Förderung der Luftschiffahrt"; bei Friedrichshafen wurde das erste Z.-Luftschiff gebaut, das am 2. 7. 1900 aufstieg. 129 weitere Z.-Luftschiffe folgten.

Röntgen, Wilhelm Conrad, Physiker
* Lennep (Rheinland) 27. 3. 1845, † München 10. 2. 1923

R. entdeckte 1895 „eine neue Art von Strahlen", die er *X-Strahlen* nannte. Diese Röntgenstrahlen beschrieb er in verschiedenen Berichten. R. erhielt 1901 als erster den Nobelpreis für Physik.

Braun, Karl Ferdinand, Physiker
* Fulda 6. 6. 1850,
† New York 20. 4. 1918

B. erfand 1897 die *Braunsche Kathodenstrahlröhre* mit Leuchtschirm und magnetischer und elektrostatischer Strahlablenkung. Die Kathodenstrahlröhre ist der wichtigste Bauteil für Fernsehempfänger, Radargeräte und Kathodenstrahloszillographen. 1909 teilte sich B. mit G. MARCONI den Nobelpreis für Physik.

Partnerübungen

1 An Neujahr

Futur I – Vorhersage

Partner 1: Alles Gute zum neuen Jahr!
Partner 2: Danke, das wünsche ich dir auch. – Was wird es uns bringen?
Partner 1: Ich glaube, nichts Gutes. *Mit der Wirtschaft wird es nicht aufwärts gehen.*
Partner 2: Ich sehe da nicht so schwarz. Ich hoffe, daß es trotz allem mit der Wirtschaft aufwärts gehen wird.

Geht es mit der Wirtschaft aufwärts?
Steigt die Zahl der Arbeitslosen weiter?
Kommen wir dem Frieden ein Stück näher?
Kann die Regierung die sozialen Probleme lösen?
Tun die Politiker etwas für den Umweltschutz?
Finden wir Wege gegen den Hunger in der Welt?
Machen die Computer unsere Arbeit interessanter?

2 Neugierige Nachbarn

Futur I/II – Vermutung

a) Partner 1: Wissen Sie, warum *Frau Esser morgen nach Kiel fährt?*
Partner 2: Sie wird *dort beruflich zu tun haben.*
Partner 1: Ach ja, das kann sein.

Frau Esser fährt morgen nach Kiel.	Sie hat dort beruflich zu tun.
Herr Knapp mietet eine neue Wohnung.	Die alte Wohnung ist von seinem Büro zu weit weg.
Erich und Elly streiten in letzter Zeit öfter.	Er trinkt zuviel.
Maria zieht bei ihren Eltern aus.	Ihre Eltern sind zu streng mit ihr.
Frau Bauer hat viel mehr Wäsche als sonst.	Ihre Verwandten sind da.
Herr Jost geht jeden Abend aus.	Allein ist es ihm zu Hause zu langweilig.

b) Partner 1: Wissen Sie, warum Frau Esser letzte Woche nach Kiel gefahren ist?
Partner 2: Sie wird dort beruflich zu tun gehabt haben.
Partner 1: Ach ja, das kann sein.

3 Freizeit

Futur I/II – Vermutung/Modalpartikeln

Partner 1: Was macht wohl *Georg heute?*
Partner 2: Vielleicht ist er *zu Doris gegangen?*
Partner 1: Ja, das könnte sein, er wird wohl zu Doris gegangen sein.

Georg ist heute zu Doris gegangen.	
Bernhard macht morgen mit seinen Freunden Musik.	vielleicht
Uschi geht heute abend ins Kino.	wahrscheinlich
Max und Rita sind gestern zum Schwimmen gefahren.	sicher
Otto ist vorgestern bei der Geburtstagsfeier von Lisa gewesen.	bestimmt
Anni geht Donnerstag abend zum Tanzen.	vermutlich
Konrad und Sabine haben gestern einen Ausflug gemacht.	
Gabriele und Paul gehen morgen zu dem Vortrag.	

4 Die Leute reden viel

Vermutung

Partner 1: Du, ich glaube, das ist der Bruder von Frau Kaiser.
Partner 2: Ja, das könnte er sein.
Partner 1: Er soll die Rechnung im Hotel nicht bezahlt haben.
Partner 2: Wer sagt das?
Partner 1: Na, die Leute eben.
Partner 2: Die reden viel. Wahrscheinlich stimmt das alles nicht.
Partner 1: Das kann schon sein. Aber mir scheint, als hätte Frau Kaiser viel Ärger mit ihrem Bruder.

a) Verwenden Sie an Stelle der unterstrichenen Wörter auch:

ich vermute	mir ist	dürfte	vermutlich
ich nehme an	mir kommt es vor	müßte	vielleicht

b) Ändern Sie den Dialog:

Die Leute sagen,
daß die Freundin von Manfred Braun letzte Woche mit Rolf Grimm ausgegangen ist.
daß der Vater von Fräulein Fischer schon öfter mit der Polizei zu tun hatte.
daß ____.

Schriftliche Übungen

1 Was drückt das Futur in diesen Sätzen aus?

Futur I/II

Wir werden Ihre Vorschläge berücksichtigen.
Ich werde Ihnen bald von der Reise berichten.
Man wird ihn operieren müssen.
Wirst du jetzt endlich sagen, was los war?
Sie wird sich noch nicht entschlossen haben.
Nächstes Jahr wird sich dein Wunsch erfüllen.
Die viele Arbeit wird sich sicher lohnen.
Sie werden bald eine Antwort bekommen.
Wir werden das Geschäft am 5. 10. eröffnen.
Du wirst wieder zu spät gekommen sein.
Wirst du mich auch nicht vergessen?
Er wird sicher bald wieder ganz gesund sein.

Vorhersage
Vermutung
Absicht
Versprechen
Aufforderung
Hoffnung

2  Warum wohl ...?

Vermutung

Warum kommt Jörg nicht zur Arbeit?
1 Ich glaube, er geht zu einer Sitzung.
2 Mir scheint, als hätte er keine Lust zu arbeiten.
3 Es heißt, er sucht eine andere Stelle.
4 Er wird wohl etwas anderes zu tun haben.
5 Er ist bestimmt krank.

a) Verwenden Sie auch: wahrscheinlich – vermutlich – vielleicht – sicher
ich nehme an – ich vermute – ich denke
mir ist, als ob . . . – mir kommt es vor, als wenn . . . –
dürfte – muß – müßte – kann – könnte
soll – man sagt

b) Setzen Sie das Beispiel in die Vergangenheit:
Warum ist Jörg letzte Woche nicht zur Arbeit gekommen?

c) Weiteres Beispiel:
Warum hatte Jörg in letzter Zeit immer schlechte Laune?
1 Ich glaube, ...

3 Technik und Wissenschaft

Adj. –bar und Partizip 2

Läßt sich die Zukunft vorhersagen?
Ist sie _____?
Kann man die Entwicklung bis zum Jahr 2000 vorhersehen?
Ist sie _____?
Können Wissenschaftler alles erklären?
Ist für sie alles _____?
Hat die Technik unsere Umwelt zerstört?
Leben wir in einer _____ Umwelt?
Welche Probleme werden zur Zeit viel diskutiert?
Was sind zur Zeit viel _____ Probleme?
Ist der Fortschritt planbar? Oder _____ er sich nicht _____?
Sind Technik und Politik voneinander trennbar?
Oder _____ sie nicht voneinander _____ _____?
Sind unsere Politiker gut informiert?
Haben wir gut _____ Politiker?

–bar
Partizip 2
kann man
läßt sich
kann + Passiv
ist . . . zu

4 Touristenwerbung

Präfixe und Suffixe bei Adj.

Besuchen Sie unser Land!
Unsere Städte sind sehenswert!
Das Reisen ist problemlos!
Unsere Strände sind halbleer!
Unsere Seen sind fischreich!
Schwimmen ist ungefährlich!
Unsere Straßen sind verkehrsarm!
Wir haben die allerbesten Hotels!
Wir sehen Ihrem Besuch erwartungsvoll entgegen!

Präfixe:
un–
aller–
halb–

Suffixe:
–arm
–reich
–wert
–los
–voll

Umschreiben Sie die Präfixe und Suffixe mit:
wenig
viel
nicht
ohne
man sollte
fast keine
mit
sehr gut

 Kontrollübung

Modalverben können verschiedene Bedeutungen haben. Setzen Sie jeweils die passende Umschreibung ein!

müssen		
notwendig	Da muß jemand nicht aufgepaßt haben.	Wahrscheinlich ...
richtig	Wir müßten den Techniker anrufen.	Es wäre richtig, ...
wahrscheinlich	Der Fehler muß sofort gefunden werden.	Es ist notwendig, ...
dürfen		
erlauben	Frau Kuhn dürfte morgen ankommen.	Vermutlich ...
verbieten	Darf ich Sie morgen kurz sprechen?	Erlauben Sie, daß ...
vermutlich	Sie dürfen das Auto nicht hier lassen.	Es ist verboten, ...
sollen		
für den Fall	Sie sollen sofort zu Hause anrufen.	Es wird verlangt, daß ...
den Rat geben	Sie sollten sich etwas beeilen.	Ich gebe Ihnen den Rat ...
hören	Sollten Sie mich brauchen, sagen Sie's!	Für den Fall, daß ...
verlangen	Ihre Frau soll Engländerin sein?	Ich habe gehört, ...
können		
sprechen	Kann ich dir einen Rat geben?	Erlaubst du, daß ...
möglich	Britta kann das für dich erledigen.	Britta ist fähig, ...
fähig	Sie kann Deutsch.	Sie spricht ...
bitte	Du kannst mit dem Bus zu ihr fahren.	Es ist möglich, ...
erlauben	Könntest du mich danach anrufen?	Ruf mich bitte ...
mögen		
gefallen	Ich mag Jochen.	Ich habe ihn gern.
gern haben	Ich mag seine geduldige Art.	Mir gefällt ...
verlangen	Uwe ist jünger, er mag so 25 sein.	... vermutlich ...
vielleicht	Er mag kein Bier,	Ihm schmeckt ...
schmecken	er möchte immer nur Wein.	Er verlangt ...
wollen		
verlangen	Inge will Peter gestern gesehen haben.	Inge meint, ...
s. entschließen	Peter will ins Ausland gehen.	Er hat den Wunsch, ...
meinen	Er will jedenfalls kündigen.	Er hat sich entschlossen ...
Wunsch haben	Ich wollte, ich könnte mitgehen.	Wie schön, wenn ...
Wie schön!	Ich wollte Geld von meinen Eltern.	Ich verlangte ...

Text 1

vorher/sagen
lösen
existieren
zerstören
am Leben erhalten
Energie gewinnen
Kriege führen
e Programmiererin, –nen
e Landung, –en

r Mond
r Rundfunk
e Elektronik
s Jahrzehnt, –e
s Alltagsleben
die Tatsache, daß
e Nahrungsmittelproduktion
e Energiefrage
s Weltgehirn

s Weltall
e Biologin, –nen
s Meer, –e
e Pflanze, –n

verrückt
kaufmännisch
beliebig
endgültig

mühelos
einzeln
übergroß
problemlos

völlig
ebenso
stark (= sehr)
genügend

Text 2

vermuten
drucken
verdächtigen

s Gerücht, –e
s Gebäude, –

e Ruhestörung
s Wohngebäude, –
s Eisenwarengeschäft, –e
e Vorstellungskraft, ¨–e
e Falschgeldwerkstatt, ¨–en

r Verdacht
r Beweis, –e

komisch
verdächtig
blühend

merkwürdig
wozu

etwas Besonderes
auf den Gedanken kommen, ...

Text 3

an/zeigen
beobachten
verstecken
klingeln
lächeln
sich jmdm. vorstellen
an/treiben

sich fort/bewegen

r Irrtum, ¨–er
e Mitternacht
e Vermutung, –en
e Anzeige, –n (Polizei)
r Geldschein, –e

s Öl
s Rad, ¨–er

parkähnlich
falsch
allmählich

innen
Herein!

mitten in
offenbar
von selbst

Text 4

steuern
explodieren
beschließen
bestehen aus
sich besorgen
stecken
schieben
an/zünden
rollen
erschrecken
aus/schimpfen
zur Seite springen

zum Stehen kommen
e Rakete, –n
r Physiker, –
e Herkunft
e Flüssigkeit, –en
USA (Pl.) = e Vereinigten Staaten
e NASA = amerik. Weltraumfahrtbehörde
e Trägerrakete, –n
e Raumfahrt
e Dummheit, –en

s Spiel, –e
e Garage, –n
e Hupe, –n
r Sitz, –e
s Feuerwerk, –e
e Allee, –n
s Vorhaben, –
r Gedanke, –n
r Bürgersteig, –e
s Streichholz, ¨–er
r Fußgänger, –
e Erinnerung, –en

amerikanisch
automatisch
jugendlich
sonnig
daraufhin

mir stehen die Haare zu Berge
in den Sinn kommen
auf etw. aufmerksam machen

Übungen 1–4: Siehe Reihe 1, S. 18!

Reihe 10

Thema

Auf dem Land

Texte

1 Leben auf dem Land
2 Martina will nicht auf dem Land bleiben
3 Eine LPG in der ehemaligen DDR
4 Madrisa – Eine Geschichte aus den Alpen

Grammatik

Artikel	der		
	die		
	das		
	Nullartikel		
Artikelwörter	dieser	alle	irgendein
	jener	einige	
	jeder	manche	

Meinungen

Anna K., 57 Jahre
So um Viertel nach vier steh' ich auf. Dann geh ich runter in den Stall, die Tiere versorgen, alles sauber machen und so. Nachher gibt's immer irgendeine Arbeit im Garten. Und wenn wir da fertig sind, geht's aufs Feld. Mittags fahren wir heim zum Essen. Um eins oder Viertel nach eins gehn wir wieder aufs Feld. Und um fünf hören wir dann auf. Und nach dem Essen müssen wir wieder in den Stall zu den Tieren. Jeden Tag dasselbe. Freizeit kenne ich nicht. Das ist vielleicht mal, wenn man grad im Krankenhaus jemand besuchen muß, der wirklich schwer krank ist, da muß man hin. Aber Freizeit gibt's bei uns Bauern so gut wie nicht. Die Sonntage haben wir auch nicht frei, wenn Erntezeit ist. Aber das war mein ganzes Leben so, ich bin das gewöhnt. Ich möchte gar keine andere Arbeit, ich bin gern Bäuerin.

Diese Woche: Leben auf dem Land

Gundula Z., 20 Jahre
Manchmal hasse ich das Leben auf dem Dorf, alle Leute sind so schrecklich neugierig. Sie wissen genau, mit wem ich mich gestern abend verabredet habe, oder wenn ich etwas Ungewöhnliches tue, fällt das sofort auf. Zum Beispiel am Sonntag, manchmal gehe ich nicht in die Kirche, dann reden die Leute hinter meinem Rücken über mich. Darum ist auf dem Land einer schon sehr mutig, wenn er offen eine Meinung ausspricht, die von der Mehrheit nicht für richtig gehalten wird. Dazu braucht man auf dem Dorf viel mehr Mut als in der Stadt. Nicht selten kommt es auch vor, daß Falsches über einen gesagt wird, wirkliche Lügen. Das ist mir natürlich nicht egal, aber ich kann nichts dagegen tun; an wen sollte ich mich auch wenden?

Bernhard P., 32 Jahre
Ich muß sagen, ich lebe gern auf dem Land, ich ziehe das Leben auf dem Dorf dem Leben in der Stadt vor. Im Dorf kennt jeder jeden, wir grüßen einander. Und wenn ich Hilfe brauche, kann ich mich auf die anderen verlassen. Bei uns muß niemand einsam leben wie manche in der Stadt. In der Freizeit ist's mir nicht langweilig, mit einigen Leuten vom Sportverein bin ich fast jedes Wochenende unterwegs. Wir spielen Fußball, diskutieren, kegeln und machen Wanderungen. Dazu die Natur direkt vor der Haustür, die Wälder, Wiesen ... Nein, ich möchte mit niemandem in der Stadt tauschen.

Martina will nicht auf dem Land bleiben

Herr Vetter ist Bauer. Er hat einen Hof in einem kleinen Dorf. Seit einiger Zeit macht er sich Sorgen wegen seiner Tochter Martina. Er möchte, daß ihr Freund Dieter nach der Heirat den Hof übernimmt. Aber Martina und Dieter wollen lieber in der Stadt leben. Herr Vetter spricht mit seiner Tochter darüber.

Martina: Ich habe dir schon oft gesagt, ich möchte nicht hierbleiben.
Vetter: Und Dieter? Wenn er es wollte, und du liebst ihn?
Martina: Mit Liebe ist da auch nichts zu machen. Außerdem wäre er dumm, wenn er seine Tankstelle gegen einen Bauernhof eintauschen würde. Er will übrigens heute mittag kommen und mit dir sprechen.
Vetter: Tankstellen haben auch ihre Konkurrenz.
Martina: Er will eine Großgarage anbauen.
Vetter: Und wo nimmt er das Geld her?
Martina: Er kriegt den dritten Teil vom Hof.
Vetter: Da kriegt er nicht viel.
Martina: Außerdem kann er einen Kredit aufnehmen.
Vetter: Schulden machen!
Martina: Wieviel Schulden hast denn du? – Das sagst du nicht! Und dazu schindest* du dich hier ab von früh bis spät. Ich möchte nicht, daß Dieter sich abschindet und ich ständig einen müden Mann habe.
Vetter: Das ist doch heute keine Schinderei* mehr. Sonst wäre ich auch nicht mehr hier.
Martina: Aber immer noch mehr als sonstwo. Ich möchte auch meine Freizeit haben wie die anderen.
Vetter: Du hast soviel wie die anderen. Das ist ja alles vollmechanisiert heute.
Martina: Aber melken mußt du auch am Sonntag.
Vetter: Ihr könnt ja das Vieh abschaffen.
Martina: Ich will einfach nicht auf dem Land bleiben!
Vetter: Soll ich denn etwa verkaufen?
Martina: Warum nicht? Bau dir in der Stadt ein Häuschen und geh in die Fabrik arbeiten! Oder leb von deiner Rente!
Vetter: Gerade Maschinen gekauft! Ein Mähdrescher für 30000 Mark!
Martina: Das geht vielen so.
Vetter: Dann kann ich dich nicht auszahlen.
Martina: Wenn du verkaufst?
Vetter: Da gehen erst die Schulden ab. Aber so hättest du wenigstens den Hof.
Martina: Und die Schulden!
Vetter: Wir können doch nicht einfach weg, wo so vieles an einem hängt!

* *sich abschinden = sehr hart arbeiten*
die Schinderei = die sehr harte Arbeit

Eine LPG in der ehemaligen DDR

Vor der Wiedervereinigung Deutschlands im Jahr 1990 war die Landwirtschaft auf dem Gebiet der damaligen DDR in Produktionsgenossenschaften organisiert. Die Mitarbeiterin einer westdeutschen Wochenzeitung sprach mit einem früheren LPG-Mitglied.

○ Wie groß war diese LPG?

● Sie bestand aus 36 ehemaligen bäuerlichen Betrieben mit zusammen 660 Hektar und 127 Mitgliedern.

○ Und wie wurde sie geleitet?

● Ähnlich wie ein Industriebetrieb. Es gab eine Führungsgruppe, die hatte 13 Mitglieder, und die wurden alle zwei Jahre neu gewählt. Diese leitenden Mitglieder versammelten sich jeden Morgen um elf Uhr, um zu beraten, was getan werden mußte.

○ Wie wurde die Arbeit auf die Mitglieder der LPG verteilt?

● Es gab im ganzen sieben Arbeitsgruppen, eine war zuständig für Gemüse, eine andere für Kartoffeln usw. Jedes Mitglied gehörte zu einer solchen Arbeitsgruppe. Der Lohn für alle landwirtschaftlichen Arbeiten war nicht gleich, es gab fünf Bezahlungsgruppen. Dabei wurde berücksichtigt, wie anstrengend und kompliziert eine Arbeit war und ob es sich um eine besonders verantwortungsvolle Arbeit handelte.

○ Wurde jeder entsprechend der geleisteten Arbeit bezahlt?

● Täglich wurde die Arbeit der LPG-Mitglieder aufgeschrieben und in Arbeitseinheiten (AE) berechnet. Jeder füllte diesen Zettel selbst aus. Dazu gab es ein gedrucktes Heft, in dem genau stand, wie viele AE man für die jeweilige Arbeit bekam.

○ Wieviel verdiente denn im Monat ein LPG-Mitglied?

● Die Mitglieder der Führungsgruppe hatten etwa 1200,– Mark im Monat. Bei den anderen gab es kein festes Gehalt, jeder erhielt am Ende des Jahres seinen Lohn, entsprechend der geleisteten AE.

○ Wie wurde eigentlich der Wert der AE berechnet?

● Am Jahresende wurde das, was übrigblieb, verteilt. Einen Teil brauchten wir für ständige Kosten, einen anderen für Investitionen. Der Rest war für den Lohn der LPG-Mitglieder. Bei uns blieben zuletzt für jede AE 13 Mark übrig.

○ Und wenn in einer LPG nichts übrigblieb, was dann?

● Dann half der Staat, damit je Arbeitseinheit mindestens 7 Mark gezahlt werden konnten.

Madrisa

Eine Geschichte aus den Alpen

In Graubünden lebte einmal ein Bauer – im Sommer oben in den Bergen, im Winter unten im Dorf. Es kam ein Jahr, da war im Herbst noch so viel Heu übrig, daß der Bauer allein ins Dorf hinunterzog. Sein Sohn aber blieb mit dem Vieh oben auf der Alp und kam nur manchmal ins Dorf herunter, wenn er keine Vorräte mehr hatte.

Als der Sohn einmal längere Zeit nichts von sich hören ließ, da machte sich sein Vater Sorgen, es könnte ihm etwas passiert sein, denn seine Vorräte hätten eigentlich schon verbraucht sein müssen. Trotz des kalten Winters stieg er deshalb auf die Alp, um nachzusehen, ob alles in Ordnung sei. Der Schnee war tief, das Gehen kostete viel Mühe. Es war schon spät am Abend, als er oben ankam. Er traf seinen Sohn eben beim Füttern und sah gleich, daß noch genug Vorräte da waren.
„Wie kommt es", fragte er seinen Sohn, „daß das Heu nicht weniger geworden ist in der langen Zeit? Und unsere Kühe sind so schön und geben Milch wie mitten im Sommer!"
„Pst, Vater, sei leise," gab der Junge zur Antwort. „Dort, sie hat das getan." Und er wies auf seine Schlafstelle hin. Da lag ein Mädchen und schlief, und ihre langen herrlichen Haare hingen über das Bett herunter und reichten bis zum Boden. „Das ist meine Madrisa, sie bringt Pflanzen aus dem Wald mit, die mischt sie unter das Salz und gibt es dem Vieh. Und darum sind die Kühe so gut genährt, darum ist auch noch so viel Heu da und so viel Milch und Käse."
Der Bauer sah seinen Jungen erstaunt an: „Aber . . . wer ist sie denn, deine Madrisa?"
Da wachte die Fremde auf und stand langsam von der Schlafstelle auf. Mit einem traurigen Blick auf den Bauern sagte sie: „Warum mußtest du kommen und uns stören? Es wäre besser gewesen, wenn ich zusammen mit deinem Sohn euer Vieh hätte versorgen dürfen bis zum Frühling, wenn es wieder hinausgeht auf die Wiesen. Aber du bist gekommen, und nun muß ich zurückgehen in den Wald. Lebt wohl!" Der Wind öffnete die Tür, das Mädchen ging hinaus und war verschwunden.
So oft der Junge im nächsten Sommer, als er wieder das Vieh hütete oben auf der Alp, nach seiner Madrisa rief und nach einem Zeichen von ihr suchte, es war umsonst. Kein Mensch hat sie je wieder gesehen.

Der Artikel

Der unbestimmte Artikel ein, eine, ein	*das Nomen:*
Ich traf einmal **einen** Mann. Es war **ein** Bauer.	*erstmals genannt*
Ein Bauer muß früh aufstehen.	*allgemein*

Der unbestimmte Artikel steht häufig zusammen mit Attributen:
Wir hatten **einen** schönen Sommer.
Das war **ein** Tag, den ich nicht vergesse.

Der bestimmte Artikel der, die das	*das Nomen:*
Ich traf einmal einen Bauern. **Der** Bauer hatte zwei Töchter.	*vorher genannt*
Heute scheint **die** Sonne. **Die** Landbevölkerung nimmt ab. Sie leben mit **der** Natur.	*feste Begriffe*
Das ist **die** schönste Jahreszeit.	*Superlativ*
Der Sommer war schön.	*Jahreszeiten, Monate, Tageszeiten*
Das Holz ist schon bestellt. **Die** Milch schmeckt gut.	*Stoff: bestimmte Menge*
Das ist der Chiemsee.	*Berge, Seen, Flüsse*

Einige Länder haben einen bestimmten Artikel:

die Schweiz	der Sudan
die Sowjetunion (UdSSR)	der Libanon
die Bundesrepublik Deutschland	
die DDR	*Plural:*
die Tschechoslowakei	die Niederlande
die Türkei	die Vereinigten Staaten (USA)

Präpositionen und Artikel

Präp. + dem		*Präp.* + der	*Präp.* + das	
am	vom	zur	ans	ins
beim	zum			
im				

Nomen ohne Artikel („Nullartikel“) — *das Nomen:*

Wir unterhielten uns mit Bauern. Wir machten Spaziergänge.	*unbestimmter Plural*
Wir brauchen Holz. Es ist Milch und Käse da.	*Stoff: unbestimmte Menge*
Ich bin Bäuerin. Ich bin Österreicherin.	*Beruf* *Nationalität*
Weihnachten feiern sie zusammen.	*Feiertage, Feste*
Frau Kirsch erzählt von früher. Anna berichtet von ihrer Arbeit.	*Personennamen*
Der Hof liegt in Österreich. Frankreich England . . .	*die meisten Ländernamen*
Wir wohnen in Regensburg. Köln Celle . . .	*Städtenamen*
Wir haben kaum Freizeit. Wir haben noch Arbeit.	*Wendungen, feste Wortgruppen*
Wir sind auch bei Regen draußen. Sie kommen später nach Hause.	*manche Präpositionalgruppen*
Unterstützung für Landwirtschaft gefordert	*Titel und Überschriften*

Artikelwörter

der Hof da	**jedes** Jahr	**irgendeine** Arbeit
dieser Hof da	**alle** Bauern	**irgendwelche** Arbeiten
jener Hof dort	**einige** Gäste	
	manche Leute	
	mehrere Personen	

Landwirtschaft

Wie in anderen Industrieländern hat sich die Landwirtschaft in der Bundesrepublik Deutschland, in Österreich und der Schweiz in den letzten Jahrzehnten sehr stark verändert. Vor dem ersten Weltkrieg war etwa jeder dritte Erwerbstätige in der Landwirtschaft beschäftigt – heute ist es noch jeder zwanzigste. Die Größe der landwirtschaftlich genutzten Bodenfläche hat ebenfalls abgenommen, weil sich die Städte ausgedehnt haben und weil neue Straßen, Autobahnen und Flughäfen gebaut worden sind. Trotzdem hat die Produktion aber zugenommen. Der Verlust an nutzbarer Bodenfläche ist durch bessere Pflanzen und modernere Anbau- und Erntemethoden ausgeglichen worden, und an die Stelle der vielen menschlichen Arbeitskräfte sind moderne Maschinen getreten: Traktoren, Mähdrescher, Melkmaschinen ... Zudem hat sich die durchschnittliche Größe eines Landwirtschaftsbetriebes in den letzten dreißig Jahren etwa verdoppelt, wodurch ein rationelleres Arbeiten möglich geworden ist.

Entwicklung: 1960–1980

	Produktion (in Mio. DM)		Arbeitskräfte (in Tausend)		Traktoren (in Tausend)		Bedarf im Inland gedeckt zu __%
	1960	1980	1960	1980	1960	1980	(1980)
Bundesr. D.	15000	33200	3650	2000	800	1300	75%
Österreich	3500	8500	950	600	140	320	99%
Schweiz	3500	8600	650	350	130	200	60%

Partnerübungen

1 Im Zug

Artikel bei Land/Nationalität/Beruf

Partner 1: Entschuldigen Sie, aus welchem Land kommen Sie?
Partner 2: Ich komme aus dem Sudan.
Partner 1: So, Sie sind Sudanese. – Sind Sie schon lange in der Bundesrepublik Deutschland?
Partner 2: Schon einige Jahre.
Partner 1: Und was machen Sie hier?
Partner 2: Ich arbeite als Ingenieur.

der Sudán (*´ = Wortakzent!*)	– Sudanése	– Ingenieur
die Sowjétunion (die UdSSR)	– Russe	– Mediziner
die Vereinigten Staaten (die USA)	– Amerikaner	– Journalist
Indonésien	– Indonésier	– Arzt
die Türkeí	– Türke	– Facharbeiter
der Irán	– Iraner (Perser)	– Lastwagenfahrer
der Líbanon	– Libanése	– Techniker
Fránkreich	– Franzóse	– Französischlehrer
die Niederlande	– Holländer	– Vertreter
Nigeria	– Nigerianer	– Automechaniker

2 Im Auto

Bestimmter/unbestimmter Artikel/Nullartikel

Partner 1: Du, halte doch mal, da ist eine schöne Kirche!
Partner 2: Willst du dir die Kirche ansehen?
Partner 1: Warum nicht?
Partner 2: Kirchen finde ich nicht so interessant.

Bauernhof	Hochzeit	Festzelt
Dorf	Pflanze	Versammlung
Hafen	Restaurant	Turm

groß
neu
alt
interessant
schön
hoch

3 Einladung

Artikel bei Stoffbezeichnungen

Partner 1: Möchten Sie noch Tee?
Partner 2: Gern, es ist wirklich ein ganz ausgezeichneter Tee!
Partner 1: Dann schmeckt Ihnen der Tee also.
Partner 2: Ja, sehr.
Partner 1: Das freut mich.

Tee	Salat	Wein	Brot	Marmelade
Reis	Suppe	Bier	Kaffee	Milch

4 Verabredung

Präpositionen und Artikel

Partner 1: Wo können wir uns wieder treffen?
Partner 2: *An der Telefonzelle.*
Partner 1: An welcher Telefonzelle? Es gibt mehrere Telefonzellen.
Partner 2: Du weißt schon – da, wo wir uns auch das letzte Mal getroffen haben.
Partner 1: Ah ja, und wann treffen wir uns dort?
Partner 2: Sagen wir: *um 5 Uhr.*
Partner 1: Was machen wir dann?
Partner 2: Dann gehen wir *in die Stadt.*

wo?	wann?	wohin?
Telefonzelle	5 Uhr	Stadt
Geschäft	Viertel Stunde	Angelika
Restaurant	Dienstag	Schwimmen
Tankstelle	eine Stunde	Park
Bushaltestelle	Abend	Café
Bäckerei		Feld
Kino		Bruder

Präpositionen

zu
vor
neben
um
an
in
auf
bei

Schriftliche Übungen

1 Jungen auf dem Land

Artikel/Artikelwörter/Präpos.

Schreiben Sie anhand der Stichwörter drei Geschichten!

Geschichte 1:
Fahrrad – Nachbardorf – Mut – Garten – Obstbäume – Obst – Bauer – Angst – Boden – Hose – Arm – Arzt – Strafe – Spaß – Erinnerung

Geschichte 2:
Winter – Schnee – Schneeball – Nachbar – Fenster – Mittagessen – Lärm – Tisch – Essen – Geschirr – Polizei – Vater – Stallarbeit

Geschichte 3:
Mädchen – Schulklasse – Schulweg – Sommer – See – Baden – Idee – Kleidung – Schuhe – Schultasche – Heimweg

2  Telegramm

Artikel

gruppe aus china in köln 22 bis 27 März – ankunft dienstag 20.25 uhr – hotel fünf einzelzimmer bestellen – mittwoch stadtbesichtigung – donnerstag besprechung in firma – freitag freier tag aber programm möglich – erwarte vorschläge – betzold

In einem Telegramm stehen die Sätze verkürzt. Berichten Sie in unverkürzten Sätzen, was Herr Betzold telegrafiert:
Herr Betzold telegrafiert, in Köln komme ... Man solle ...

3 Falsche Informationen

Präposition/Artikel/Adjektiv

Welche Präposition drückt das Gegenteil aus? Setzen Sie außerdem den Artikel ein!

August Denkmann soll gesagt haben,

er wolle schon vor _____ Weihnachten kommen. Aber er ist erst _____ Weihnachten gekommen.
er wolle mit _____ Familie kommen. Aber er ist _____ _____ Familie gekommen.
er wohne in _____ Stadt. Aber er wohnt _____ _____ Stadt.
er warte vor _____ Kino. Aber er wartete _____ _____ Kino.
er habe das Buch auf _____ Sitz gelegt. Aber es lag _____ _____ Sitz.
er sei für _____ strenge Erziehung. Aber er ist _____ _____ strenge Erziehung.
er komme gerade aus _____ Ausland. Aber er fährt erst nächstes Jahr _____ Ausland.
er fahre nach _____ Graz. Aber er kommt _____ _____ Graz.
er wohne über _____ neuen Mieter. Aber er wohnt _____ _____ neuen Mieter.
er sei vor _____ drei Wochen in Bonn gewesen. Aber er fährt erst _____ drei Wochen.
er fahre zu _____ Fest. Aber er kommt gerade _____ _____ Fest.

4 Unbestimmte Antworten

Artikelwort irgend–

Beispiel:
Was für ein Dorf möchten Sie besichtigen?
Irgendein Dorf, mir ist es egal, was für eins.
Wann werden Sie abgeholt?
Irgendwann, ich weiß nicht genau, wann.

Was möchten Sie gern trinken? ____________________
Wohin sollen wir den Ausflug machen? ____________________
Wer hat eben angerufen? ____________________
Mit welchen Bauern möchten Sie gern sprechen? ____________________
Wo möchten Sie warten? ____________________
Wem haben Sie das Geld gegeben? ____________________
Welches Bauernhaus möchten Sie fotografieren? ____________________
Was für ein Buch haben Sie darüber gelesen? ____________________

Kontrollübung

Setzen Sie Präpositionen und Artikel ein!

an	unter	trotz	über	mit
auf	wegen	von	vor	ohne
außer	außerhalb	zu	in	seit
aus	bei	durch	um	nach
statt	bis	für	während	

Eine Fahrt aufs Land

Letzte Woche bin ich _____ _____ Land gewesen. Mein Freund Werner hat Bekannte _____ Chiemsee. _____ denen hat er mich _____ _____ Wochenende mitgenommen. _____ _____ Auto dauert die Fahrt _____ München _____ Prien sonst nur eine dreiviertel Stunde, aber _____ diesem Tag haben wir _____ _____ dreiviertel Stunde eineinhalb Stunden gebraucht. _____ _____ Autobahn war nämlich viel Verkehr. Erst _____ sieben Uhr abends waren wir da.
Werners Bekannte sind Bauern, sie haben einen Hof _____ Priens. Es war hochinteressant _____ mich. _____ _____ ganzen Wochenendes fühlte sich Werner sehr wohl. Er war viel _____ _____ Tieren _____ Stall. Am liebsten würde er _____ _____ Bauernhof bleiben, aber _____ seiner Arbeit muß er ja wieder _____ _____ Stadt zurück. Aber glücklich ist er nicht _____ _____ Stadt. _____ mir ist das anders, ich könnte _____ _____ kulturellen Angebote einer Großstadt nicht mehr leben. _____ _____ Wochenende natürlich, oder _____ Urlaub: da fahre ich dann gern _____ _____ Stadt hinaus.
_____ _____ schlechten Wetters haben wir eine kleine Bergtour _____ _____ Berg südlich des Chiemsees gemacht. _____ vielen Jahren bin ich _____ keinem Berg mehr gewesen; ich glaube, das letzte Mal _____ elf Jahren. _____ _____ Steigen hatte ich ziemlich Mühe, ich bin eben zu wenig trainiert. Wir blieben nicht _____ _____ Weg, sondern gingen _____ festen Weg _____ _____ schönen Wälder und _____ _____ herrlichen Wiesen.

auf dem
am – Zu
über das/am
Mit dem – von . . . nach
an – statt einer
Auf der
um

außerhalb – für
Während des
bei den – im
auf dem – wegen
in die
in der – Bei
ohne die
Außer am
im
aus der
Trotz des
auf einen/auf den
Seit – auf
vor
Mit dem
auf dem
ohne – durch die
über die

Text 1

versorgen
hassen
sich verabreden
auf/fallen
sich wenden an
vor/ziehen
sich verlassen auf
kegeln
tauschen

r Stall, ¨–e
s Feld, –er
e Ernte, –n
s Dorf, ¨–er
e Kirche, –n
e Mehrheit, –en
e Lüge, –n
r Verein, –e
r Fußball, ¨–e

e Wanderung, –en
e Wiese, –n

ungewöhnlich
mutig
langweilig

grad
egal

einander

über jmdn. hinter seinem Rücken reden
die Meinung offen aussprechen
es kommt vor, daß ...

Text 2

übernehmen
ein/tauschen
an/bauen
her/nehmen
melken
ab/schaffen

aus/zahlen

e Tankstelle, –n
e Konkurrenz
r Kredit, –e
Schulden (Pl.)

s Vieh
s Häuschen
r Mähdrescher, –

ständig
vollmechanisiert

sonstwo

einen Kredit auf/nehmen
das geht mir auch so

Text 3

besichtigen
leiten
wählen
sich versammeln
beraten
verteilen
leisten
auf/schreiben
berechnen

übrig/bleiben

LPG = landwirtschaftl. Produktionsgenossenschaft
DDR = Deutsche Demokratische Republik

e Wochenzeitung, –en

s/r Hektar (= 10 000 m^2)
s Mitglied, –er
e Gruppe, –n
e Kartoffel, –n
e Arbeitseinheit, –en
r Zettel, –
s Heft, –e
r Wert, –e
Kosten (Pl.)

e Investition, –en
r Rest, –e

westdeutsch
ähnlich
landwirtschaftlich
anstrengend
verantwortungsvoll
jeweilig

Text 4

herunter/kommen
steigen
füttern
hinweisen auf
herunter/hängen
mischen unter
auf/wachen
hinaus/gehen
verschwinden

hüten

Alpen (Pl.)
r Sommer
r Winter
s Heu
e Alp
r Vorrat, ¨–e
r Schnee

e Kuh, ¨–e
s Haar, –e
e Schlafstelle, –n
s Salz
r Käse
r Blick, –e
r Frühling
r Wind, –e

gut genährt
erstaunt

pst!
Lebt wohl!
umsonst (= vergeblich)
es kostet Mühe

Übung 1: Satzbeispiele und Umschreibungen
Übung 2: Wortbildung
Übung 3: Stammformen der Verben
Übung 4: Valenz der Verben

Siehe Reihe 1, S. 18!

Reihe 11

Thema

Frauen

Texte

1 Leserbriefe an eine Frauenzeitschrift
2 Familie
3 Meinungsumfrage zur Rolle der Frau
4 Mädchen und Jungen

Grammatik

Verweisformen	es
	das
	da-
Verkürzte Sätze	

Meinungen

Ich bin jetzt fünf Jahre verheiratet. Früher war ich sehr glücklich, aber nun gibt es mit meinem Mann einen Streit nach dem anderen. Er kommandiert mich herum, ist mit allem unzufrieden und denkt, er sei der einzige in der Familie, der wirklich arbeitet. Was ich den ganzen Tag zu tun habe, hält er nicht für Arbeit. Ich kümmere mich um die Kinder, kaufe ein, koche und wasche – ohne Feierabend und ohne freies Wochenende. Und er sitzt abends und am Wochenende in einem bequemen Sessel, liest Zeitung, schimpft und kommandiert. Oder er geht mit Freunden aus und läßt mich mit den Kindern zu Hause. Soll ich mir das alles gefallen lassen?
(Petra B., 29 Jahre)

Leserbriefe an eine Frauenzeitschrift

Beruf, Mann, Kinder – ich weiß nicht, ob sich das für eine Frau miteinander verbinden läßt. Meine zwanzigjährige Tochter ist da viel optimistischer als ich. Ich sage immer: Warte mal, wenn du erst Kinder hast, dann sieht plötzlich alles anders aus. Entweder kommt der Beruf zu kurz oder die Kinder – es sei denn, du hast einen Mann, dem sein eigener Beruf nicht so wichtig ist und dem es nichts ausmacht, „Hausmann" zu sein. Bei uns früher gab es da gar keine Wahl: eine Frau, deren Mann genug verdient, bleibt zu Hause, ist für die Kinder da und macht den Haushalt. Ist das nicht auch ein wichtiger Beruf für eine Frau? Meine Tochter kann sich aber nicht vorstellen, nur Ehefrau, Hausfrau und Mutter zu sein. Sie meint, sie könne eine solche Abhängigkeit vom Mann nicht aushalten. Ist das der richtige Weg, und denke ich nur zu altmodisch?
(Christine S., 46 Jahre)

Über Frauen, die für die Gleichberechtigung kämpfen, wird gern gelächelt. Vermutlich fürchten die Männer, sie könnten ihre Macht verlieren. Sie sagen dann: „Na ja, die findet eben keinen Mann und braucht eine Frauengruppe, in der sie sich zu Hause fühlt." Also: Erstens, ich lebe mit einem Mann zusammen, und zweitens, ich bin Mitglied einer aktiven Frauengruppe, weil in unserem Land leider die Frauen immer noch sehr benachteiligt sind – im öffentlichen Leben genauso wie im privaten. Ich will mithelfen, das zu ändern, und ich weiß, daß das noch ein sehr langer Weg ist.
(Ulrike A., 32 Jahre)

Familie

Heidrun Popp und Margit Voigt treffen sich nach vielen Jahren erstmals wieder. Während der Schulzeit waren sie gute Freundinnen. Heidrun ist verheiratet und hat drei Kinder, Margit ist ebenfalls verheiratet und hat zwei Kinder.

○ Margit, sag mal, was ist denn los mit dir? Du machst keinen sehr glücklichen Eindruck . . .

● Stimmt. Bin auch ziemlich unzufrieden. Manchmal denke ich, es war ein Fehler, daß ich geheiratet habe. Jeden Tag Hausarbeit – putzen, kochen, spülen, backen, nähen. Dazu die Kinder, die einem keine Ruhe lassen. Und nur tun, was der liebe Ehemann will. Ich hab mir mein Leben anders vorgestellt. Die Arbeit beim Zahnarzt früher hat mir mehr Spaß gemacht. – Überrascht es dich, daß ich so denke?

○ Nein, aber ich sehe das anders. Warum sollte das so schlimm sein? Ich tu alles für meine eigene Familie. Kann auch arbeiten, wie es mir zeitlich paßt, niemand sagt, wann ich was wie zu tun habe. Ein Chef, der Briefe diktiert, der herumkommandiert – das fand ich schlimmer, als ich noch im Büro gearbeitet habe.

● Und wie ist das mit dem Geld? Jetzt hast du kein eigenes Geld mehr, das ist das Geld von deinem Mann. Macht dir das nichts aus?

○ Wieso? Das ist doch unser Geld, meins und seins. Ich verdiene durch meine Arbeit im Haushalt und die Erziehung der Kinder genauso. Wir können's uns eben finanziell leisten, daß ich nicht mehr die langweilige Arbeit im Büro machen muß. Gottseidank hab ich das hinter mir.

● Und die Arbeitskollegen? Die Freizeit? Fehlt dir da nichts? Jeden Tag nur die Kinder, der Ehemann, ein paar Leute beim Einkaufen, Nachbarinnen – das ist eben nichts für mich. Ein Mann hat viel mehr Abwechslung – in der Arbeit, abends bei Freunden. Und die Frau daheim? Was ist mit der?

○ Mir ist's nicht langweilig. Kinder geben mir mehr als viele Erwachsene. Das Gerede über Sport, Urlaub, Mode, Männer brauch ich nicht. Trotzdem, abends kann ich auch weg, wenn ich Lust hab. Dann ist mein Mann dran, auf die Kinder aufzupassen.

● Du scheinst ja einen idealen Mann zu haben! Ich hab nicht so einen. Meiner kommt abends nach Hause, ruht sich aus und läßt sich bedienen – der große Herr und Meister. Zusammen können wir abends wegen der Kinder sowieso nicht weg. Und wenn einer geht, dann ist's er.

○ Rede doch mit deinem Mann mal da drüber! Vielleicht hilft dir das.

● Hab ich auch schon gemacht. Das ändert gar nichts. Er kümmert sich wenig um meine Probleme. Alles bleibt beim Alten: ich bin die Hausfrau und Mutter. Läßt sich ja auch nicht ändern. Nur hätte ich gern mehr Zeit und Energie für anderes . . .

Meinungsumfrage zur Rolle der Frau

	Ich stimme zu	Ich stimme nicht zu	Ich weiß nicht
1. Im Leben der Frau sollten Ehe und Kinder allem anderen gegenüber den Vorrang haben.	☐	☐	☐
2. Eine berufstätige Mutter kann ihre Kinder genauso gut erziehen wie eine Mutter, die den ganzen Tag zu Hause ist.	☐	☐	☐
3. Berufe wie Krankenschwester, Kinderärztin oder Lehrerin entsprechen der Frau mehr als Berufe wie Ingenieurin, Physikerin oder Chemikerin.	☐	☐	☐
4. Eine verheiratete Frau sollte auch dann berufstätig sein, wenn es finanziell nicht nötig ist.	☐	☐	☐
5. Hausarbeit ist nicht nur Sache der Frau. Auch Männer sollten abspülen, waschen, bügeln oder staubsaugen.	☐	☐	☐
6. Es ist Sache der Mutter, die Kinder zu erziehen.	☐	☐	☐
7. Frauen sind genauso gut als Vorgesetzte geeignet wie Männer.	☐	☐	☐
8. Frauen sollen bei Gesprächen über Politik lieber zuhören, als selbst viel mitreden.	☐	☐	☐
9. Mädchen interessieren sich nicht von Natur aus mehr als Jungen für Puppen und Haushalt, das kommt allein von der Erziehung.	☐	☐	☐
10. Männer, die eine Familie zu ernähren haben, sollten in Zeiten hoher Arbeitslosigkeit bevorzugt eingestellt werden gegenüber verheirateten Frauen, deren Männer gut verdienen.	☐	☐	☐

Wie denken Frauen und Männer in Ihrem Land darüber? Wie würden Ihrer Meinung nach Deutsche das sehen?

Mädchen und Jungen

Ein Lehrer hatte sich bemüht, durch Gespräche mit seinen 12–14jährigen Schülerinnen und Schülern die üblichen Vorurteile über die Rollenverteilung der Geschlechter abzubauen. Wenig später ließ er die Klasse einen Aufsatz schreiben, die Mädchen mit dem Thema „Ein Tag als Junge" und die Jungen mit dem Thema „Ein Tag als Mädchen". Sie sollten von einem normalen Tag berichten und zwar so, als gehörten sie plötzlich dem anderen Geschlecht an. Den Lehrer überraschte das Ergebnis: die Mädchen fanden fast nur Positives an der Jungen-Rolle, aber umgekehrt gab es bei den Jungen wenig anderes als negative Äußerungen über das, womit sich Mädchen beschäftigen.

Fast alle Jungen stellten sich vor, daß sie als Mädchen lange Zeit im Bad vor dem Spiegel verbrächten, um sich sorgfältig zu frisieren und zu schminken. Vormittags würden sie lange Gespräche mit Freundinnen führen, bei denen sich alles nur um Kleider, Frisuren, Schminken und um Jungen drehe. Nebenbei natürlich auch um Saubermachen, Einkaufen und um die Frage, wie man am schnellsten abnehmen kann. Deutlich war, daß fast alle Jungen, die sich in die Mädchenrolle hineindachten, die Hausarbeit kaum für wesentlich hielten. Sie stellten sich vor, daß sie als Mädchen ihre Tage vor dem Fernseher verbringen und irgendwann, wenn sie müde sind, ins Bett gehen. Allerdings könnten sie auch nicht berufstätig sein, denn sie müßten sich ja um den Haushalt kümmern. Und wenn Kinder kommen, dann sei das eben so, dagegen könne man nichts machen.

Umgekehrt schienen die Mädchen überzeugt, daß sie als Jungen ein freies, ziemlich problemloses Leben führen könnten. „Ich könnte mich herrlich amüsieren, ohne alle fünf Minuten meine Haare kämmen zu müssen", meinte eine. Jungen, so stellten sich die Mädchen neidisch vor, können sich beim Fußballspielen ruhig schmutzig machen, nachts allein ausgehen und spät nach Hause kommen, sind stark, haben keine Angst, können Motorrad fahren und in Gruppen durch die Gegend ziehen, und sie können sich einen Bart wachsen lassen und richtig schwitzen. Als Junge hätten sie auch ein anderes Leben in der Familie: „Dann gehe ich runter zum Frühstück, das auf mich wartet, und wenn ich den Tee ausgetrunken habe, bringe ich meiner Schwester die Tasse und den Teller zum Spülen."

Grundsätzlich haben sich die 50 Aufsätze inhaltlich nicht wesentlich voneinander unterschieden. Der Lehrer fragte sich daraufhin, ob seine Bemühungen um den Abbau der Vorurteile überhaupt genützt haben.

Verweisform „es“

es **als Pronomen**	*„es“ steht an Stelle von:*
für ein Nomen im Nominativ: Das Geschirr ist gespült. **Es** muß aufgeräumt werden.	**Das Geschirr** muß aufgeräumt werden.
für ein Nomen im Akkusativ (nie am Satzanfang!): Ich habe das Geschirr gespült. Wer räumt **es** auf?	Wer räumt **das Geschirr** auf?
für einen Satz oder Satzteil: Ich spreche oft mit meinem Mann, aber **es** hilft nichts.	**Das häufige Sprechen mit meinem Mann** hilft nichts.
Ich bin unzufrieden und nervös, aber mein Mann ist **es** nicht.	Ich bin unzufrieden und nervös, aber mein Mann ist nicht **unzufrieden und nervös.**
Spülen, Putzen, Einkaufen – das ist langweilig. Aber **es** muß gemacht werden.	**Das Spülen, Putzen und Einkaufen** muß gemacht werden.
es **als Platzhalter**	*„es“ kann weggelassen werden:*
für ein Subjekt: **Es** hat mich bisher niemand verstanden.	Niemand hat mich bisher verstanden.
für einen Subjektsatz: **Es** ist nicht richtig, daß sich nur die Frau um die Kinder kümmern soll.	Daß sich nur die Frau um die Kinder kümmern soll, ist nicht richtig.
es **als formales Subjekt** *(bei bestimmten Verben):*	**Umgangssprachliche Verkürzung**
Es geht mir gut.	Mir geht's gut.
Zu Hause gibt **es** manchmal Streit.	Zu Hause gibt's manchmal Streit.
Es hat mir in Berlin gefallen.	Mir hat's in Berlin gefallen.

Verweisform „das“

Mein Mann kommandiert mich herum. Soll ich mir **das** gefallen lassen?	. . . Soll ich mir gefallen lassen, **daß er mich herumkommandiert?**
Frauen sind bei uns noch sehr benachteiligt. Ich will mithelfen, **das** zu ändern.	. . . Ich will mithelfen zu ändern, **daß Frauen bei uns benachteiligt sind.**
Ich weiß, daß **das** noch ein sehr langer Weg ist.	Ich weiß, daß **es bis zur Gleichberechtigung der Frau** noch ein sehr langer Weg ist.

Verweisform „da–“

kämpfen für:	Wir kämpfen **dafür,** daß die Frauen gleiche Rechte haben.
wissen von:	Viele Männer wollen **davon** nichts wissen.
denken über:	Wie denken Sie **darüber?**
antworten auf:	Ich habe eine klare Antwort **darauf.**
sagen zu:	Wir hätten **dazu** eine Menge zu sagen.
bleiben bei:	Es wird **dabei** bleiben, daß die Männer mehr Macht haben.
rechnen mit:	**Damit** müssen wir immer rechnen.
etw. tun gegen:	Aber **dagegen** müssen wir etwas tun.

Verkürzte Sätze

Ich komme aus Kanada.	
Und ich aus Brasilien.	Und ich komme aus Brasilien.
Mit welchem Auto fahrt ihr?	
Mit dem da.	Wir fahren mit dem da.
Sie rauchen doch auch?	
Ja, schon, aber nur wenig.	Ja, ich rauche schon, aber ich rauche nur wenig.

Frauen im Beruf

Eigene Füße

138 Millionen Frauen leben in den Ländern der Europäischen Gemeinschaft. Über sie, die Mehrheit der europäischen Bevölkerung, wurde jetzt eine umfangreiche Studie erstellt, herausgegeben vom Statistischen Amt der EG unter dem Titel: „Soziale und wirtschaftliche Bedingungen für die Frauen in der Gemeinschaft." Dabei kam heraus, daß die Frauen immer früher heiraten: lag 1960 das Durchschnittsalter bei der Eheschließung noch bei 24 Jahren, so marschieren die Europäerinnen heute bereits mit 22 Jahren vor den Traualtar. Nur die Däninnen bilden da eine Ausnahme: bei ihnen stieg das Heiratsalter von 22,9 auf 24 Jahre. Eine Ausnahme sind die Däninnen auch auf einem anderen Gebiet: Nur in Dänemark übt die Mehrheit der verheirateten Frauen einen Beruf aus (52,7 Prozent). In den anderen Ländern liegt dieser Prozentsatz weit niedriger. Zwei von drei verheirateten Europäerinnen gehen keiner Erwerbstätigkeit nach. Und noch ein höchst bedeutsames Ergebnis förderte die Studie zu Tage: jede vierte berufstätige Frau geht zu Fuß zur Arbeit, während nur etwa jeder achte Mann auf eigenen Füßen geht . . .

Mädchen stehen „ihren Mann"

Lübeck (dpa)

Mädchen können sogenannte Männerberufe ebenso gut wie Buben erlernen, ergab ein bundesweiter Modellversuch des Bundesbildungsministeriums. An dem rund vier Jahre dauernden Versuch hatten sich, wie der Generalsekretär des Bundesinstituts für Berufsbildung, Hermann Schmidt, in Lübeck mitteilte, 1200 junge Frauen in rund 200 Betrieben beteiligt. Dabei kam man zu dem Ergebnis, daß junge Frauen in ihren Ausbildungsleistungen nicht von denen junger Männer abweichen. Von den Prüfungsteilnehmerinnen hätten 99 Prozent die Prüfung bestanden, wobei die Prüflinge im praktischen Bereich ebenso gut abgeschnitten hätten wie ihre männlichen Kollegen. Als „zentrale Ursache" dafür, warum die Öffnung gewerblich-technischer Berufe für Mädchen nicht so recht vorankomme, wurde von einer Arbeitsgruppe, die den Modellversuch wissenschaftlich begleitete, eine „praxisferne Ausrichtung der allgemeinbildenden Schulen" und eine bei den Schulabgängern immer noch fehlende Kenntnis der Berufs- und Arbeitswelt angeführt. 85 Prozent der an dem Modellversuch beteiligten Mädchen würden sich bei der Berufswahl wieder für einen gewerblich-technischen Beruf entscheiden.

Wo arbeiten die Frauen?

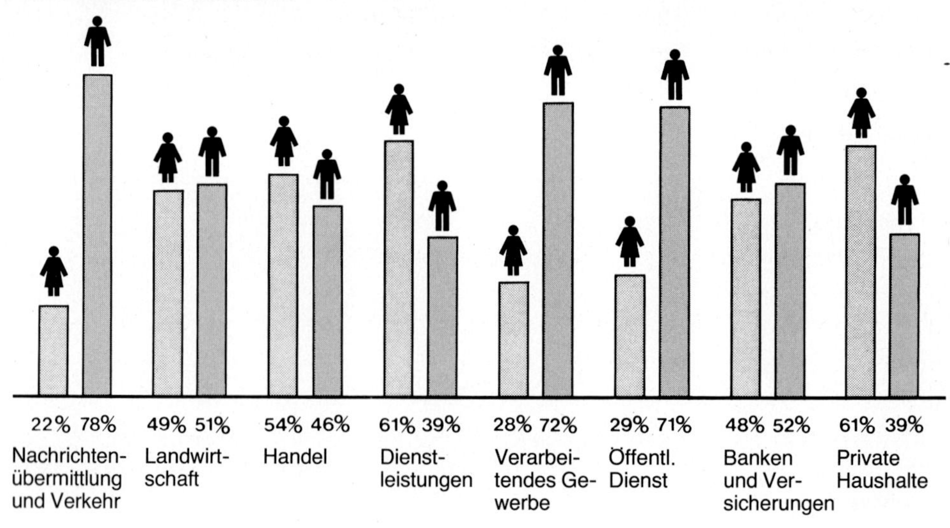

Partnerübungen

1 Der vergeßliche Mann

„es“ als Pronomen

Partner 1: Hast du es mir mitgebracht?
Partner 2: Was?
Partner 1: Na, *das Kleingeld!* Ich habe es dir doch heute morgen gesagt!
Partner 2: Oh je, tut mir leid, ich habe es vergessen.

Brot	Obst	Kleingeld	Medikament	*Verkürzung in Umgangssprache:*
Bier	Gemüse	Lehrbuch	Filmprogramm	Hast du's mir mitgebracht?

2 Gerede über Nachbarn

„es“ und „das“ als Verweis auf Nebensätze

Partner 1: Ich weiß es.
Partner 2: Was weißt du?
Partner 1: Daß *Frau Fröhlich mit ihrem Sohn Sorgen hat.*
Partner 2: So? Du weißt das?

Frau Fröhlich hat mit ihrem Sohn Sorgen. Ich weiß das.
Ihre Tochter zieht von zu Hause aus. Das ist noch nicht sicher.
Frau Fröhlich will einen alten Freund besuchen. Das gibt sicher noch Ärger.
Sie möchte lieber ganztags berufstätig sein. Das hat sie mir gesagt.
Wir informieren sie über ihre Kinder. Das ist unsere Pflicht.
Sie hat sich von ihrem Mann getrennt. Das habe ich heute nacht geträumt.

3 Wie war's?

„es“ + Passiv

Partner 1: Wo warst du gestern abend?
Partner 2: Auf einem *Fest unserer Frauengruppe.*
Partner 1: Und? Wie war's?
Partner 2: Es wurde *viel diskutiert.*

ein Fest unserer Frauengruppe	richtig feiern	
eine Geburtstagsfeier bei Freunden	viel diskutieren	nett erzählen
eine Versammlung	zu viel reden	dumme Fragen stellen
eine Besprechung mit Kollegen	viel trinken	interessante Vorträge halten
ein Betriebsausflug	zu viel essen	...

4 Frauen im Büro

Verweisform „da–“

Partner 1: Was sagt ihr dazu: Ich finde, wir sollten dagegen protestieren, daß ___________.
Partner 2: Wir sollten lieber gegen etwas anderes protestieren.
Partner 1: Wogegen denn?
Partner 2: Dagegen, daß ___________.

protestieren	sich kümmern	sich vorbereiten	um	gegen
kämpfen	sich fürchten	sich verlassen	für	mit
rechnen	sich wundern	sich informieren	über	vor
warnen	sich aufregen	sich kümmern	auf	

5 Wunsch und Wirklichkeit

Diskussion

Partner 1: Viele deutsche Frauen wünschen sich, daß Ehe und Kinder nicht den Vorrang haben.
Partner 2: Und wie ist es in Wirklichkeit?
Partner 1: In Wirklichkeit ist es so, daß Ehe und Kinder meist den Vorrang haben. – Und wie ist es in Ihrem Land?
Partner 2: In ___________ ist es (auch) so, daß ___________

Wunsch	*Wirklichkeit*
Ehe und Kinder sollen nicht den Vorrang haben.	Ehe und Kinder haben meist den Vorrang.
Die Frau soll berufstätig sein.	Nur etwa 45 % sind berufstätig.
Der Mann soll im Haushalt helfen.	Nur sehr wenige Männer helfen im Haushalt.
Der Mann soll sich auch um die Erziehung der Kinder kümmern.	Nur sehr wenige Männer kümmern sich um die Erziehung der Kinder.
Frauen sollen auch Vorgesetzte werden.	Nur sehr wenige Frauen sind Vorgesetzte.
Jungen sollen im Haushalt mithelfen.	Meistens helfen nur die Mädchen.
Die Frau soll bei gleicher Arbeit genauso viel verdienen wie der Mann.	Männer verdienen oft mehr als Frauen.

Schriftliche Übungen

1 Brief an eine ausländische Freundin

Verweisformen „es“ und „das“

Liebe ......,
vielleicht hast Du's schon von Elisabeth gehört: es läuft sehr schlecht mit meiner Ehe. Den ganzen Tag arbeite ich im Haushalt, das macht mich immer unzufriedener. Kurt kommt nach der Arbeit müde nach Hause und möchte es möglichst bequem haben. Das ist alles, was er sich wünscht. Ich würde abends gern mal ausgehen und andere Leute sehen. Aber das versteht Kurt nicht. Er sagt, es ist die Aufgabe einer Frau, für Haushalt und Kinder dazusein.
Wenn ich es mir so überlege, weiß ich, daß ich zu den Frauen gehöre, die berufstätig sein wollen. Für mich ist es schlimm, nur Hausfrau und Mutter zu sein. Das alles schadet natürlich unserer Beziehung – und so kommt es in manchen Stunden sogar soweit, daß ich mit Kurt über Trennung und Scheidung spreche.
Du hast es gut, Du kennst solche Probleme nicht! Kannst Du das überhaupt verstehen? Hoffentlich schreibst Du mir bald!
Herzlichst

Deine Hanna

a) Worauf verweist „es“? Welche Wörter und Satzteile ersetzt diese Verweisform?
b) Worauf verweist „das“? Geben Sie eine ausführliche Umschreibung!

2 Antwort einer Ausländerin

Verweisformen

Liebe Hanna,
es tut mir leid, daß es Dir nicht gut geht. Ich helfe Dir jederzeit, wenn Du mich brauchst – darauf kannst Du Dich verlassen. Das tue ich wirklich gern. Aber wie soll ich Dir helfen? In meinem Land würden Dich die meisten Frauen (nicht) verstehen.
Es ist für sie selbstverständlich, ______________________.
Bei uns wäre es das Schlimmste, wenn ______________________.
Die Männer ______________________.
Das wären Punkte, die mir zu Deinem Problem eingefallen sind. Komm doch mal zu mir, dann können wir länger darüber sprechen.
Herzlichst

Deine ....

Erklären Sie die unterstrichenen Verweisformen mit Hilfe der Grammatikseiten 150 und 151!

4  **Frauen und Männer**

„es“/„das“, Meinungen

Für eine Hausfrau ist es wichtig, ______________________.	Das ______________.
Es gehört auch zu den Aufgaben des Mannes, ______________.	Das ______________.
Es wird oft gesagt, daß Frauen, ______________________.	Ich finde das __________.
Komisch ist es, daß Männer ________________________.	Aber das ____________.
Es wäre schön, wenn die Frauen ____________________.	Doch das ____________.
Leider gibt es zu wenige Männer, die ______________.	Das liegt daran, _______.
Die Kinder leiden darunter, wenn __________________.	Das ______________.

5 **Familie** (Text 2)

Verkürzungen im Dialog

Text 2 ist ein Dialog mit vielen verkürzten Sätzen. Im Gespräch wird weggelassen, was für den Gesprächspartner ohnehin klar ist.
Ergänzen Sie in den Sätzen von Text 2 die Satzteile, die weggelassen sind, und drücken Sie klar aus, was die Verweisformen wirklich bedeuten!

Beispiel:	Vorerst nicht.	= *unverkürzt:*	Vorerst denke ich noch nicht ans Heiraten und Kinderkriegen.
	Bin ganz zufrieden so.	= *unverkürzt:*	Ich bin unverheiratet und ohne Kinder ganz zufrieden.

6  **„lassen“**

Wortschatz

Elsa hat die Kinder bei ihren Eltern gelassen.	aufhören
Die Kinder haben im Bus ihre Taschen liegenlassen.	vergessen
Die Taschen lassen sich nicht mehr finden.	nicht ändern
Elsa läßt den Kindern viel Freiheit.	möglich sein
Sie läßt die Kinder viel im Freien spielen.	erlauben
Sie muß oft Kleidung reinigen lassen.	geben
Sie sagt selten zu den Kindern „Laßt das!“	nicht wollen, daß
Die Kinder lassen sich nichts sagen.	verlangen, daß
Manche sagen ihr: „Lassen Sie die Kinder so!“	können (+ Passiv)
Die Kinder lassen sich von ihr bedienen.	zur ... bringen
Es ließe sich aber auch anders regeln.	hinbringen und weggehen

Kontrollübung

Setzen Sie die Partikel da– *zusammen mit der entsprechenden Präposition ein!*

Ich bin der Meinung, Frauen sollten _____ diskutieren, wie ...	darüber
Ich bin dafür: Frauen sollten _____ protestieren, wenn ...	dagegen
Meiner Meinung nach sollten Frauen _____ sorgen, daß ...	dafür
Jede Frau sollte sich _____ informieren, welche ...	darüber
Wichtig ist, daß Frauen _____ beginnen, ... zu ...	damit
Ich glaube, Frauen sollten _____ achten, daß ...	darauf
Es wäre besser, wenn Frauen sich mehr _____ beschäftigten, ... zu ...	damit
Ich finde, eine Frau sollte den Mann _____ hindern, ... zu ...	daran
Jede Frau sollte mit ihrem Mann _____ reden, wer ...	darüber
Die Frauen sollten die Politiker _____ warnen, ... zu ...	davor
Müssen Frauen immer _____ leiden, daß ...?	darunter
Soll eine Frau sich _____ fürchten, ... zu ...?	davor
Können die Frauen _____ hoffen, daß ...?	darauf
Sollten die Frauen einfach _____ warten, daß ...?	darauf
Soll eine Frau anderen Leuten _____ berichten, wenn ...?	davon
Ärgert sich eine Frau mit Recht _____, wenn ...?	darüber
Muß jede Frau _____ rechnen, daß ...?	damit
Soll das Glück einer Frau _____ abhängen, ob ...?	davon
Kann sich eine Frau _____ verlassen, daß ...?	darauf
Soll eine Frau sich _____ aufregen, wenn ...?	darüber
Warum soll eine Frau ihren Mann _____ bitten, ... zu ...?	darum
Ich finde, Männer sollten _____ aufhören, ... zu ...	damit
Wichtig wäre, wenn Männer _____ nachdächten, warum ...	darüber
Ich glaube, Männer sollten sich _____ erinnern, daß ...	daran
Immer mehr Männer müssen sich _____ gewöhnen, daß ...	daran
Ich denke, Männer brauchen sich nicht _____ zu wundern, wenn ...	darüber
Männer sollten nicht _____ klagen, daß ...	darüber
Meiner Meinung nach sollten sich die Männer _____ freuen, daß ...	darüber
Ich finde, Frauen sollten _____ kämpfen, daß ...	dafür, dagegen

Text 1

herum/kommandieren
kommandieren
lächeln über jmdn.
benachteiligen

r Leserbrief, –e
e Zeitschrift, –en
r Feierabend, –e

r Hausmann, ¨–er
e Ehefrau, –en
e Gleichberechtigung
e Macht
e Frauengruppe, –n

optimistisch
altmodisch

öffentlich
miteinander
entweder – oder
es sei denn
einer nach dem anderen

er läßt mich zu Hause

etw. läßt sich verbinden mit etw.
der Beruf kommt zu kurz
das macht mir nichts aus.
es gibt keine Wahl
für jmdn. da sein

Text 2

heiraten
backen
nähen
diktieren
scheinen (= vermuten)
sich aus/ruhen

e Schulzeit
r Fehler, –
r Ehemann, ¨–er
r Zahnarzt, ¨–e
e Abwechslung, –en
s Gerede
e Mode

zeitlich
ideal
während *(Gen.)*

Wie ist das mit . . .?
etw. hinter sich haben

ich bin dran
keine Energie haben für
alles bleibt beim Alten

Text 3

zu/stimmen
entsprechen
ab/spülen
bügeln
staubsaugen

e Meinungsumfrage, –n
e Rolle, –n
r Vorrang
e Kinderärztin, –nen
r Vorgesetzte, –n

e Politik
e Puppe, –n
e Arbeitslosigkeit

bevorzugt

gegenüber (= im Vergleich zu)
von Natur aus
das kommt von

Text 4

ab/bauen
an/gehören
frisieren
schminken
sich drehen um
sauber/machen
ab/nehmen (Gewicht)
sich hinein/denken in
überzeugen
sich amüsieren
kämmen

wachsen
aus/trinken
sich unterscheiden von

e Rollenverteilung
s Geschlecht, –er
r Aufsatz, ¨–e
s Thema, Themen
e Äußerung, –en
r Spiegel, –
e Frisur, –en

e Gegend, –en
r Bart, ¨–e
e Bemühung, –en
r Abbau

üblich
positiv
umgekehrt
negativ
sorgfältig
deutlich

wesentlich
neidisch
stark (körperlich)
grundsätzlich
inhaltlich

nebenbei
voneinander
und zwar so

Übung 1: Satzbeispiele und Umschreibungen
Übung 2: Wortbildung
Übung 3: Stammformen der Verben
Übung 4: Valenz der Verben

Siehe Reihe 1, S. 18!

Reihe 12

Thema

Recht

Texte

1 Kriminalität und Strafe
2 Vorbestraft
3 Die Karten mischt der Tod
4 Der kluge Richter

Grammatik

Gebrauch der Zeitformen	Vergangenheit Gegenwart Zukunft	
Wortbildung: Verben	Trennbare Präfixe: Nicht trennbare Präfixe:	ab-, an-, auf- . . . ver-, be-, ent- . . .

Meinungen

Hermann Jung, 54 Jahre
Angst vor Strafe muß sein. Das merkt man schon bei der Erziehung. Kinder dürfen nicht alles ungestraft tun, sonst kennen sie keine Grenzen mehr. Die Strafe hilft ihnen, den Unterschied zwischen richtig und falsch, gut und schlecht zu lernen. Bei Erwachsenen ist Strafe nicht weniger wichtig. Wenn auf Mord, Einbruch und andere schwere Verbrechen keine strenge Strafe zu erwarten ist, läßt sich der Täter nicht abschrecken. Und genau das darf nicht passieren, denn wir alle haben ein Recht auf Schutz vor Verbrechern, die eine Gefahr für das Volk sind.

Diese Woche: Kriminalität und Strafe

Erna Baumann, 35 Jahre
Lebenslängliche Freiheitsstrafe oder gar Todesstrafe – das erinnert mich an alte Zeiten. Läßt sich überhaupt entscheiden, wer wirklich an einer Tat schuld ist? Ich finde, wir kümmern uns zu wenig darum, wie Menschen denken und fühlen, die andere Menschen überfallen, bestehlen oder sogar töten. Warum tun sie so etwas? Viele kommen aus einem sogenannten „schlechten Elternhaus", sie sind ohne Liebe aufgewachsen. Was nützt es, wenn wir sie dafür noch zusätzlich hassen? Es verschlimmert nur alles. Der Vater war vielleicht Trinker, die Mutter hat das Kind einfach weggegeben – und wer ist daran schuld? Weil es mit der Schuld so eine schwierige Sache ist, sollten wir Strafe anders sehen. Sie soll dem Täter helfen, später ein Leben ohne Kriminalität zu führen. Wir alle haben dabei eine Mitverantwortung.

Andrea Bach, 42 Jahre
Wenn es um Strafe, Bestrafung und so was geht, fällt mir immer auf, daß die kleinen Leute im Vergleich zu den großen, die Macht und Geld haben, zweifellos benachteiligt sind. Ein Jugendlicher, der 100 Mark stiehlt, bekommt gleich eine Jugendstrafe, die ihm seine ganze berufliche und private Zukunft kaputt machen kann. Die Großen aber, die oft zu Unrecht Millionen kassieren, kommen ohne Strafe davon. Ein Staatsmann, der in einem sinnlosen Krieg Tausende in den Tod schickt, bleibt straffrei. Ein einfacher Bürger aber, der in einem Augenblick unkontrollierter Wut zugeschlagen hat, kommt für viele Jahre ins Gefängnis – außer er kann sich einen teueren und guten Rechtsanwalt leisten, der für ihn vielleicht einen Freispruch erreicht. Trotzdem: im Vergleich zu vielen anderen Ländern, finde ich, sind wir dem Rechtsstaat in den letzten Jahrzehnten doch ein Stück näher gekommen.

Vorbestraft

- ● Ingo, du bist 17 und seit zwei Monaten aus einer Jugendstrafanstalt entlassen. Erzähl doch mal, wie ist es überhaupt zu dieser Strafe gekommen?
- ○ Ich denk da gar nicht gern dran zurück. Es fing mit Thomas an, einem Freund. Wir haben die ganze Freizeit miteinander verbracht. Discos, Spielautomaten und so. Kostet natürlich Geld, und das Taschengeld reichte nicht.
- ● Haben dich deine Eltern so streng gehalten?
- ○ Im Gegenteil. Ich bekam so einen Hunderter im Monat. Trotzdem hat's nicht gereicht. Einer von uns – Thomas, glaube ich war es – hatte dann die Idee mit den Zigarettenautomaten. Wir machten uns da nachts dran, brachen sie auf und kassierten das Geld.
- ● War's nur das Geld oder reizte auch was anderes?
- ○ Das Geld, ja. Es war aber auch ein Abenteuer, so was zu tun. Verbotenes. Aufpassen, daß man nicht erwischt wird. Abends vorm Fernseher bei den Eltern zu Hause, das ist schrecklich langweilig.
- ● Und das komische Gefühl, daß du da was Unrechtes und Ungesetzliches tust, hattest du nicht?
- ○ Wieso? Ich sagte mir, das Geld kriegt der Besitzer von der Versicherung wieder, und die haben genug.
- ● Hast du nie daran gedacht, daß man dich eines Tages erwischen könnte?
- ○ Darüber hab ich mir keine Gedanken gemacht. Wir haben anfangs alles sehr gut vorbereitet, zogen auch immer erst los, wenn's schon dunkel war. Einmal haben uns Passanten beobachtet, wir konnten grad noch weglaufen. Aber bei so kleineren Unternehmungen, da hatten wir sowieso keine Angst.
- ● Wann habt ihr mit größeren Unternehmungen angefangen?
- ○ Je mehr Geld wir hatten, um so mehr brauchten wir. Den ersten größeren Einbruch machten wir in der Eishalle. Wir stiegen nachts dort in ein vorher geöffnetes Fenster und holten uns alles raus, was irgendeinen Wert hatte. Die nächste größere Sache war die Stereoanlage in einer Schule. Alles zusammen ein Wert von 9000 Mark.
- ● Aber die Polizei hat euch ja dann erwischt ...
- ○ Ja, wir sind immer unvorsichtiger geworden. Es war, nachdem wir bei Tag einen Videorecorder in einer Volkshochschule gestohlen hatten. Der Schlüssel hing neben dem Schrank ... Einen Tag später stand die Polizei vor der Tür. Klar, daß die in der Wohnung viele gestohlene Sachen fanden.
- ● Was war die Reaktion deiner Eltern? Ahnten sie etwas von deinen Unternehmungen?
- ○ Nichts, sie hatten nicht die geringste Ahnung. Die konnten es einfach nicht glauben. Ein krimineller Sohn! Das war für sie mehr als nur eine Panne, ich bin in ihren Augen der kleine Verbrecher, der vom rechten Weg abgekommen ist und auch nicht mehr zurückfindet.
- ● Wie siehst du das alles im Rückblick?
- ○ Ich hatte früher keinerlei Vorstellung von den Folgen. Was passiert, wenn dich die Polizei erwischt? Das weiß ich erst jetzt. Meine Freundin will mit mir nichts mehr zu tun haben, mit einem Kriminellen ... nein danke, sagt sie. Meine Familie redet nur noch das Allernötigste, Verwandte und Schulfreunde gehen mir völlig aus dem Weg. Um eine Stelle habe ich mich beworben, bekomme aber keine Antwort. Bin ja vorbestraft.
- ● Glaubst du nicht, daß es doch Leute gibt, die dich nicht ein Leben lang verurteilen, nur weil du in der Jugend mal solche Sachen gemacht hast?
- ○ Schön wär's, wenn es die gäbe. Bis jetzt ist mir noch keiner begegnet, der so denkt.

Hat Peter Schöller Angst? Oder hat er nur nicht den Mut, seine Schuld zuzugeben? Er hält nicht an, als er mit seinem Auto einen Unfall verursacht. Aber er ist schlau genug, sich ein Alibi zu besorgen – bei der Polizei.

Peter Schöller war sich nicht sicher, ob er gerade eben einen Unfall hatte. Wahrscheinlich war da in der Dunkelheit nur ein Stein oder ein Ast auf der Fahrbahn gewesen. Einen Menschen hätte er ja bestimmt gesehen. Er mußte zugeben, daß er für Sekunden nicht aufmerksam gewesen war. Er hatte an Helga gedacht und nicht auf die Straße geachtet.

Vorsichtshalber bog er von der Hauptstraße ab und hielt in einer Nebenstraße.

Der rechte Scheinwerfer seines Autos war kaputt, das Glas zerbrochen, die Stoßstange ein wenig verbogen. War irgendwo Blut? Nein, nichts.

Wenn nun die Polizei ihn suchte, in allen Werkstätten nachfragte und ihn schließlich ...

Peter Schöller wußte eine elegante Lösung. Er stieg ein, kehrte um und bog wieder in die Hauptstraße ein. An der Kreuzung Basler Straße sah er den Polizisten, der meist dort stand und fuhr auf eine Straßenlaterne los. Es krachte.

Der Polizist kam auf ihn zu, ging um das Auto herum, öffnete die Tür: „Ist Ihnen was passiert?"

„Ich ... ich glaube nicht", antwortete Schöller, und er bemühte sich, seine Stimme zittern zu lassen. „Mir war plötzlich schwarz vor den Augen." „Der rechte Scheinwerfer ist kaputt", stellte der Polizist fest, „und die Stoßstange ist etwas beschädigt, aber sonst ..."

Die Karten mischt der Tod

Alles lief nach Plan. Ein Unfall unter den Augen der Polizei – das beste Alibi, das es überhaupt gibt.

„Fahren wir zum Revier", sagte der Polizist.

Im Revier war ein Kommissar. Er nahm die Meldung des Polizisten entgegen, dann wandte er sich an Peter Schöller: „Mit dem Unfall am Freiburger Platz haben Sie wohl nichts zu tun?" In seinem Blick war kein Mißtrauen.

„Nein, Herr Kommissar, ich kam ja aus der anderen Richtung."

Der Polizist bestätigte: „Das stimmt." Der Kommissar lächelte. „Ich frage ja nur, weil bei dem Wagen, der am Freiburger Platz einen Unfall verursacht hat, etwa die gleichen Beschädigungen zu finden sein müßten wie bei Ihrem Auto. Außerdem soll es sich ebenfalls um einen Ford gehandelt haben." Und er fügte hinzu: „Dabei hätte der Mann oder die Frau es gar nicht nötig gehabt, der Polizei aus dem Weg zu gehen."

Es ist also nichts passiert, Gottseidank, dachte Peter Schöller.

„Das junge Mädchen hat großes Glück gehabt", fuhr der Kommissar fort, „eine leichte Verletzung an der Hand, das ist alles."

Ausgezeichnet, dachte Schöller, ich bin noch einmal gut weggekommen. Ja, es war am besten, alles zuzugeben. „Herr Kommissar, die Sache war so ..." Er sprach wie jemand, der froh ist, endlich alles sagen zu können.

Der Kommissar hörte sich alles an: „Ihr Trick war gar nicht schlecht."

Das Telefon klingelte, der Kommissar hob den Hörer ab und meldete sich. Sein Gesicht bekam plötzlich einen harten Ausdruck, dann sagte er: „Habe verstanden. Wir haben übrigens den Fahrer." Er legte den Hörer auf. „Das Mädchen ist gestorben!" schrie der Kommissar.

Schöller erschrak. „Aber ... aber ... Sie sagten doch, das Mädchen sei ... nur leicht verletzt ..."

„Das war mein Trick, Herr Schöller! Mein Trick, um Sie zu einem Geständnis zu bringen. Oder hätten Sie die Wahrheit gesagt, wenn Sie gewußt hätten, daß Sie das Mädchen sehr schwer verletzt haben?"

Der kluge Richter

Nach einer Kalendergeschichte von Johann Peter Hebel

Ein reicher Mann hatte eine größere Geldsumme, die in ein Tuch eingenäht war, aus Unvorsichtigkeit verloren. Er machte daher seinen Verlust bekannt* und bot dem ehrlichen Finder eine Belohnung an, und zwar von hundert Talern. Da kam bald ein guter und ehrlicher Mann daher. „Dein Geld habe ich gefunden. Dies wird's wohl sein! So nimm dein Eigentum zurück!“ So sprach er mit dem heiteren Blick eines ehrlichen Mannes und eines guten Gewissens, und das war schön. Der andere machte auch ein fröhliches Gesicht, aber nur, weil er sein verloren geglaubtes Geld wieder hatte. Denn wie es um seine Ehrlichkeit aussah, das wird sich bald zeigen. Er zählte das Geld und dachte unterdessen geschwind* nach, wie er den Finder um seine versprochene Belohnung bringen könnte. „Guter Freund“, sprach er, „es waren eigentlich achthundert Taler in dem Tuch eingenäht. Ich finde aber nur noch siebenhundert Taler. Ihr* werdet also wohl eine Naht aufgetrennt und eure hundert Taler Belohnung schon herausgenommen haben. Da habt ihr gut daran getan*. Ich danke euch.“ Das war nicht schön. Aber wir sind auch noch nicht am Ende.

Der ehrliche Finder versicherte, daß er das Päcklein so gefunden habe, wie er es bringe, und es so bringe, wie er's gefunden habe. Am Ende kamen sie vor den Richter. Beide bestanden auch hier noch auf ihrer Behauptung, der eine, daß achthundert Taler eingenäht gewesen seien, der andere, daß er von dem Gefundenen nichts genommen habe. Da war guter Rat teuer*. Aber der kluge Richter griff die Sache so an*: Er ließ sich von beiden über das, was sie sagten, eine feste und feierliche Versicherung geben und tat hierauf folgenden Ausspruch*: „Wenn der eine von euch achthundert Taler verloren, der andere aber nur ein Päcklein mit siebenhundert Talern gefunden hat, so kann das Geld des letzteren nicht das sein, auf das der erstere ein Recht hat. Du, ehrlicher Freund, nimmst also das Geld, das du gefunden hast, wieder zurück, behältst es und wartest auf den, der nur siebenhundert Taler verloren hat. Dir aber bleibt nichts anderes übrig, als zu hoffen, daß der sich meldet, der deine achthundert Taler findet.“ So sprach der Richter, und dabei blieb es.

* *bekannt/machen (= melden)*
geschwind = schnell
„ihr“ = 2. Pers. sing. (heute: „Sie“)
Da habt ihr gut daran getan. = Das habt ihr gut gemacht.
Da war guter Rat teuer. = Das Problem schien unlösbar.
griff die Sache so an: = machte es so:
tat hierauf folgenden Ausspruch = sagte folgendes

Gebrauch der Zeitformen (Tempora)

Vergangenheit wird ausgedrückt durch:

Perfekt:	Er **hat** etwas **gestohlen.**	→ *Wirkung bis Gegenwart*
Präteritum:	Er **lief** weg.	→ *vergangene Handlung*
Präsens:	Da **kommt** er doch gestern und **meint** . . .	→ *historisches Präsens*
Futur 2:	Er **wird** das nicht **gewußt haben.**	→ *Vermutung über Vergangenes*
Plusquamperfekt:	Nachdem er **weggelaufen war,** . . .	→ *Vorvergangenheit*

Imperfect

Gebrauch von Präteritum und Perfekt:

1. *hängt vom Verb ab (z.B. Modalverben häufig im Präteritum)*
2. *Perfekt ist in der gesprochenen Sprache häufiger, besonders im Süden des deutschen Sprachgebietes*
3. *hängt von der Sprechhaltung ab; Präteritum ist üblich bei offiziellerer und gehobenerer Sprechhaltung*
4. *das Perfekt kann im Gegensatz zum Präteritum betonen, daß die Wirkung einer Handlung bis zur Gegenwart andauert.*

Zeitpartikeln: **gerade, eben, vor kurzem, kürzlich**
Er war gerade da.

Gegenwart wird ausgedrückt durch:

Präsens:	Er **lebt** in Berlin.	→ *Zustand*
	Er **geht** jeden Tag in dieses Geschäft.	→ *Gewohnheit*
	Er **wartet** im Nebenzimmer.	→ *Zeitpunkt*

Zeitpartikeln: **jetzt, gerade, zur Zeit, im Moment, nun**
Er ist jetzt zu Hause.

Zukunft wird ausgedrückt durch:

Präsens:	Er **fährt** morgen in die Stadt.	
Futur 1:	Er **wird** sich einen Rechtsanwalt **suchen.**	
Futur 2:	Er **wird** bis nächste Woche schon einen **gefunden haben.**	→ *Vermutung über Zukünftiges*

Zeitpartikeln: **morgen, bis nächste Woche, sofort, gerade, gleich, bald**
Er ruft morgen an.

Wortbildung: Verben mit Präfix

Trennbare Präfixe

1. *Präfix ist betont, z. B.* ábholen
2. *Präfix ist abtrennbar, z. B.* Ich hole dich morgen ab.
3. *Stellung von „zu“ und „ge“, z. B.* ... abzuholen; ... abgeholt

a) Präfixe mit fester Bedeutung:

hin-	híngehen
her-	hérkommen
hinauf-	hinaúfschauen
herab-	herábfallen
herum-	herúmliegen
entgegen-	entgégenlaufen
vorbei-	vorbeíkommen
weg-	wégfahren
fort-	fórtziehen
weiter-	weítermachen

b) Präfixe mit wechselnder Bedeutung oder ohne eigene Bedeutung:

ab-	ábholen
an-	ánbieten
auf-	áufgeben
aus-	aússteigen
ein-	eínladen
vor-	vórziehen
zu-	zúhören
fest-	féststellen
mit-	mítteilen
nach-	náchdenken
statt-	státtfinden
los-	lósgehen

Nicht trennbare Präfixe

1. *Verbstamm ist betont, z. B.* bekómmen
2. *Präfix ist nicht abtrennbar, z. B.* Du bekommst das Buch morgen.
3. *Stellung von „zu“, z. B.* ... zu bekommen
   Partizip II ohne „ge“, z. B. hat ... bekommen

ver-	verändern
be-	bekommen
ent-	entscheiden
er-	erziehen
zer-	zerbrechen
unter-	unterscheiden
wider-	widersprechen

Trennbare und nicht trennbare Präfixe

	trennbar	*nicht trennbar*
über-	über/ziehen	überholen
durch-	durch/lesen	durchschauen
um-	um/ziehen	umschreiben
wieder-	wieder/geben	wiederholen

Recht

Auszug aus den Bestimmungen der Menschenrechte

(Internationaler Pakt über bürgerliche und politische Rechte)

Artikel 1 Alle Völker haben das Recht auf Selbstbestimmung. Kraft dieses Rechts entscheiden sie frei über ihren politischen Status und gestalten in Freiheit ihre wirtschaftliche, soziale und kulturelle Entwicklung.

Artikel 2 Jeder Vertragsstaat verpflichtet sich, die in diesem Pakt anerkannten Rechte zu achten.

Artikel 3 Die Vertragsstaaten verpflichten sich, die Gleichberechtigung von Mann und Frau sicherzustellen.

Artikel 6 Jeder Mensch hat ein angeborenes Recht auf Leben. Niemand darf willkürlich seines Lebens beraubt werden.

Artikel 7 Niemand darf der Folter oder grausamer, unmenschlicher oder erniedrigender Behandlung unterworfen werden.

Artikel 9 Jedermann hat ein Recht auf persönliche Freiheit und Sicherheit. Niemand darf willkürlich festgenommen oder in Haft gehalten werden.

Artikel 10 Jeder, dem seine Freiheit entzogen ist, muß menschlich und mit Achtung vor der dem Menschen innewohnenden Würde behandelt werden.

Artikel 14 Alle Menschen sind vor Gericht gleich.

Artikel 18 Jedermann hat das Recht auf Gedanken-, Gewissens- und Religionsfreiheit.

Artikel 19 Jedermann hat das Recht auf unbehinderte Meinungsfreiheit.

Artikel 20 Jede Kriegspropaganda wird durch Gesetz verboten.

Artikel 22 Jedermann hat das Recht, zum Schutz seiner Interessen Gewerkschaften zu bilden und ihnen beizutreten.

Artikel 25 Jeder Staatsbürger hat das Recht und die Möglichkeit, bei echten, wiederkehrenden, allgemeinen, gleichen und geheimen Wahlen zu wählen und gewählt zu werden.

Artikel 26 Alle Menschen sind vor dem Gesetz gleich.

Partnerübungen

1 Los, mach schon!

Gebrauch der Tempora/Trennbare Verben

Partner 1: Mach bitte das Licht aus!
Partner 2: Wo? In der Küche? Das habe ich schon ausgemacht.
Partner 1: Ich weiß, du hattest es vorher ausgemacht, als wir weggingen. Aber jetzt ist es wieder an.
Partner 2: Dann wird Sabine es angemacht haben.
Partner 1: Vielleicht, aber wir werden es wieder ausmachen müssen. Also mach es schon aus!

das Licht in der Küche ausmachen
die Tür zum Flur zumachen
den Vorhang im Eßzimmer zuziehen
die Waschmaschine im Keller abschalten
den Schrank im Flur zuschließen
das Wasser im Garten zudrehen

2 Eine dumme Idee

Tempora/Dialogabfolge

Wie läuft der Dialog zwischen Mutter und Sohn ab? Setzen Sie den Dialog aus seinen Teilen zusammen!

Partner 1: Mutter

- Das kann ich mir denken. Der ist immer der erste.
- Und da hast du mit deinen Freunden wieder irgendwelche Sachen gemacht?
- Du, sag mal, hast du irgendein Problem?
- Hatten die den Schlüssel stecken lassen?
- Ach so, du willst nur nicht darüber sprechen. Raus mit der Sprache! Was war los?
- Ihr werdet doch nicht ein Auto mitgenommen haben?!

Partner 2: Sohn

- Nichts, das heißt nichts so Wichtiges. Gestern nach der Disco zogen wir so durch die Straßen . . .
- Kein Auto, ein Motorrad stand rum, und Ernst setzte sich drauf.
- Nein, mir fehlt nichts. Hab keine Lust, darüber zu sprechen.
- Alles der Reihe nach. Ich werd's dir schon erzählen. – Also, Ernst hatte eine dumme Idee . . .
- Nein, aber Ernst weiß, wie man so ein Ding zum Fahren bringt.
- Wir kamen an einer Autowerkstatt vorbei.

Setzen Sie den Dialog fort! Wie könnte er zu Ende gehen?

3 Das Fenster ist auf.

Kontext und Satzbedeutung

„Das Fenster ist auf." *Dieser Satz kann – je nach Situation und Zusammenhang – zu verschiedenen Dialogen führen.*

Situationen:

a) P1 und P2 kommen abends nach Hause und merken, daß sie den Hausschlüssel vergessen haben.
b) Es ist sehr heiß.
c) Während P1 und P2 weg waren, ist zu Hause eingebrochen worden.
d) P1 und P2 waren tagsüber weg. Es hat die ganze Zeit geregnet.
e) P1 und P2 brauchen Geld und suchen eine Gelegenheit, etwas zu stehlen.

Partner 1:	Das Fenster ist auf.				
Partner 2:	Gottseidank!	Ob jemand da ist?	Komisch.	Ich habe nichts dagegen.	Was? Wirklich?
Partner 1:	Alles ist naß.	Ich dachte schon, wir könnten nicht rein.	Ja, die frische Luft tut gut.	Hast du es vorher zugemacht?	Ich werf mal einen Stein.
Partner 2:	Ja, ganz sicher.	Das ist meine Schuld.	Dann hätten wir zu Inge gehen können.	Aber sei vorsichtig!	Viel kühler wird's allerdings nicht.

4 Es muß anders werden.

Tempora/Verben mit Präfix

Partner 1: Ich *höre* jetzt *auf, so viel zu rauchen.*
Partner 2: So? Das hast du schon oft gesagt, und du hast nicht damit aufgehört.
Partner 1: Ja, schon. Aber dieses Mal werde ich ganz sicher damit aufhören. Sonst gibt's kein Geld mehr von den Eltern.

damit aufhören, so viel zu rauchen
es aufgeben, jeden Abend wegzugehen
damit anfangen, eine Lehrstelle zu suchen
es versuchen, mit Willi Schluß zu machen
sich darum bemühen, einen Arbeitsplatz zu bekommen

Schriftliche Übungen

1 Die Anklage

Tempora

Ein alter kranker Mann _____ in eine Stadt. Da _____ ihn vier junge Männer und _____ ihm seine Habe. Niemand _____ ihm. Ohne einen Pfennig Geld in der Tasche _____ der Alte _____. Aber an der nächsten Straßenecke _____ er zu seiner Überraschung, wie eben drei von den Männern den vierten zu Boden _____ und seine Habe bei dem Kampf auf die Straße _____. Voller Freude _____ sie der Alte _____ und _____ schnell _____. In der nächsten Stadt jedoch _____ ihn jemand _____ und _____ ihn vor den Richter. Da _____ die vier Männer, _____ nicht mehr und _____ mit der Anklage gegen den Alten. Der Richter _____ folgendermaßen: er _____ die jungen Männer nicht für schuldig, und er _____ den Alten um die Rückgabe der Habe. „Denn", so _____ der Richter in seinem Urteil, „sonst könnten die vier Männer dem Land Unfrieden bringen."
(nach einer Parabel von Bertolt Brecht)

kommen
überfallen
nehmen
helfen
weitergehen
sehen
schlagen
fallen
aufheben
weglaufen
anhalten
bringen
stehen
streiten
beginnen
entscheiden
sprechen
bitten
schreiben

Erzählen Sie die Geschichte in drei verschiedenen Zeitformen:
a) im historischen Präsens *b) im Präteritum* *c) im Perfekt (vgl. Liste Seite 215)*

2 „stehen" und „stellen"

Verben mit Präfix

Er ist immer sehr spät _____.
Tagsüber ist er irgendwo _____.
Sein Vater hat ihn nie richtig _____.
Seine Mutter mußte viel _____.
Die Schule hat er nicht _____.
So ist in ihm ein Plan _____.
Er hat sich ein anderes Leben _____.
Aber keine Firma hat ihn _____.
Er _____ _____, daß ihn niemand brauchte.

Verben mit Präfix	*Umschreibungen*
bestehen	leiden
entstehen	nett sein zu
durchstehen	merken
aufstehen	nichts tun
verstehen	erhoffen
herumstehen	Arbeit geben
feststellen	mit Erfolg machen
vorstellen	beginnen sich zu entwickeln
einstellen	aufhören zu schlafen

3 Urteile

Verben mit Präfix/Diskussion

a) Setzen Sie die Verben ein!
b) Sind Sie mit den Urteilen einverstanden? Diskutieren Sie darüber!

Strafe	*Tat*
8 Monate Gefängnis	Der Chefarzt des Krankenhauses Herzberg hatte den Unterarmbruch einer 38jährigen Frau so falsch _____, daß später der ganze rechte Arm _____ werden mußte.
6 Monate	Ein Polizist hatte bei einer Verkehrskontrolle auf einen Wagen, dessen Fahrer betrunken war und der daher nicht _____ wollte, 22 Schüsse _____. Dabei wurde der Autofahrer tödlich _____.
5 Jahre	Der 26jährige Bäcker Norbert A. hatte in einem Stuttgarter Haushaltswarengeschäft zuerst zwanzig Minuten nach Waren _____ und dann die Kassiererin _____. Nachdem er von ihr _____ hatte, die Kasse zu öffnen, _____ er mit 3200 Mark. Das Geld _____ er als Mietvorauszahlung für seine Wohnung.

abgeben
verletzen
anhalten
verlangen
behandeln
verwenden
abnehmen
entkommen
herumsuchen
überfallen

4 „kommen"

Wortschatz

Sie kommt aus Freiburg.
In der kommenden Woche ist sie wieder da.
Wie ist es zu diesem Unfall gekommen?
Ich komme nicht auf ihren Namen.
Kommen Sie doch morgen abend zu uns!
Ich kann leider zu dem Fest nicht kommen.
Der Zug kommt in 10 Minuten.
Wir müssen heute noch bis Kiel kommen.
Wenn Sie mal nach Kiel kommen, besuchen Sie uns!
Der Apparat kommt dorthin!
Peter kommt im Herbst in die Schule.
Ich komme sehr selten zum Lesen.
Wer kommt jetzt dran?

erreichen
ankommen
gehen
einfallen
sein
nächsten
der Grund sein für
besuchen
Zeit haben
an diese Stelle sollen
aufgenommen werden
an der Reihe sein
vorbeikommen

Kontrollübung

Verben mit Präfix können sehr verschiedene Bedeutungen haben.
Welche Umschreibung paßt zu welchem Satz?

Umschreibung	Satz	
abnehmen		
1 weniger wiegen	Die Zahl der Deutschen nimmt ab.	2
2 weniger werden	Ich habe zwei Kilo abgenommen.	1
3 wegmachen	Es mußte ihm das Bein abgenommen werden.	3
ankommen		
1 wichtig sein	Ich weiß nicht, wann wir ankommen.	2
2 da sein	Das kommt darauf an, wann wir wegfahren können.	3
3 abhängen von	Aber wir kommen sicher. Darauf kommt es an.	1
aufgeben		
1 abschicken	Wir haben das Gepäck schon aufgegeben.	1
2 aufhören mit	Unseren Urlaubsplan haben wir aufgegeben.	3
3 nicht mehr haben	Gib's auf, mir dauernd Ratschläge zu geben.	2
vorkommen		
1 den Eindruck haben	So etwas ist mir noch nie vorgekommen.	2
2 passieren	Diese Pflanze kommt nur in Afrika vor.	3
3 es gibt	Mir kam vor, als hätte er keine Lust mitzufahren.	1
verbinden		
1 einen Verband machen	Diese Autobahn verbindet Würzburg mit Kassel.	2
2 führen von – nach	Moment, ich verbinde Sie mit Frau Fischer.	3
3 das Telefon durchstellen zu	Meine Hand tut weh, ich muß sie mir verbinden.	1
bekommen		
1 erhalten	(Im Geschäft:) Was bekommen Sie?	3
2 werden (Passiv)	Ich habe einen Brief von meiner Schwester bekommen.	1
3 kaufen wollen	Sie hat von mir nichts geschenkt bekommen.	2
bestehen		
1 es gibt	Sie hat die Sprachkursprüfung bestanden.	3
2 sich zusammensetzen	Die Prüfung besteht aus zwei Teilen.	2
3 mit Erfolg machen	Das Sprachinstitut besteht schon seit 60 Jahren.	1
erreichen		
1 anrufen können	Wir haben den Zug nicht mehr erreicht.	3
2 es schaffen	Ab Montag erreichen Sie mich unter dieser Nummer.	1
3 rechtzeitig kommen zu	Ich habe es erreicht. Er kommt doch.	2

Text 1

strafen	e Kriminalität	e Bestrafung	lebenslänglich
ab/schrecken	e Grenze, –n	e Jugendstrafe, –n	sog. (sogenannt)
überfallen	r Unterschied, –e	r Staatsmann, –̈er	zusätzlich
bestehlen	r Mord, –e	e Wut	sinnlos
auf/wachsen	r Einbruch, –̈e	s Gefängnis, –se	straffrei
verschlimmern	s Verbrechen, –	r Rechtsanwalt, –̈e	
stehlen	r Täter, –	r Freispruch, –̈e	im Vergleich zu
kassieren	s Volk, –̈er	r Rechtsstaat	zweifellos
davon/kommen	e Tat, –en		es geht um
zu/schlagen	e Schuld		

Text 2

auf/brechen	e Disco, –s	e Volkshochschule, –n	kriminell
reizen	r Spielautomat, –en	r Schlüssel, –	
erwischen	s Abenteuer, –	e Reaktion, –en	je ... um so
los/ziehen	e Versicherung, –en	e Ahnung	keinerlei
ahnen	r Passant, –en	e Panne, –n	
verurteilen	e Unternehmung, –en	r Schulfreund, –e	sich an etw.
begegnen	e Eishalle, –n		dran/machen
	e Stereoanlage, –n	vorbestraft	jmdm. aus dem
e Anstalt, –en	r Videorecorder, –	gering	Weg gehen

Text 3

an/halten	hinzu/fügen	r Scheinwerfer, –	s Geständnis, –se
verursachen	fort/fahren	s Glas, –̈er	
zu/geben	sich melden	e Stoßstange, –n	schlau
verbiegen	auf/legen	e Kreuzung, –en	vorsichtshalber
um/kehren	schreien	e Straßenlaterne, –n	elegant
ein/biegen		s Revier, –e	
krachen	s Alibi, –s	r Kommissar, –e	mir war schwarz
zu/kommen auf	r Stein, –e	s Mißtrauen	vor den Augen
beschädigen	r Ast, –̈e	r Ford	noch einmal gut
entgegen/nehmen	e Hauptstraße, –n	r Trick, –s	weg/kommen
bestätigen	e Nebenstraße, –n	r Ausdruck	

Text 4

ein/nähen	jmdn. um etwas bringen	s Gewissen	feierlich
zurück/nehmen		e Naht, –̈e	der letztere
zählen	r Richter, –	s Päcklein, –	der erstere
auf/trennen	e Geldsumme, –n	e Behauptung, –en	
bestehen auf	s Tuch, –̈er	e Versicherung, –en	unterdessen
heraus/nehmen	r Verlust, –e	(= Äußerung)	
sich gedulden	e Belohnung, –en		
melden	s Eigentum	heiter	

Übungen 1–4: Siehe Reihe 1, S. 18!

Reihe 13

Thema

Medien

Texte

1 Ist das Fernsehen gut oder schlecht?
2 Pressefreiheit
3 Boulevardzeitungen
4 Wie Nachrichten entstehen

Grammatik

Die Valenz: Das Verb und sein Satzbauplan

Wortstellung bei Akkusativ- und Dativobjekt

Das Prädikat im Aussagesatz — Vorfeld und Mittelfeld
Ausklammerung im Nachfeld

Meinungen

Alice Pfeiffer, 47 Jahre
Ich finde es schön, daß uns das Fernsehen jeden Abend sozusagen die Welt ins Wohnzimmer bringt. Das ist wie eine Brücke zum Leben draußen. Wir wissen von der Welt viel mehr als früher. Zwar lese ich gelegentlich auch Bücher, aber das kann man ja nicht immer. Die Kinder strengen mich tagsüber doch ziemlich an, und abends dann ein Buch lesen – das schaffe ich oft nicht mehr. Beim Fernsehen kann ich mich aufs Sofa legen und die Bilder an mir vorbeiziehen lassen. Ein spannender Krimi, das ist erholsam.

Diese Woche: Ist das Fernsehen gut oder schlecht?

Oskar Grimm, 36 Jahre
Wir brauchen das Fernsehen nicht. Wozu auch? Wir können uns selber unterhalten. Unseren Kindern lesen wir viel vor, Märchen und so, da können sie selber ihre eigenen inneren Bilder erfinden. Durchs Fernsehen sind die Leute sehr phantasielos geworden, finde ich. Jeden Abend fertige Bilder, viel zu viele. Fürs eigene Nachdenken bleibt gar keine Zeit.

Ulrike Keller, 28 Jahre
Ich verstehe nicht, warum es Mode geworden ist, auf das Fernsehen zu schimpfen. Fernsehen ist doch eine wunderbare Erfindung. Wieso sollte es das Familienleben zerstören? Im Gegenteil: Der Mann bleibt mehr zu Hause und geht nicht mehr so oft in die Kneipe wie früher. Fernsehen ist doch sicher auch interessanter als endlose Kartenspiele. Wir lernen eine Menge dabei. Wer sagt, wir sollten lieber lesen, vergißt, daß es nicht nur gute Bücher gibt, sondern auch schlechte. Und noch etwas: Ist das Fernsehen nicht auch ein Glück für einsame, alte Menschen? Es hilft ihnen in schweren Stunden, sie spüren: da spricht jemand zu mir, ich bin nicht allein.

Sabine Koch, 32 Jahre
Wenn mein Mann von der Arbeit zurück ist, setzt er sich sofort vor den Fernseher. Der bleibt dann den ganzen Abend an, egal, was für ein Programm es gibt. Oft schläft er dabei ein. Den ganzen Abend keine Frage, keine Antwort, kein Wort über irgendwelche Probleme. Fernsehen ist wie eine Droge für ihn: er schaltet den Apparat ein und seinen Kopf aus. Wenn der Kasten nur mal kaputt gehen würde! Was für ein Leben ist das, wenn wir nur noch dasitzen, auf den Bildschirm schauen und selbst das Sprechen und Handeln verlernen!

Pressefreiheit

Gespräch zwischen Vater und Sohn

● Dürfen die Redakteure in den Zeitungen eigentlich immer alles schreiben, was sie wollen?
○ Natürlich. Das ist sogar gesetzlich geregelt. Die Pressefreiheit . . .
● Aber Charlys Schwester, die hat einen Freund, der arbeitet als Redakteur bei der „Rundschau", und Charly hat gesagt, der hat etwas geschrieben, eine Reportage, und die ist nicht veröffentlicht worden.
○ Warum?
● Weiß ich auch nicht genau. Ich glaube, er hat über die Nyssenwerke geschrieben. Und daß die Gastarbeiter von den Nyssenwerken ausgebeutet werden.
○ So? Das ist ja wohl ein bißchen übertrieben.
● Nein, Charly hat gesagt, der Freund von seiner Schwester ist da hingegangen und hat mit allen Arbeitern gesprochen. Aber dann hat ein Mann von den Nyssenwerken bei der Zeitung angerufen, und dann durfte die Reportage nicht gedruckt werden.
○ Na ja, das ist nicht so einfach. Die Nyssenwerke zahlen jede Woche eine Menge Geld für Anzeigen in der „Rundschau". Dann wollen sie natürlich nicht, daß eine harte Kritik an ihnen in die Zeitung kommt. Wenn die hören, daß irgendein Redakteur einen kritischen Artikel über sie schreiben will, dann ruft wohl schon mal einer bei der Zeitung an. Das kann man doch verstehen.
● Aber du hast doch gerade gesagt, gesetzlich . . .
○ Ja, die Pressefreiheit. Die gibt es auch, im Prinzip. Aber Kontrolle gibt's überall. Die Zeitung hat zum Beispiel einen Verleger, und der hat einen Chefredakteur. Und die sind für die politische Richtung der Zeitung verantwortlich.
● Also, die bestimmen, welche Meinung man haben soll? Was man zum Beispiel über die Nyssenwerke denkt?
○ Nein, die Meinung kann natürlich jeder sagen oder schreiben. Aber wenn man verschiedener Meinung ist, dann muß ja einer entscheiden, welche Meinung gilt.
● Aber der Freund von Charlys Schwester hatte doch recht. Sein Verleger wollte doch nur . . .
○ Der Verleger ist schließlich der Verleger. Dem gehört die Zeitung. Er macht damit Geschäfte. Davon leben die Redakteure und Setzer und die Leute an den Maschinen. Das hängt alles miteinander zusammen und kann nur funktionieren, wenn der Verleger auch das Sagen hat. Jeder Verleger muß Rücksicht nehmen.
● Damit er Geschäfte macht . . .
○ So ist es.
● . . . und nicht sagt, was wirklich los ist.
○ Wenn man sich genauer informieren will, kann man ja noch andere Zeitungen lesen . . .

Boulevardzeitungen

Morgens auf dem Weg zur Arbeit, wenn ich auf den Bus warten muß, sehe ich schon die großen Überschriften. Manchmal werfe ich auch meine Zehnpfennigstücke in den Zeitungskasten an der Haltestelle und nehme mir eine Zeitung raus. Ich gebe ja zu, etwas neugierig bin ich. Während der Busfahrt habe ich die paar Seiten ausgelesen. Dann frage ich mich wieder, warum viele Millionen täglich so eine Zeitung lesen. Steht doch immer das gleiche drin, oder? Ein Reicher hat sich eine neue Villa gekauft, irgendeine Filmschauspielerin heiratet zum dritten Mal und Prinzessin Carola bekommt ihr zweites Kind. Wieso melden die Zeitungen das? Geht mich das etwas an, was diese Leute privat machen?
Gestern stand da die Überschrift: „Kind aus dem Fenster gefallen". Es tut mir ja leid. Aber warum steht so eine Nachricht auf der Titelseite? Ich kenne das Kind doch gar nicht. Den Angehörigen helfen kann ich auch nicht. Überhaupt: immer Berichte von Unfällen und Katastrophen, jeden Tag. Natürlich möchte ich informiert werden, wenn irgendwo was Schlimmes passiert ist. Autounfälle, Morde und so. Aber diese Zeitungen sind ja jeden Tag voll damit. Was zuviel ist, ist zuviel.
Geschichten und Fotos von hübschen Mädchen, von Liebe und Sex – na ja, wer liest und sieht so was nicht gern . . . Klar, daß die das immer wieder in die Zeitung bringen. Aber was hat auf einem Reklamefoto Liebe mit einem Regenschirm zu tun? Das Bild, mit dem eine Firma für Schirme wirbt, zeigt einen Mann, der eine Frau küßt. Werde ich geküßt, wenn ich diesen Schirm kaufe?
Wenn ich mich mal wieder über das Zeug in diesen Zeitungen ärgere, sagen mir meine Kollegen immer: Dann lies doch die klugen großen Zeitungen, die „Süddeutsche" oder die „Frankfurter Allgemeine". Nein danke. Die sind mir zu dick und zu unverständlich. Politik und Wirtschaft, davon verstehe ich doch sowieso nichts . . .

Wie Nachrichten entstehen

Aus einer Sendung des Schulfunks

Macht selbst mal einen Test: Ihr habt zusammen mit der Familie einen Besuch bei Verwandten gemacht. Alle Beteiligten sollen einen zwei Seiten langen Bericht darüber schreiben. Und dann vergleicht die Berichte! Ihr werdet feststellen: keiner ist wie der andere, jeder ist mit anderen Augen gesehen.
Auch eine Zeitung hat ihre „Augenzeugen", es sind die Korrespondenten und Reporter. Sie „recherchieren vor Ort", wie es in der Fachsprache heißt. Gemeint ist: sie gehen an Ort und Stelle einer Sache nach und sammeln möglichst viele Informationen darüber. Aber welche Zeitung könnte es sich leisten, überall Korrespondenten zu haben?
Zuständig als Nachrichtenlieferanten sind daher große Agenturen, zum Beispiel dpa, die Deutsche Presse Agentur. Sie hat ihre Korrespondenten in aller Welt und bietet den Zeitungen Nachrichten an, sie wirft sozusagen die Ware „Nachricht" auf einen großen Nachrichtenmarkt, der noch von vielen weiteren Agenturen beliefert wird.
Auswählen, weglassen oder ändern – das gehört zum Alltagsgeschäft der Journalisten. Leider wird allzu selten erwähnt, wie viele Auswahlstationen eine Nachricht durchläuft, bis sie den Leser erreicht. Gehen wir die Stationen einmal durch.

1. Der dpa-Korrespondent, draußen vor Ort, sieht nur das, was er für berichtenswert hält. Alles übrige bleibt unerwähnt.
2. Das, was der Korrespondent berichtenswert findet, sieht er aus seiner persönlichen Sicht, sozusagen durch eine Brille.
3. Ein Korrespondent kann nicht alles vor Ort selbst recherchieren. Er ist daher auf Meldungen von Parteien und Verbänden angewiesen, die aber damit in erster Linie ihre eigenen Interessen vertreten.
4. Nur eine von zehn Informationen gibt der Korrespondent als Meldung an seine Zentrale weiter.
5. Die dpa-Zentrale verbreitet wiederum nur zehn Prozent des von den Korrespondenten gelieferten Nachrichtenmaterials über Fernschreibgerät und Bildschirm. Tag und Nacht kommen pausenlos Meldungen an die Zeitungsredaktionen.
6. Die Zeitungen können nur einen kleinen Teil davon, bearbeitet und umgeschrieben, abdrucken.
7. Der Leser liest nicht jede Meldung, sondern wählt aus.
8. Nur ein kleiner Teil des Gelesenen bleibt im Gedächtnis des Lesers.

Die Valenz: Das Verb und sein Satzbauplan

Verb ohne Ergänzung, *z. B.:*

Es regnet.

Verb + eine Ergänzung, *z. B.:*

Wer?	*Nom.*	irrt sich.

Verb + zwei Ergänzungen, *z. B.:*

Wer?	*Nom.*	kontrolliert	*Akk.*	was?
Was?	*Nom.*	gefällt	*Dat.*	wem?
Wer?	*Nom.*	hofft	*Präp. + Akk.*	worauf?
Was?	*Nom.*	dauert	*Akk.*	wie lange?

Verb + drei Ergänzungen, *z. B.:*

Wer?	*Nom.*	schreibt	*Dat.*	wem?	*Akk.*	was?
Wer?	*Nom.*	vergleicht	*Akk.*	was?	*Präp. +Dat.*	womit?
Wer?	*Nom.*	bringt	*Akk.*	wen?	*Präp. +Akk.*	wohin?
Wer?	*Nom.*	findet	*Akk.*	was?	*Adj.*	wie?

Wortstellung bei Akkusativ- und Dativobjekt

Gestern hat Frau Wenz . . . was? / wem? . . . gezeigt?

Akkusativ	*vor*	*Dativ*
. . . den Film		einer Kollegin
. . . ihn		einer Kollegin
. . . ihn		ihr

Dativ	*vor*	*Akkusativ*
. . . einer Kollegin		einen Film
. . . ihrer Kollegin		einen Film
. . . ihr		den Film

Das Prädikat im Aussagesatz

		finites Verb konjugiert		*infinites Verbteil oder Verbzusatz*
Einteilig:	_____	verlangt	_____.	
Zweiteilig:	_____	lehnte	_____	ab.
	_____	ist	_____	gekommen.
	_____	wird	_____	besichtigen.
	_____	will	_____	bleiben.
	_____	ließ	_____	warten.
Dreiteilig:	_____	hat	_____	beruhigen müssen.
	_____	wird	_____	vergessen haben.
Vierteilig:	_____	hätte	_____	bestraft werden sollen.

Vorfeld und Mittelfeld

	Vorfeld	*Finites Verb*	*Mittelfeld*	*Verb, Teil 2*
Finites Verb an 1. Stelle				
Ja-Nein-Frage	–	Möchten	Sie eine Zeitung	bestellen?
Imperativsatz	Dann	geben	Sie mir Ihre Adresse!	–
Finites Verb an 2. Stelle				
W-Frage	Wer	kommt	morgen vormittag?	
Aussagesatz	Morgen	soll	ein Reporter	kommen.
	Er	will	um 10 Uhr	da sein.

Ausklammerung im Nachfeld

		Nachfeld
Vergleich	Ich würde den Film lieber in Ulm machen	als in Stuttgart.
Objekte	Ich wäre sehr dankbar	für ein längeres Gespräch.
	Ich bin das gewöhnt,	die Arbeit und alles.

Medien

Tageszeitungen

Frankfurter Rundsch
Steuerentlastung entzweit Koalition
DIE WELT
Kohl: Auf bestem Weg zur Versöhnung mit Polen
Frankfurter Allgemeine
Süddeutsche Zeitu
Streit über Ergänzungsabgabe zugespitzt
So starben die Deutschen im Orkan
Bild
Bayern 6:2! Mathy super
HSV schw Kalle st
Frau Dahlke: Paul winkte mir stumm zu

Bundesrepublik Deutschland

Frankfurter Rundschau
Auflage 200 000

Die Welt
Auflage 250 000
Samstag 280 000

Frankfurter Allgemeine
Auflage 340 000

Süddeutsche Zeitung
Auflage 400 000
Samstag 510 000

Bild
Auflage 5,4 Mi.

Österreich

Arbeiter-Zeitung
Auflage 70 000

Kurier
Auflage 410 000
Sonntag 670 000

Neue Kronen Zeitung
Auflage 800 000
Sonntag 1,4 Mi.

Schweiz

Neue Zürcher Zeitung
Auflage 140 000

Tages-Anzeiger
Auflage 260 000

Blick
Auflage 360 000

AZ
Nur radikale Einschränkung
Sturm-Chaos! 140 km
Menschen zu Boden geschle
Hausdächer wurden abgede
Die Rettung stand im Großei
Kurier
Neue Kronen Zeitung
Neue Zürcher Zeitung
Tages Anzeiger
Blick
Jetzt 4 P. Vorsprung: Servette eilt allen davon
Erfolgreiche Frauen um 50
Orkane tobten
Vincents Entführung:

Fernsehen und Video

	Anzahl der Fernsehgeräte	Videogeräte
1952	1 000	
1955	100 000	
1957	1 Mio.	
1978	20 Mio.	80 000
1981	21 Mio.	1,5 Mio.
1982	21 Mio.	2,5 Mio.
1983	21 Mio.	4 Mio.
1984	21 Mio.	6 Mio.
1985	21 Mio.	8,5 Mio.

Hardy Scharf
Kabelanschluß

Die Post verspricht:

Mehr Programme,
bestes Bild,
bester Ton.

Beste Programme
verspricht
sie nicht.

Noch besser wäre
wenig Programm,
dafür mehr Zeit:

Für Besseres.

Partnerübungen

1 Berufsbild: Journalist

Valenz der Verben

Partner 1: Welche Aufgabe hat ein Journalist?
Partner 2: Er sollte erziehen.
Partner 1: Wen?
Partner 2: Die Leser.
Partner 1: Wozu?
Partner 2: Zu einer bestimmten Meinung.
Partner 1: Ich finde nicht, / Ich finde auch, daß es die Aufgabe eines Journalisten ist, die Leser zu einer bestimmten Meinung zu erziehen.

wen	wozu	erziehen	Leser	bestimmte Meinung
wen	wegen was	kritisieren	Politiker	ihre Fehler
wen	womit	unterhalten	Zuschauer	gute Filme
wen	wie	kontrollieren	Politiker	genaue Untersuchungen
wem	wie	helfen	Schwächeren	kritische Artikel
wen	wovor	warnen	Volk	falsche Entscheidungen
wen	worüber	informieren	Zuhörer	Geschehen in der Welt
wem	wie	Mut machen	Volk	Berichte über Erfolge
was	wie	beobachten	Politik	ohne Vorurteile

2 Tu's nicht!

Wortstellung

Partner 1: Ich verkaufe den Fernsehapparat.
Partner 2: Was? Verkaufst du ihn wirklich? Warum denn?
Partner 1: Weil ich ihn eben verkaufen will.
Partner 2: Verkauf ihn bitte nicht!
Partner 1: Na gut, wenn du meinst . . .

den Fernsehapparat verkaufen
Inge den Videorecorder schenken
die Zeitung abbestellen
die Redakteurin anrufen
den Computer kaufen
die Kassetten zurückgeben

3 Ich würde lieber . . .

Ausklammerung beim Komparativ

Partner 1: Ich würde gern *beim Fernsehen arbeiten.*
Partner 2: Beim Fernsehen? Ich würde lieber *bei einer Zeitung* arbeiten als beim Fernsehen.
Partner 1: Ich nicht.

beim Fernsehen oder bei einer Zeitung arbeiten
einen Film über Japan oder über China sehen
für eine Zeitung in einer Großstadt oder in einer Kleinstadt Berichte schreiben
Sprecherin beim Fernsehen oder beim Radio sein
einen lustigen Film oder eine Reportage über den Arbeitsalltag machen
für eine Werbefirma oder für eine Zeitschrift Fotos machen

4 Bitten an eine Redaktion

Stellung von Akk.- und Dat.-Objekt

Partner 1: Könnten Sie *dem Redakteur einen Artikel von mir zeigen?*
Partner 2: Sicher. Das geht allerdings erst nächste Woche. Dann kann ich ihn dem Redakteur gern zeigen.
Partner 1: Es eilt nicht. Wichtig ist nur, daß Sie ihn ihm überhaupt mal zeigen.

zeigen	Redakteur	Artikel von mir
vorstellen	Redakteurin	meine Schwester
schicken	Verlag	Buch von mir
bringen	Ihr Chef	mein Lebenslauf
erklären	mein Sohn	Arbeit einer Redaktion

5 Merkzettel

Stellung der Pronomen

Partner 1: Hat Herr Dorn Frau Jugan gesagt, daß wir morgen kommen?
Partner 2: Ja, er hat's ihr schon gesagt.

Herr Dorn soll Frau Jugan sagen, daß wir morgen kommen.
Frau Linden soll Herrn Sichart die Fotos zurückgeben.
Herr Pfeiffer soll Herrn Schmidt das Buch schicken.
Frau Kausen soll Frau Ried erklären, wie der Computer funktioniert.

Schriftliche Übungen

1 

Wortstellung/Valenz der Verben

Tierliebe

Ein 32jähriger und seine 25jährige Ehefrau sprangen ...

Setzen Sie die einzelnen Wörter und Wortgruppen in richtiger Wortstellung zusammen und erzählen Sie die Geschichte von dem tierlieben Ehepaar!

in den Spandauer Kanal – Ein 32jähriger und seine 25jährige Ehefrau – von einer Brücke – sprangen – um ... zu – aus dem Wasser – retten – ihre beiden Hunde

in Schwierigkeiten – kamen – Dabei – die Tierbesitzer – selbst – und – gezogen wurden – aus dem Kanal – von drei bisher unbekannt gebliebenen Rettern

noch – jedoch – war – Zu dieser Zeit – im Wasser – einer der Hunde – so daß – in den Kanal – sprang – der Hundebesitzer – nochmals

Als – nicht mehr – aus dem Wasser – hochkommen sah – ihn – seine Frau – das Schlimmste – sie – vermutete – und – rief ... an – die Feuerwehr

suchten ... ab – vergeblich – Die Feuerwehrleute – jedoch – den Kanal

fand – die Polizei – Ein paar Straßen weiter – wenig später – den Gesuchten – in seinem Auto

nicht – konnte sagen – Er – wie – in den Wagen – war – vom Wasser – er – gekommen

bekam – das tierliebe Ehepaar – eine Rechnung – Nach einigen Tagen – von der Feuerwehr

mußten ... bezahlen – Die beiden – ihre Tierliebe – teuer

2 Vorschläge an die Verantwortlichen

Valenz der Verben

Die Leute beim Fernsehen/beim Radio/von der Zeitung sollten ...

informieren	die Zuschauer	gute Unterhaltung
versprechen	bei den Zuschauern	ihre Wünsche zu berücksichtigen
fragen	den Zuschauern	mehr über andere Länder
sich entschuldigen	den Hörer	wie eine Redaktion arbeitet
überzeugen	die Leser	ob sie mit den Artikeln zufrieden sind
bieten	dem Hörer	daß auch politische Programme interessant sind
erklären		wenn Fehler gemacht worden sind

3 Schüsse nach Streit um Fernseher

Valenz der Verben

Am vergangenen Freitag kam es _____ zwischen einem 49jährigen Soldaten und seinem 18jährigen Sohn. Bei diesem Streit ging _____ _____. _____ gefiel _____ nicht, und _____ hatte _____ schon mehrmals ausgemacht. Aber _____ wollte unbedingt _____ sehen und schaltete deshalb _____ immer wieder an. Schließlich ging der Soldat _____ und holte _____. Aber _____ schaltete _____ trotzdem wieder ein. Da wurde _____ so _____, daß _____ _____ mit zwei Schüssen tötete. Auf dem Polizeirevier sagte _____: „_____ habe _____ _____ gefunden."

Nominativ: das Fernsehprogramm / der Vater / sein Sohn (2) / es / er (3) / ich
Akkusativ: den Fernsehapparat (3) / einen Spielfilm / den Film / seine Pistole / seinen Sohn
Dativ: dem Vater
Präpos.: zu einem Streit / ums Fernsehen
Richtung: in sein Schlafzimmer
Art: wütend / unmoralisch

4 Berühmte Leute

Wortstellung

Wir haben _____ _____ _____ gesehen.
am Bahnhof gestern Petra Berger

Haben _____ _____ _____ _____ auch gesehen?
gestern abend in der Diskussion im zweiten Programm sie Sie

Soll _____ _____ _____ _____ _____ zeigen?
einen Zeitungsartikel ich Ihnen morgen über sie

Sie hat _____ _____ _____ _____ erzählt.
als Filmschauspielerin dem Journalisten viel über ihre Arbeit

Ich bin _____ _____ _____ _____ vorgestellt worden.
bei einer Einladung einmal ihr übrigens

Leider habe _____ _____ _____ _____ _____ unterhalten können.
bei dieser Gelegenheit ich mich mit ihr nicht

Ich hätte _____ _____ _____ _____ gratuliert.
gern ihr im letzten Film zu ihrer Leistung

Kontrollübung

Setzen Sie folgende Ergänzungen ein:

Nominativ
1 die Werbung
2 möglichst viele Apparate
3 Wirklichkeit

Akkusativ
4 Einkäufe und Geschäftliches
5 Daten über uns
6 noch mehr Zeit

Dativ
7 dem Teilnehmer
8 Erwachsenen
9 ihnen
10 dieser Zentrale

Präpositionalergänzungen
11 an Ämter und Firmen
12 auf die Qualität der Programme
13 auf eine Verbesserung der Programme
14 durch die Firmen
15 für die Filme
16 für einen Fortschritt
17 mit einer zentralen Stelle
18 über eine solche Entwicklung
19 über ihre Qualität
20 von einem Privatleben
21 vor den neuen Medien
22 vor schädlichen Filmen
23 wie ein großer Fortschritt
24 zum Alltag

Kabelfernsehen, Bildschirmtext, Videokassetten: Müssen wir uns _____	21
fürchten? Manche werden es _____ halten, wenn _____ das Kabel, das jede	16/9
Wohnung _____ verbindet, neue Programm ins Haus liefert. Aber die Leute	17
werden _____ vor dem Fernseher verbringen und noch weniger selbst tun.	6
_____ wäre sicher niemand glücklich. _____ darf man kaum hoffen, denn die	18/13
zusätzlichen Programme werden _____ finanziert. Diese achten aber nicht	14
_____, sondern nur darauf, daß sich möglichst viele Zuschauer _____ interes-	12/15
sieren und daß also _____ eingeschaltet sind, wenn vor und nach dem Pro-	2
gramm _____ kommt.	1
Auch der Bildschirmtext sieht auf den ersten Blick _____ aus. Von der Zen-	23
trale werden _____ eine Menge Informationen geliefert. Er kann sogar _____	7/4
vom Wohnzimmer aus erledigen: Waren kaufen, Geld überweisen, Theater-	
karten bestellen. Aber können wir _____ vertrauen, daß sie nicht _____	10/5
sammelt und diese _____ weitergibt? Dann wäre _____ nicht mehr viel übrig.	11/20
Kabelfernsehen und Bildschirmtext könnten bald _____ werden; Videofilme	3
sind es schon, sie gehören für viele schon _____. Wir sollten uns _____ Ge-	24/19
danken machen. Es ist nämlich nicht möglich, Kinder und Jugendliche _____	22
zu schützen, wie dies beim Kino der Fall ist. Noch immer sind viele Filme im	
Video-Angebot, die im Kino nicht einmal _____ gezeigt werden.	8

Text 1

an/strengen
vorbei/ziehen
vor/lesen
spüren
an/bleiben
ein/schlafen
ein/schalten

da/sitzen
verlernen

e Brücke, –n
s Sofa, –s
r Krimi, –s
s Familienleben

s Kartenspiel, –e
e Droge, –n
r Kasten, ¨–
r Bildschirm, –e
s Handeln (Tun)

gelegentlich

spannend
erholsam
inner-
phantasielos
endlos

sozusagen

Text 2

veröffentlichen
aus/beuten
übertreiben
vertreten

e Presse
e Pressefreiheit

r Redakteur, –e
e „Rundschau"
e Reportage, –n
s Werk, –e
e Anzeige, –n
e Kritik, –en
r Verleger, –

e Rücksicht

gesetzlich
verantwortlich

im Prinzip

verschiedener Meinung sein
Geschäfte machen mit
das Sagen haben
Rücksicht nehmen auf

Text 3

werfen
raus/nehmen
aus/lesen
werben für
küssen

e Boulevardzeitung, –en
e Überschrift, –en
r Zeitungskasten, ¨–
e Busfahrt, –en
e Villa, Villen
r Filmschauspieler, –

e Prinzessin, –nen
e Titelseite, –n
e Katastrophe, –n
r Sex
s Reklamefoto, –s
r Regenschirm, –e

r Schirm, –e
s Zeug

Was steht da drin?

Text 4

recherchieren
nach/gehen
sammeln
beliefern
aus/wählen
weg/lassen
erwähnen
durch/laufen
durch/gehen
angewiesen sein auf
vertreten
verbreiten
liefern
um/schreiben

ab/drucken

e Sendung, –en
r Schulfunk
r Test, –s
r Beteiligte, –n
r Augenzeuge, –n
r Korrespondent, –en (Journalist)
r Reporter, –
e Fachsprache, –n
r Nachrichtenlieferant, –en

e Agentur, –en
e Ware, –n
r Nachrichtenmarkt
s Alltagsgeschäft
e Auswahlstation, –en
r Leser, –
e Station, –en
e Sicht
e Brille, –n
e Partei, –en
e Zentrale, –n
s Nachrichtenmaterial
s Fernschreibgerät, –e
s Gedächtnis

berichtenswert
unerwähnt
pausenlos

allzu

in erster Linie
vor Ort recherchieren
einer Sache nach/gehen

Übung 1: Satzbeispiele und Umschreibungen
Übung 2: Wortbildung
Übung 3: Stammformen der Verben
Übung 4: Valenz der Verben

Siehe Reihe 1, S. 18!

Reihe 14

Thema

Arbeitswelt

Texte

1 Computer – eine technische Revolution
2 Von der Handarbeit zur Fabrikarbeit
3 Zukunft in menschenleeren Hallen
4 Neapel sehen

Grammatik

Nebensätze

temporal:	während bevor ehe	bis sobald solange
konditional:	falls	
konzessiv:	obwohl	

Computer – eine technische Revolution

Lina Meyer, 27 Jahre
Ich habe Angst vor einer Welt, die von Computern geregelt wird. Wir sollten die Entwicklung stoppen, ehe es zu spät ist. Während der Mensch anfangs die Maschinen programmiert hat, um besser leben zu können, programmieren jetzt die Maschinen den Menschen. Sie sagen ihm, was er tun soll, was er lesen soll, wohin er in Urlaub fahren soll und wen er heiraten soll. Wir brauchen uns nicht mehr zu entscheiden, der Computer übernimmt alle Entscheidungen. Sind wir dann überhaupt noch richtige Menschen? Oder werden wir zu Maschinen, die nur aussehen wie Menschen?

Arthur Schwarze, 19 Jahre
Seitdem es Computer gibt, wächst die Hoffnung, daß die Maschinen eines Tages dem Menschen den größten Teil harter Arbeit abnehmen werden. Wir brauchen dann keine endlosen Zahlenreihen mehr zusammenzuzählen und keine unwichtigen Dinge mehr im Kopf zu behalten. Der Computer kann alle Daten speichern. Alle anstrengenden und langweiligen Arbeiten werden Maschinen machen, denen Computer sagen, was sie tun sollen. Bevor wir über eine solche Entwicklung schimpfen, sollten wir uns fragen, ob sich damit nicht ein alter Traum der Menschheit erfüllt: frei werden von der Last und Mühe lebenslanger Arbeit?

Hilde Zander, 50 Jahre
Die neue Technik dient leider nicht den Interessen der Arbeitnehmer. Sobald sich ein Unternehmer für Computer entscheidet, braucht er weniger Arbeitskräfte und kann dadurch seine Gewinne erhöhen. Erstens: Computer sind billiger als Arbeitskräfte, brauchen keine Arbeitsverträge und verlangen keine Gehaltserhöhung. Zweitens: sie sind gehorsamer, denn sie widersprechen nie, sie wollen auch keine Mitbestimmung. Drittens: Computer sind leichter zu kontrollieren und zuverlässiger als Menschen. So ist es verständlich, weshalb Unternehmer die neue Technik für einen Fortschritt halten, während wir Arbeitnehmer befürchten, schon bald ohne Arbeit auf der Straße zu stehen.

Klaus Lehmann, 54 Jahre
Solange wir unsere Produkte auf dem internationalen Markt verkaufen können, obwohl sie sehr teuer sind, machen wir uns weiter keine Gedanken. Falls aber die Arbeitnehmer noch länger gegen Computer kämpfen, besteht die Gefahr, daß der Export immer mehr zurückgeht. Da unsere Wirtschaft zu einem Großteil vom Export abhängt, dürfen wir uns das nicht leisten, sonst werden weitere Millionen Menschen arbeitslos. Wo Computer den Arbeitsplatz modernisiert haben, wird in Zukunft die Arbeitszeit abnehmen und der Urlaub zunehmen. Das ist sicher im Interesse der Arbeitnehmer.

Von der Handarbeit zur Fabrikarbeit

Arbeitsplatz 1: eine Schuhmacherwerkstatt. Der Schuhmacher, der hier arbeitet, braucht etwa 12 Stunden, bis ein Paar Schuhe fertig ist, für das er von einem Kunden den Auftrag bekommen hat. Er hat keine größeren Maschinen und macht alles mit der Hand. Dabei kommt er mit wenig Werkzeug aus; die wichtigsten sind: Schere, Hammer, Nägel, Klebstoff, Nadeln. Vom ersten Zuschneiden des Leders bis zum fertigen Schuh kennt er alle notwendigen Handgriffe und macht alles selbst. Der Kunde, der kommt, um die Schuhe anzuprobieren und schließlich zu kaufen, weiß, daß Schuhe nach Maß nicht billig sind. Alles ist Handarbeit – und das kostet seinen Preis: 12 Stunden Arbeitslohn plus Material.

Arbeitsplatz 2: eine teilmechanisierte Schuhfabrik. Die Arbeiter und Arbeiterinnen dort können allein keine Schuhe herstellen, weil sie es gar nicht gelernt haben. Jeder macht nur einen kleinen Teil der Arbeit. Die einen suchen das Material aus, andere schneiden zu, eine dritte Gruppe macht die Sohle, eine vierte Gruppe das Innere des Schuhs. Schließlich näht eine Maschine die einzelnen Teile zusammen, die vorher, in den Gruppen, bearbeitet worden sind. Jeder Arbeiter erledigt seine Arbeit sehr schnell und ganz automatisch, da er immer das gleiche Stück bearbeitet und die gleichen Handbewegungen ständig wiederholt. Bis ein Schuh fertig ist, haben 200 Menschen daran gearbeitet; jeder durchschnittlich eine Minute, alle zusammen etwa zweieinhalb Stunden.

Arbeitsplatz 3: eine computergesteuerte Schuhfabrik. Früher hat die Arbeit hier anders ausgesehen. Da standen noch über 100 Arbeiterinnen am Fließband. Jetzt haben computergesteuerte Maschinen die meisten Arbeiten am Fließband übernommen: das Nähen, das Kleben, das Zuschneiden. Nur noch 40 Arbeiterinnen kontrollieren über Bildschirm die Arbeit und unterbrechen die Maschinen, wenn irgendwo etwas nicht richtig läuft. Jede allein vor ihrem Bildschirm. Früher gab's noch Gespräche mit Kollegen während der Arbeit. Jetzt nur noch mit dem Betriebsrat, über Lohn oder über Kündigung. Mehr Maschinen heißt: weniger Arbeitsplätze. 40 Arbeiterinnen schaffen jetzt, zusammen mit den Maschinen, ein Paar Schuhe in 20 Minuten, d.h. pro Arbeiterin eine durchschnittliche Arbeitszeit von 30 Sekunden.

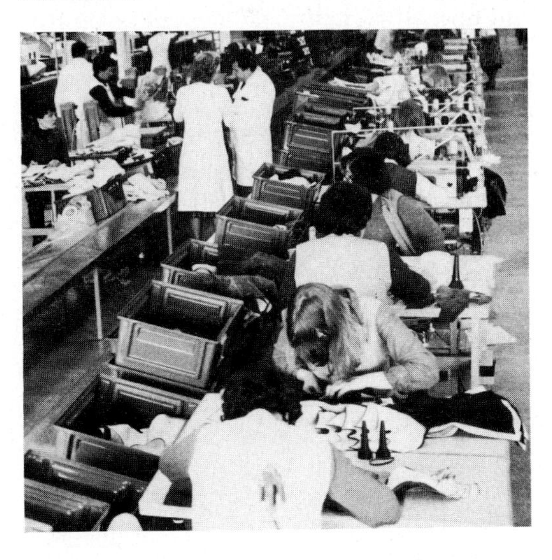

Zukunft in menschenleeren Hallen

Personal-Denkspiele im Volkswagen-Konzern

In einer Untersuchung mit dem Titel „Personal 2000 oder der arbeitende Mensch im Jahr 2000“ haben Mitarbeiter des Volkswagenkonzerns einmal durchgerechnet, wie die Zukunft bei VW aussieht, wenn weiterhin so schnell wie bisher menschliche Arbeitskraft durch Maschinen ersetzt wird. Bleibt es bei der 40-Stunden-Woche, so das Rechenergebnis, dann werden – bei gleicher Produktion – „im Jahr 2000 im Volkswagenwerk nur noch ca. 85000 Mitarbeiter beschäftigt sein“ – 30000 weniger als 1984.

Daß die Kollegen mit der eisernen Hand, die Roboter, immer mehr Arbeitsplätze übernehmen, ist keine Vermutung mehr, sondern bereits harte Wirklichkeit. Auch Volkswagen beschäftigt beispielsweise in der hochautomatisierten Halle 54 statt 5000 nur noch 4000 Leute, die mit Hilfe von Robotern die Teile für den „Golf“ zusammensetzen.

Bei einer möglichen Arbeitszeitverkürzung sieht die Rechnung etwas günstiger aus. Unter der Voraussetzung, „daß im Jahr 2000 die 30-Stunden-Woche erreicht wird“, so steht es in einem VW-Papier, „kann es gelingen, ca. 20000 Arbeitsplätze zusätzlich zu sichern.“

Der VW-Vorstand hofft, daß der Verlust von Arbeitsplätzen in Grenzen gehalten werden kann. Im Jahre 1965 seien von 93000 Beschäftigten 1,45 Millionen Autos gebaut worden, 1987 sollen 102000 Leute etwa die gleiche Zahl von Fahrzeugen herstellen: Der „Golf“ bestehe eben aus 10000 Teilen, nicht wie der „Käfer“ nur aus 5000. Schon wird auch mit einer neuen Generation von Robotern gerechnet. Die künftigen Roboter werden sehen und tasten können. Das wird nicht nur bei VW so sein. Bis zum Jahr 2000 werden nach Ansicht von Fachleuten in den westlichen Industrienationen fast eine Million der jetzt 3,2 Millionen Arbeitsplätze in der Autoindustrie verlorengehen. Die Experten raten daher den Regierungen, sie sollten „Versuche zur Umverteilung der Arbeit“ fördern. Das ist, was die Forderung nach der 35-Stunden-Woche betrifft, genau im Sinn der Gewerkschaften. Sie sehen die Wochenarbeitszeitverkürzung als einzigen Ausweg, die Arbeitslosigkeit noch einigermaßen in Grenzen zu halten. Als ein VW-Sprecher der internationalen Presse den technischen Fortschritt in Halle 54 (Gesamtkosten: 550 Millionen Mark) vorstellte, meinte er: „Es wird keine menschenleeren Fabriken geben, aber geringere Arbeitszeit für die Mitarbeiter und längere Arbeitszeit für die Maschinen“.

Kurt Marti

Neapel sehen

Er hatte eine Bretterwand gebaut. Die Bretterwand entfernte die Fabrik aus seinem häuslichen Blickkreis. Er haßte die Fabrik. Er haßte die Maschine, an der er arbeitete. Er haßte das Tempo der Maschine, das er selber beschleunigte. Er haßte die Hetze nach Akkordprämien, durch welche er es zu einigem Wohlstand, zu Haus und Gärtchen gebracht hatte. Er haßte seine Frau, so oft sie ihm sagte, heut nacht hast du wieder gezuckt. Er haßte sie, bis sie es nicht mehr erwähnte. Aber die Hände zuckten weiter im Schlaf, zuckten im schnellen Stakkato* der Arbeit. Er haßte den Arzt, der ihm sagte, Sie müssen sich schonen, Akkord ist nichts mehr für Sie. Er haßte den Meister, der ihm sagte, ich gebe dir eine andere Arbeit, Akkord ist nichts mehr für dich. Er haßte so viele verlogene Rücksicht, er wollte kein Greis sein, er wollte keinen kleineren Zahltag*, denn immer war das die Hinterseite von so viel Rücksicht, ein kleinerer Zahltag. Dann wurde er krank, nach vierzig Jahren Arbeit und Haß zum ersten Mal krank. Er lag im Bett und blickte zum Fenster hinaus. Er sah sein Gärtchen. Er sah den Abschluß des Gärtchens, die Bretterwand. Weiter sah er nicht. Die Fabrik sah er nicht, nur den Frühling im Gärtchen und eine Wand aus gebeizten Brettern. Bald kannst du wieder hinaus, sagte die Frau, es steht jetzt alles in Blust*. Er glaubte ihr nicht. Geduld, nur Geduld sagte der Arzt, das kommt schon wieder. Er glaubte ihm nicht. Es ist ein Elend, sagte er nach drei Wochen zu seiner Frau, ich sehe immer das Gärtchen, sonst nichts, nur das Gärtchen, das ist mir zu langweilig, immer dasselbe Gärtchen, nehmt einmal zwei Bretter aus dieser verdammten Wand, damit ich was anderes sehe. Die Frau erschrak. Sie lief zum Nachbarn. Der Nachbar kam und löste zwei Bretter aus der Wand. Der Kranke sah durch die Lücke hindurch, sah einen Teil der Fabrik. Nach einer Woche beklagte er sich, ich sehe immer das gleiche Stück Fabrik, das lenkt mich zu wenig ab. Der Nachbar kam und legte die Bretterwand zur Hälfte nieder. Zärtlich ruhte der Blick des Kranken auf seiner Fabrik, verfolgte das Spiel des Rauches über dem Schlot, das Ein und Aus der Autos im Hof, das Ein des Menschenstromes am Morgen, das Aus am Abend. Nach vierzehn Tagen befahl er, die stehengebliebene Hälfte der Wand zu entfernen. Ich sehe unsere Büros nie und auch die Kantine nicht, beklagte er sich. Der Nachbar kam und tat, wie er wünschte. Als er die Büros sah, die Kantine und so das gesamte Fabrikareal, entspannte ein Lächeln die Züge des Kranken. Er starb nach einigen Tagen.

* steht in Blust = blüht s Stakkato = die harten Schläge r Zahltag = das Gehalt

Nebensatz als Angabe

Eingeleiteter Nebensatz	*Hauptsatz mit Partikel*
Zeit: Wann? Seit wann? Wie lange? Wie oft?	
Während du weg warst, rief jemand an.	Du warst weg. **Da** rief jemand an.
Solange ich keine Arbeit habe, bekomme ich keine Wohnung.	Ich habe **noch** keine Arbeit. **Solange** bekomme ich keine Wohnung.
Seitdem du hier bist, geht es mir besser.	Du bist jetzt hier. Seitdem geht es mir besser.
Ich helfe dir, **sooft** du mich brauchst.	Du brauchst mich **öfter.** Dann helfe ich dir **jedesmal.**
Sobald ich das Geld habe, bezahle ich die Rechnung.	Ich habe das Geld noch nicht. Aber **dann** bezahle ich die Rechnung **sofort.**
Ich bleibe da, **bis** alles geregelt ist.	Ich bleibe da. Es ist **noch nicht** alles geregelt.
Ich fahre nicht ab, **bevor** du eine Stelle hast.	Du hast **noch keine** Stelle. **Vorher** fahre ich nicht ab.
Überleg dir das noch, **ehe** du dich entscheidest.	Du entscheidest dich. Überleg dir das **noch vorher.**
Grund: Warum?	
Sie ist gegen Computer, **weil** sie Arbeitsplätze wegnehmen.	Sie ist gegen Computer. Sie nehmen **nämlich** Arbeitsplätze weg.
Wir brauchen Computer, **da** unsere Wirtschaft vom Export abhängt.	Wir brauchen Computer. **Denn** unsere Wirtschaft hängt vom Export ab.
Konzessiv:	
Er ist zur Arbeit gekommen, **obwohl** er krank ist.	Er ist krank. **Trotzdem** ist er zur Arbeit gekommen.

Bedingung: in welchem Fall?

Wenn / **Falls** wir keine Lösung finden, wird es zu einem Streik kommen. **Finden wir keine Lösung,** so wird es zu einem Streik kommen.	**Vielleicht** finden wir keine Lösung. **Dann** wird es zu einem Streik kommen.

Art:

Die Besprechung ist zu Ende gegangen, **ohne daß** wir etwas erreicht hätten.	Die Besprechung ist zu Ende gegangen Wir haben dabei **nichts** erreicht.
Der Computer programmiert uns, **statt daß** wir den Computer programmieren.	Der Computer programmiert uns. **Aber eigentlich** sollten wir den Computer programmieren.

Bei gleichem Subjekt von Haupt- und Nebensatz: „ohne zu“ und „statt zu“

Syntaktische Funktion von Nebensätzen

Nebensatz

als Subjekt:		*Wortstellung im Nebensatz:*	
Es ist falsch,	**daß**	uns die Computer	**schaden.**
als Objekt:			
Ich finde,	**daß**	wir dagegen etwas	**tun müssen.**
als Angabe:			
Was passiert,	**falls**	den Arbeitern	**gekündigt werden sollte?**
als Attribut:			
Das ist etwas,	**was**	von uns	**hätte gesehen werden müssen.**

Mehrere Nebensätze

Manche sagen, wir dürften nicht warten,
bis es dazu kommt,
daß die Computer bestimmen,
was getan werden muß,
um unsere Welt zu retten.

Automation

Gefahren durch Roboter

100 000 Arbeitsplätze bedroht

Nürnberg (Reuter) – Moderne Industrieroboter bedrohen nach Angaben der Bundesanstalt für Arbeit tendenziell 400 000 Arbeitsplätze in der Bundesrepublik. Wie aus einer Untersuchung der Nürnberger Bundesanstalt weiter hervorgeht, verdrängt ein Industrieroboter im Zwei-Schichten-Betrieb durchschnittlich vier Menschen.

Die positiven Beschäftigungseffekte durch die neue Technik seien dagegen vergleichsweise gering. So steht der Untersuchung zufolge fünf vernichteten Arbeitsplätzen nur ein neuer gegenüber. Betriebliche Experten hielten in Zukunft sogar ein Verhältnis von eins zu sieben für wahrscheinlich.

Jeder sechste „Kollege" Computer

Bonn (dpa) – Die Computer sind in der Wirtschaft der Bundesrepublik auf dem Vormarsch. Inzwischen arbeitet schon jeder sechste Bundesbürger an seinem Arbeitsplatz mit einer computergesteuerten Maschine oder Anlage. Bei der Eröffnung der Ausstellung „Der gläserne Computer" in Bonn wies der Düsseldorfer Arbeits- und Sozialminister, Farthmann, auch darauf hin, daß immer mehr Industrieroboter in der Bundesrepublik eingesetzt werden.

Wo sind die Roboter?

Mehr als die Hälfte der Industrie-Roboter in der Bundesrepublik werden bei der Produktion von Autos eingesetzt, nämlich rund 60 %. Jeder zehnte Roboter steht in einem Betrieb der Maschinenbauindustrie, rund 12 % helfen mit, die Preise in der Elektroindustrie niedrig zu halten. In der Kunststoffindustrie arbeiten 9 % aller Roboter, und ebensoviele verteilen sich auf die übrigen Zweige der deutschen Industrie.

Was sich Arbeitnehmer wünschen

Von je 100 Arbeitnehmern halten in der Arbeitswelt von morgen für besonders wichtig:

Sicherer Arbeitsplatz	70
Eigenverantwortliches Handeln	56
Weiterbildung und Aufstiegsmöglichkeiten	55
Gutes Einkommen	49
Flexible Arbeitszeit	43
Mehr Mitsprache	34

7270 © Globus Mehrfachnennungen möglich Quelle: WJD/EMNID

Partnerübungen

1 Frau Marti

Nebensätze

Partner 1: Wann *treffen Sie Frau Marti?*
Partner 2: Wenn ich *nächste Woche nach Bern fahre.*

Ich fahre nächste Woche nach Bern. Dann treffe ich Frau Marti.
Ich bin oft in Bern. Dann besuche ich jedesmal Frau Marti.
Ich fahre nach Bern. Ich habe dort nämlich geschäftlich zu tun.
Ich wohnte in Basel. Damals lernte ich Frau Marti kennen.
Sie ist in unsere Abteilung gekommen. Vorher lebte sie im Ausland.
Ich muß erst alles Geschäftliche erledigt haben. Solange bleibe ich in Bern.
Ich bin in dem Gespräch noch zu keinem Ergebnis gekommen. Solange bleibe ich hier.
Ich wollte Frau Marti gerade anrufen, in dem Moment ist sie gekommen.
Ich fahre nochmal weg. Ich bringe das Auto zur Werkstatt.
Ich habe kein Auto mehr. Jetzt gehe ich zu Fuß ins Büro.

wie oft?
wie lange?
wann?
seit wann?
warum?
wozu?

seitdem
weil
wenn
sooft
bis
als
bevor
während
solange
um . . . zu

2 Gründe

Nebensätze/Textstruktur

Bei Partner 1 ist ein Fest. Partner 2 will schon bald wieder gehen.

Gründe:

die Eltern warten	muß am nächsten Tag früh aufstehen
muß einen Zug erreichen	Das Kind darf nicht zu lange allein bleiben
erwartet einen wichtigen Anruf	. . .
hat Kopfweh	

Partner 1 macht Vorschläge:

die Eltern anrufen	selber anrufen
einen späteren Zug nehmen	den Nachbarn anrufen und bitten, daß er auf das Kind aufpaßt
im Gästezimmer schlafen	. . .
eine Tablette nehmen	

Partner 1: Gehst du schon?
Partner 2: Ja, ich muß leider, weil ______
Partner 1: Warum ______? Wenn du ______ würdest,
(daß/ob/wann ______,) dann ______.
Partner 2: ______________

3 Im Büro

Wortstellung im Nebensatz

Partner 1: Wann wird es weniger Überstunden geben?
Partner 2: Sobald neue Mitarbeiter eingestellt worden sind.

Es sind noch keine neuen Mitarbeiter eingestellt worden.
Solange wird es nicht weniger Überstunden geben.

Der Streik wird noch einige Zeit dauern.
Wir haben noch keine Lohnerhöhung erreicht.

Der Computer konnte gestern nicht benutzt werden.
Er hat nämlich geprüft werden müssen.

Frau Stüller entscheidet über Neueinstellungen.
Sie ist als Leiterin der Personalabteilung eingesetzt.

Seit wann . . .? Seit . . .
Wann . . .? Sobald . . .
Warum . . .? Weil . . .
Wie lange . . .? Bis . . .

4 Meldungen und Hinweise

Konjunktionen/Partikeln/Präpositionen

Partner 1: Das verstehe ich nicht. Da steht: „Nach Abschalten der Maschine Strom ausmachen!“ Heißt das, ich soll den Strom ausmachen?
Partner 2: Ja, nachdem Sie die Maschine abgeschaltet haben.

Nach Abschalten der Maschine Strom ausmachen!
Bei Bestellung der Ware Nummer auf Bestellzettel schreiben!
Wegen Erkrankung der Schauspieler heute keine Vorstellung!
Nach Erhalt der Rechnung Betrag prüfen!
Vor Einzug in die Wohnung Mietvorauszahlung überweisen!
Zur Teilnahme an Versammlung im Büro anmelden!

5 Klagen

ohne zu/daß, statt zu/daß

Partner 1: Warum sind Sie gestern weggefahren, ohne Frau Schwab mitzunehmen?
Partner 2: Tut mir leid. Es ging nicht anders, weil das Auto voll war.

Ich bin weggefahren und habe Frau Schwab nicht mitgenommen. Das Auto war voll.
Ich bin im Büro geblieben. Ich hatte zu viel zu tun. Aber eigentlich hätte ich unsere Kunden besuchen müssen.
Ich habe den Brief abgeschickt und ihn nicht dem Chef gezeigt. Der Chef war nicht da.
Ich habe die Sache entschieden. Es war sehr eilig. Aber eigentlich hätte ich die Firmenleitung informieren müssen.

Schriftliche Übungen

1 Aus einem Firmenbericht

Präp./Konjunktion/Partikel

Beispiel: Trotz der Beschädigung der Maschine konnte weitergearbeitet werden.
→ *a)* Obwohl die Maschine beschädigt wurde, konnte weitergearbeitet werden.
→ *b)* Die Maschine wurde beschädigt. Trotzdem konnte weitergearbeitet werden.

Bis zur Eröffnung der neuen Fabrik werden keine weiteren Mitarbeiter eingestellt.
Nach der Besichtigung der Firma diskutierten sie mit der Firmenleitung.
Vor der Veröffentlichung des Artikels hätte er sich besser informieren sollen.
Seit der Entwicklung der Computer nimmt die Zahl der Arbeitsplätze ab.
Wegen Vorbereitung einer Reise kann das morgige Treffen leider nicht stattfinden.
Zur Planung der Produktion im nächsten Jahr brauchen wir die Verkaufszahlen.
Im Falle zurückgehender Verkaufszahlen wird man Arbeiter entlassen.
Bei Erfüllung der Forderungen wird es zu keinem Streik kommen.
Trotz Zunahme der Gewinne sind die Löhne der Arbeiter nicht gestiegen.

obwohl	– trotzdem	seitdem	– seit dieser Zeit	nachdem	– danach
bis	– erst ... dann	falls	– vielleicht ... dann	um ... zu	– dann
wenn	– vorausgesetzt	bevor	– vorher	weil	– deshalb

2 Kombination

Satzteilverbindung

Ein Computer ist ein Apparat,		er nicht der Wahrheit entspricht
Ein Kongreß ist international,		die Arbeitsplätze erhalten bleiben
Die Aufgabe eines Journalisten ist es,	daß	viele verschiedene Länder teilnehmen
Eine Lösung ist möglich,	weil	es Probleme gegeben hätte
Optimistische Leute hoffen,	mit dem	wir miteinander sprechen
Wir sind zu einem schnellen Ergebnis gekommen,	wenn	komplizierte Rechnungen gemacht werden können
	ohne daß	
Wir protestieren gegen den Bericht,	solange	die Öffentlichkeit über das politische Geschehen zu informieren
	–	

3 Aus der Gewerkschaftszeitung

Logik der Satzverbindung

Die Gewerkschaften haben schon immer dafür gekämpft, . . .
. . . daß die Arbeitszeit für die Arbeitnehmer verkürzt wird.
. . . denn immer mehr sieht man in den Betrieben Roboter und Automaten an Stellen, . . .
Dieser Kampf ist heute noch wichtiger geworden . . .
. . . wo früher Menschen durch Arbeit ihr Brot verdienten.

Natürlich wissen die Arbeitgeber, . . .
. . . aber obwohl sie das wissen, . . .
. . . mit den Gewerkschaften über eine Verkürzung der Wochenarbeitszeit zu sprechen.
. . . daß die Zahl der Arbeitslosen immer weiter wächst; . . .
. . . sind sie nicht bereit, . . .
. . . die Produkte unserer Wirtschaft würden für den Weltmarkt zu teuer, . . .
. . . wenn die Wochenarbeitszeit weniger als 40 Stunden betragen würde.

Aber das ist eine Behauptung, . . .
. . . bis wir sie erreicht haben,
. . . die Arbeitszeit zu verkürzen.
. . . wenn es darum ging, . . .
Sie behaupten, . . .
. . . die von den Arbeitgebern schon immer in Diskussionen vertreten worden ist, . . .
Wir werden deshalb so lange für die 35-Stunden-Woche kämpfen, . . .
Es hat sich bisher nach jeder Arbeitszeitverkürzung gezeigt, . . .
. . . daß die Behauptung der Arbeitgeber falsch ist.

4 Geschäftsbrief

Hauptsätze – Nebensätze

Sehr geehrte Damen und Herren,
nach Rückfrage bei der zuständigen Abteilung habe ich erfahren, daß es unserer Firma wegen einiger technischer Schwierigkeiten leider nicht möglich ist, die von Ihnen bestellten Maschinen schon im Juni zu liefern. Wir bitten Sie deshalb, mit der Lieferung nicht vor Ende Juli zu rechnen, damit Sie nicht Ihrerseits bei der Herstellung in Schwierigkeiten kommen. Falls Sie aber die Lieferung doch schon fest eingeplant haben, müßten wir noch besprechen, wie wir das bei den Gesamtkosten berücksichtigen. Es tut mir leid, Ihnen diese Mitteilung machen zu müssen. Wir hoffen, daß wir nach langen Jahren guter Zusammenarbeit auch in diesem Fall zu einer Regelung kommen, mit der beide Seiten einverstanden sind.

Mit freundlichen Grüßen W. Bernheim

Berichten Sie Ihrem Chef von diesem Brief! Verwenden Sie dazu nur Hauptsätze:

Herr Bernheim hat bei der zuständigen Abteilung nach der Lieferung gefragt.
Seine Firma hat . . .
Er kann deshalb . . .
. . .

Kontrollübung

bevor	wenn	das	wo	ob	daß
seitdem	obwohl	der	wann	was	ohne . . . zu
als	weil	die	wie		je . . . desto
nachdem	damit		wieviel		
bis	um . . . zu		welche		

Computer sind neugierig. _____ ich auf Arbeitssuche bin, stelle ich das immer wieder fest. Formulare sind das Fressen, _____ dem Computer vorgeworfen wird. Ein Formular fragt zum Beispiel, _____ ich geboren bin. Am 5. Mai 1964. Es will auch wissen, _____ ich geboren bin. In Berlin. Ich muß ins Formular schreiben, _____ groß ich bin, _____ ich wiege, _____ Augenfarbe ich habe und _____ mein Haar dunkel oder hell ist. Eigentlich habe ich nichts dagegen, _____ der Computer solche Formulare zu fressen bekommt. Aber der Hunger des Computers ist groß, und _____ er genug kriegt, gibt's noch mehr Futter. Damals, _____ ich mich um die erste Stelle bewarb, saß da ein Beamter, _____ sehr höflich zu mir war. _____ er mir eine Tasse Kaffee hingestellt hatte, mußte ich seine Fragen beantworten. Er wollte sehr Persönliches wissen, _____ sich ein Urteil über meine Person machen _____ können, _____ er über meine Einstellung entschied. _____ ich irgendwo einen Computer gesehen hätte, wäre ich vielleicht vorsichtiger gewesen, _____ ich auch dann hätte antworten müssen. Ich erzählte also, _____ ich meine Freizeit verbringe, für _____ Ziele ich mich engagiere und _____ ich meistens gern arbeite, _____ immer gleich ans Geld _____ denken. _____ länger das Gespräch dauerte, _____ persönlicher wurden die Fragen: Seit _____ ich verheiratet bin, und _____ es eine gute Ehe sei. Ganz offen meinte ich, es werde nicht mehr lange dauern, _____ es zur Scheidung komme. Ja warum denn? Nun, _____ ich eben andere Interessen hätte als meine Frau. Welche? Und so ging es weiter. Vieles von dem, _____ ich erzählt habe, hat sich der Computer gemerkt – für immer. Und dabei sind das doch Sachen, _____ eigentlich nur mich etwas angehen. Oder?

Seit/Wenn
das
wann
wo
wie
wieviel – welche
ob
daß
damit
als
der
Nachdem

um – zu
bevor – Wenn

obwohl
wie/wo – welche
daß – ohne
zu – Je – desto
wann
ob
bis
weil
was

die

Reihe 14 Vokabular

Text 1

stoppen	e Revolution, –en	e Wirtschaft	ehe
programmieren	e Zahlenreihe, –n	r Großteil	während
zusammen/zählen	Daten (Pl.)		seitdem
speichern	r Unternehmer, –	jdm. etw. abnehmen	bevor
sich erfüllen	e Arbeitskraft, ¨e	es besteht die Gefahr, ...	sobald
dienen	r Gewinn, –e	lebenslang	weshalb
widersprechen	r Arbeitsvertrag, ¨e	zuverlässig	solange
befürchten	e Gehaltserhöhung, –en	verständlich	obwohl
kämpfen	e Mitbestimmung	international	falls

Text 2

aus/kommen mit	e Handarbeit, –en	r Klebstoff	e Kündigung, –en
zu/schneiden	e Fabrikarbeit, –en	e Nadel, –n	
an/probieren	e Schuhmacherwerkstatt, ¨en	s Leder	bis
aus/suchen		r Handgriff, –e	teilmechanisiert
zusammen/nähen	s Paar, –e	e Sohle, –n	computergesteuert
kleben	s Werkzeug, –e	s Innere	nach Maß
unterbrechen	r Hammer, ¨	e Handbewegung, –en	
	r Nagel, ¨	r Betriebsrat, ¨e	plus

Text 3

durch/rechnen	r Volkswagen, – (VW)	e Generation, –en	unter der Voraussetzung, daß ...
ersetzen	r Konzern, –e	r Experte, –n	
zusammen/setzen	r Titel, –	e Regierung, –en	etw. in Grenzen halten
tasten	s Rechenergebnis, –se	e Umverteilung, –en	
verloren/gehen	r Roboter, –	r Ausweg, –e	nach Ansicht von
raten	r „Golf“	r Sprecher, –	
fördern	e Arbeitszeitverkürzung, –en	Gesamtkosten (Pl.)	weiterhin
			beispielsweise
e Zukunft	s Arbeitspapier, –e	menschenleer	daher
e Halle, –n	r Vorstand, ¨e	eisern	
s Personal	r Beschäftigte, –n	hochautomatisiert	
s Denkspiel, –e	r Käfer (= VW)	künftig	

Text 4

entfernen	verfolgen	r Greis, –e	r Hof (Parkplatz)
beschleunigen	stehen/bleiben	r Abschluß	s Fabrikareal, –e
zucken	entspannen	e Hinterseite, –n	r Zug, ¨e (Gesicht)
sich schonen		r Haß	
hinaus/blicken	e Bretterwand, ¨e	s Brett, –er	häuslich
(heraus/)lösen aus	r Blickkreis	e Geduld	verlogen
hindurch/sehen	s Tempo	s Elend	gebeizt
ab/lenken	e Hetze	e Lücke, –n	verdammt
nieder/legen	e Akkordprämie, –n	e Hälfte, –n	zärtlich
ruhen	s Gärtchen, –	r Schlot, –e	gesamt

Übungen 1–4: Siehe Reihe 1, S. 18!

Reihe 15

Thema

Deutschland und Europa

Texte

1 Meinungen zum Thema „Nationalstaat“
2 Vorrede zu einem Vortrag über Europa
3 Die deutsche Einheit
4 Zwei Gedichte

Grammatik

Funktionsverben	auf etwas Hoffnungen setzen einen Beitrag zu etwas leisten etwas in Angriff nehmen . . .
Wendungen	jmdn. in Schach halten mit etwas schnell bei der Hand sein auf der Strecke bleiben . . .
Rede	

Meinungen

Heike Leonhardt-Ross (32)
Warum setzen wir noch immer so große Hoffnungen auf den Nationalstaat? Die Frage muß man sich einfach stellen, weil die großen Probleme heute doch an keiner Grenze mehr haltmachen! Die Tschernobyl-Katastrophe zum Beispiel hat uns das ganz klar vor Augen geführt. Welche modernen Systeme gibt es denn noch, die nur national funktionieren? Firmen und Konzerne sind international geworden. Computernetze und Nachrichtensatelliten kennen keine Landesgrenzen, ebensowenig die Ergebnisse von Wissenschaft und Forschung. Die wichtigste Aufgabe für die kommenden Jahrzehnte wird es sein, unseren Beitrag dazu zu leisten, daß aus den vielen egoistischen Nationalstaaten eine verantwortungsbewußte Weltgemeinschaft aller Staaten entsteht.

Diese Woche: Hat der Nationalstaat noch eine Zukunft?

Jens Wendland (45)
Für mich ist die Nation die natürlichste Sache der Welt. Da leben eben Menschen zusammen, die der gleichen Sprach- und Kulturgemeinschaft angehören. Ist es nicht an der Zeit, daß alle Menschen selbst bestimmen können, in welcher Gemeinschaft sie zusammen leben wollen? Woher nehmen sich Regierungen großer Staaten das Recht, Volksgruppen innerhalb ihres Territoriums, die selbständig sein wollen, zu unterdrücken und vielleicht sogar mit Waffengewalt in Schach zu halten? Ich bin sicher, wir werden in den nächsten Jahrzehnten sehen, wie sich weltweit Nationen in freier Selbstbestimmung bilden, weil manche Volksgruppen nicht mehr damit einverstanden sind, daß größere und stärkere Staaten für sie alle Entscheidungen treffen.

Philipp Fischer (27)
Ein Heimatgefühl, glaube ich, braucht jeder Mensch. Jeder fühlt sich irgendwo zugehörig – weniger einer Nation als einer Region, einer Sprachgemeinschaft, einem Kulturkreis. Das ist, finde ich, ganz natürlich. Nur denken manche leider, ihre Heimat sei der Nabel der Welt, und lehnen alles ab, was von außerhalb kommt. Wer eine andere Sprache oder auch nur einen anderen Dialekt spricht, andere Kleider trägt, andere Lebensgewohnheiten hat und vielleicht eine andere Hautfarbe, der wird oft diskriminiert. Da ist man schnell mit Vorurteilen bei der Hand. Das eigene Verhalten stellt man aber nicht in Frage. Mir persönlich geht eine solche Einstellung auf die Nerven. Ich mag das Nebeneinander verschiedener Kulturen, und ich fände es sehr schade, wenn diese Vielfalt eines Tages auf der Strecke bliebe.

Vorrede zu einem Vortrag über Europa

Meine sehr geehrten Damen und Herren,

ich begrüße Sie alle recht herzlich zu unserem heutigen Vortrag zum Thema „Die Vereinigten Staaten von Europa“. Es freut mich, daß Sie trotz des schlechten Wetters so zahlreich erschienen sind. Ich bin sicher, es wird sich lohnen, denn unsere heutige Referentin, Frau Hahn-Jellinek, beschäftigt sich schon seit vielen Jahren mit der Frage, welche Schwierigkeiten uns auf dem Weg zur europäischen Einigung erwarten werden.

Lassen Sie mich zu Beginn ein paar einleitende Worte sagen. Seit Ende der achtziger Jahre sind wir alle Zeugen eines großen Umbruchs, sichtbare und unsichtbare Mauern und Grenzen sind gefallen. Zuerst die Mauer des Kalten Krieges zwischen den beiden Supermächten, den USA und der Sowjetunion. Gleichzeitig die Mauern des Gesellschaftssystems im Inneren der Sowjetunion. Dann die Mauern in Osteuropa. Und schließlich die sichtbare Mauer aus Beton und Stacheldraht, die Deutschland jahrzehntelang geteilt hat. Die Freude über diese Veränderungen war und ist groß – mit Recht, denn solche Mauern haben vielen Millionen Menschen Unfreiheit gebracht.

Leider ist es aber nicht allein bei der Freude geblieben. Warum? Nun, es ist nicht zu übersehen, wie da und dort neue Mauern entstanden sind und noch weiter entstehen: Mauern zwischen Volksgruppen, die ethnische, sprachliche oder religiöse Unterschiede hochhalten und einander verfeindet gegenüberstehen. Mauern, die wohlhabende Regionen eines Landes gegen wirtschaftlich weniger entwickelte Regionen errichten. Mauern, die reiche Nationen schützen sollen, weil sie Angst haben, daß ihnen die armen Nationen etwas vom Kuchen abschneiden könnten. Oft hat man den Eindruck, daß solche neuen Mauern fast wie Pilze aus dem Boden schießen! Und immer wird alles Böse den anderen, denen auf der anderen Seite der trennenden Mauer, in die Schuhe geschoben. Solches Schwarzweiß-Denken ist gefährlich, es dient nur dazu, bestimmte Menschengruppen zu Sündenböcken zu stempeln, aber es löst keine Probleme.

Frau Hahn-Jellinek hat sich, wie gesagt, mit all diesen Fragen eingehend befaßt. Wir alle sehen ihrem Vortrag mit großer Erwartung entgegen. Ich will Sie, meine Damen und Herren, deshalb jetzt nicht länger warten lassen und erteile unserem heutigen Gast das Wort. Ich wünsche Ihnen allen einen interessanten Abend!

Die deutsche Einheit

Aus der Ansprache des Bundespräsidenten Richard von Weizsäcker zum Tag der deutschen Einheit, 3. Oktober 1990

In der Präambel unserer Verfassung, wie sie nun für alle Deutschen gilt, ist das Entscheidende gesagt, was uns am heutigen Tag bewegt: In freier Selbstbestimmung vollenden wir die Einheit und Freiheit Deutschlands. [...]

Die Geschichte in Europa und in Deutschland bietet uns jetzt eine Chance, wie es sie bisher nicht gab. Wir erleben eine der sehr seltenen historischen Phasen, in denen wirklich etwas zum Guten verändert werden kann. [...] Es gibt drinnen und draußen drückende Sorgen; das übersehen wir nicht. Vorbehalte unserer Nachbarn nehmen wir ernst. [...] Aber wir wollen und werden uns nicht von Ängsten und Zweifeln leiten lassen, sondern von Zuversicht. Entscheidend ist der feste Wille, unsere Aufgaben mit Klarheit zu erkennen und gemeinsam in Angriff zu nehmen. [...] Unsere Einheit wurde niemandem aufgezwungen, sondern friedlich vereinbart. Sie ist Teil eines gesamteuropäischen geschichtlichen Prozesses, der die Freiheit der Völker und eine neue Friedensordnung unseres Kontinents zum Ziel hat. Diesem Ziel wollen wir Deutschen dienen. [...]

„Wir sind das Volk“, mit diesen vier einfachen und großen Worten wurde ein ganzes System erschüttert und zu Fall gebracht. In diesen Worten verkörperte sich der Wille der Menschen, das Gemeinwesen, die res publica, selbst in die Hand zu nehmen. So wurde die friedliche Revolution in Deutschland wahrhaft republikanisch. [...]

Die Form der Einheit ist gefunden. Nun gilt es, sie mit Inhalt und Leben zu erfüllen. Parlamente, Regierungen und Parteien müssen dabei helfen. Zu vollziehen aber ist die Einheit nur durch das souveräne Volk, durch die Köpfe und Herzen der Menschen selbst. Jedermann spürt, wieviel da noch zu tun ist. [...] Deutlicher als früher erkennen wir heute die Folgen der unterschiedlichen Entwicklungen. Die Kluft im Materiellen springt als erstes ins Auge. [...] Für die Deutschen in der ehemaligen DDR ist die Vereinigung ein täglicher, sie ganz unmittelbar und persönlich berührender existentieller Prozeß der Umstellung. Das bringt oft übermenschliche Anforderungen mit sich. [...] Bei den Menschen im Westen war die Freude über den Fall der Mauer unendlich groß. Daß aber die Vereinigung etwas mit ihrem persönlichen Leben zu tun haben soll, ist vielen nicht klar oder sogar höchst unwillkommen. So darf es nicht bleiben. Wir müssen uns zunächst einmal gegenseitig besser verstehen lernen. Erst wenn wir wirklich erkennen, daß beide Seiten kostbare Erfahrungen und wichtige Eigenschaften erworben haben, die es wert sind, in der Einheit erhalten zu bleiben, sind wir auf gutem Wege. [...]

Kinderhymne

Bertolt Brecht

Anmut sparet nicht noch Mühe
Leidenschaft nicht noch Verstand
Daß ein gutes Deutschland blühe
Wie ein andres gutes Land.

Daß die Völker nicht erbleichen
Wie vor einer Räuberin
Sondern ihre Hände reichen
Uns wie andern Völkern hin.

Und nicht über und nicht unter
Andern Völkern wolln wir sein
Von der See bis zu den Alpen
Von der Oder bis zum Rhein.

Und weil wir dies Land verbessern
Lieben und beschirmen wir's
Und das liebste mag's uns scheinen
So wie andern Völkern ihrs.

aus: Gedichte 1947–1956

Bertolt Brecht
geboren 1898 in Augsburg
gestorben 1956 in Berlin
(damals Ostberlin)
lebte von 1933 bis 1947 im Exil
(1933–39 in Dänemark,
1941–47 in Kalifornien, USA)

An die Freude

Friedrich Schiller

Freude, schöner Götterfunken,
Tochter aus Elysium,
Wir betreten feuertrunken,
Himmlische, dein Heiligtum!
Deine Zauber binden wieder,
Was die Mode streng geteilt;
Alle Menschen werden Brüder,
Wo dein sanfter Flügel weilt.

Seid umschlungen, Millionen!
Diesen Kuß der ganzen Welt!
Brüder! überm Sternenzelt
Muß ein lieber Vater wohnen.

Wem der große Wurf gelungen,
Eines Freundes Freund zu sein,
Wer ein holdes Weib errungen,
Mische seinen Jubel ein!
Ja, wer auch nur *eine* Seele
Sein nennt auf dem Erdenrund!
Und wer's nie gekonnt, der stehle
Weinend sich aus diesem Bund.
. . .

Friedrich Schiller
geboren 1759 in Marbach
gestorben 1805 in Weimar

Die Ode „An die Freude“ wurde von Ludwig van Beethoven im vierten Satz seiner 9. Symphonie vertont.

Wendungen mit Funktionsverben

Die Wortgruppe kann durch ein entsprechendes Vollverb ersetzt werden:

bringen:	etwas **zu Ende bringen**	etwas beenden
setzen:	auf etwas **große Hoffnungen setzen**	von etwas viel erhoffen
stellen:	jmdm. eine **Frage stellen**	jmdn. etwas fragen
leisten:	zu etwas einen **Beitrag leisten**	zu etwas beitragen
treffen:	eine **Entscheidung treffen**	entscheiden
geben:	jmdm. einen **Rat geben**	jmdm. raten
schenken:	jmdm. **Glauben schenken**	jmdm. glauben
nehmen:	jmdn. **in Schutz nehmen**	jmdn. (vor falschen Beschuldigungen) schützen
finden:	**Verwendung finden**	verwendet werden

Die Wortgruppe kann nicht durch ein entsprechendes Verb ersetzt werden:

etwas **in Angriff nehmen**

Wir wollen diese Aufgabe gemeinsam in Angriff nehmen.	Wir wollen gemeinsam mit der Lösung dieser Aufgabe beginnen.

etwas **zum Ziel haben**

Dieser Prozeß hat eine neue Friedensordnung des Kontinents zum Ziel.	Dieser Prozeß soll zu einer neuen Friedensordnung des Kontinents führen.

etwas **zu Fall bringen**

Die Bevölkerung der DDR hat die Mauer zu Fall gebracht.	Die Bevölkerung der DDR hat erreicht, daß die Mauer gefallen ist.

etwas **in Frage stellen**

Das Recht auf Selbstbestimmung wird nicht in Frage gestellt.	Das Recht auf Selbstbestimmung wird nicht bezweifelt.

in Frage kommen	möglich sein
den **Ausschlag geben**	entscheidend sein
etwas **in Aussicht stellen**	etwas versprechen
etwas **in Ordnung bringen**	etwas reparieren, (einen Fehler) wieder gutmachen

Bildhafte Wendungen

Mehrere Wörter zusammen bilden eine Wortgruppe mit übertragener Bedeutung:

jmdm. etwas vor Augen führen	jmdm. etwas deutlich machen
mit etwas schnell bei der Hand sein	etwas ohne langes Überlegen sagen
jmdn. in Schach halten	jmdn. unter Kontrolle halten
jmdm. auf die Nerven gehen	jmdn. stören, ärgern, aufregen
auf der Strecke bleiben	verlorengehen
jmdm. etwas vom Kuchen abschneiden	am Reichtum anderer teilnehmen
wie Pilze aus dem Boden schießen	plötzlich und schnell entstehen
jmdm. etwas in die Schuhe schieben	jmdm. an etwas die Schuld geben
jmdn. zum Sündenbock stempeln	einen Unschuldigen verantwortlich machen
etwas in die Hand nehmen	etwas selber tun
ins Auge springen	auffallen, sofort sichtbar sein
auf gutem Wege sein	etwas richtig machen

Rede

Meine sehr geehrten Damen und Herren, . . .
Sehr geehrte Damen und Herren, . . .
Meine Damen und Herren, . . .

Ich begrüße Sie alle recht herzlich zu . . .
Besonders begrüßen möchte ich . . .
Mein besonderer Gruß gilt . . .
Ich freue mich sehr, daß Sie so zahlreich erschienen sind und . . .

Zuerst möchte ich . . . meinen Dank aussprechen für . . .
Lassen Sie mich zuerst ein paar Worte sagen zu . . .
Lassen Sie mich mit . . . beginnen . . .

Damit komme ich zu einem letzten Punkt: . . .
Bevor ich schließe, möchte ich noch kurz . . .
Ich wünsche Ihnen, meine sehr geehrten Damen und Herren,. . .
Ich danke Ihnen für Ihre Aufmerksamkeit.

Die deutschsprachigen Länder von 1848 bis 1990

1848
Im „Deutschen Bund", zu dem sich die vielen Einzelstaaten im deutschsprachigen Raum – mit Ausnahme der Schweiz – zusammengetan haben, sind Österreich und Preußen die führenden Länder.
Die Februarrevolution in Frankreich greift auch auf die deutschen Staaten über. Die Mittel- und Kleinstaaten müssen Pressefreiheit und bürgerliches Gerichtswesen zulassen; in Österreich muß Metternich gehen, der Kaiser verspricht eine liberale Verfassung. Aber die liberalen Kräfte sind nicht entschlossen genug: nach einem Jahr ist die alte Ordnung wieder restauriert.
In der Schweiz geht der Sonderbundskrieg zwischen katholischen und evangelischen Kantonen zu Ende. Eine liberale Verfassung mit wichtigen Grundrechten für das Volk und weitgehender Selbständigkeit der Kantone wird angenommen.

1866
Die deutschen Mittel- und Kleinstaaten kämpfen zusammen mit Österreich gegen Preußen, dessen Ministerpräsident Otto von Bismarck außenpolitisch nur seine eigenen Interessen berücksichtigt hat. Preußen siegt, annektiert eine Anzahl deutscher Staaten und gründet den „Norddeutschen Bund", der von Österreich anerkannt werden muß.

1870/71
Im deutsch-französischen Krieg bleibt Österreich neutral; die süddeutschen Staaten dagegen treten dem siegreichen Norddeutschen Bund bei. So entsteht das „Deutsche Reich". König Wilhelm I. von Preußen wird Deutscher Kaiser, Otto von Bismarck wird Reichskanzler.

1914
Nach der Ermordung des österreichischen Kronprinzen beginnt der erste Weltkrieg.

1918
Am Ende des verlorenen Krieges wird Kaiser Wilhelm II. gestürzt; Deutschland wird eine Republik.
In Österreich verzichtet Kaiser Karl auf seine Rechte; das Volk wählt eine Nationalversammlung, die die Republik proklamiert.
In der vom Weltkrieg verschonten Schweiz versucht die Sozialdemokratie durch einen Generalstreik eine Umwälzung zu erzwingen, hat aber keinen Erfolg.

1929
In den jungen Republiken Deutschland und Österreich, denen die demokratische Staatsform noch fremd ist und die durch den verlorenen Krieg belastet sind, führt die Weltwirtschaftskrise zu verstärkten inneren Spannungen.

1938
Fünf Jahre nach seinem Machtantritt erzwingt Hitler den Anschluß Österreichs an Deutschland, nachdem die österreichische Regierung durch schrittweises Entgegenkommen gehofft hatte, die nationale Selbständigkeit bewahren zu können.

1939
Mit seinem Überfall auf Polen löst Hitler den zweiten Weltkrieg aus, der im völligen Zusammenbruch des „Dritten Reiches" endet. Wie schon im ersten Weltkrieg bleibt die neutrale Schweiz auch in diesem Krieg verschont.

1949
Aus den amerikanischen, englischen und französischen Besatzungszonen entsteht die Bundesrepublik Deutschland, aus der russischen Besatzungszone die Deutsche Demokratische Republik. Damit sind in Deutschland zwei Staaten mit gegensätzlicher ideologischer Ausrichtung entstanden.
Österreich wird wieder eine unabhängige Republik.

1990
Am 3. Oktober wird die Einheit Deutschlands wiederhergestellt. Nach einer friedlichen Revolution beschließt die vom Volk frei gewählte Regierung der damaligen DDR den Beitritt zur Bundesrepublik.

Partnerübungen

1 Auf einem Amt

Wendungen mit Funktionsverben als Alternative zum Passiv

Partner 1: Ich wäre Ihnen wirklich sehr dankbar, wenn *meine Vorschläge Berücksichtigung finden* könnten.
Partner 2: Machen Sie sich keine Sorgen. Die werden sicher berücksichtigt.

meine Vorschläge →	zum Verkauf	
meine Eltern	Berücksichtigung →	finden
der Streit	Benachrichtigung	bekommen
das Haus	Beachtung	erhalten
das gefundene Geld	finanzielle Unterstützung	geraten
meine kranke Tochter	zur Verteilung	kommen
unsere Kritik	in Vergessenheit	
die Sache	zum Abschluß	

2 Auge – Hand – Herz – Kopf

Bildhafte Wendungen

Partner 1: Du hast dir wieder mehr genommen als du essen konntest.
Partner 2: Ja, ja, die Augen waren größer als der Magen.

Du hast dir wieder mehr genommen als du essen konntest. (→ Die Augen waren größer als der Magen.)	Ich habe alle Hände voll zu tun.
Warst du nicht überrascht, daß Christa dich besucht hat?	Ich will immer mit dem Kopf durch die Wand.
Was war gestern mit dir los? Du hast wie wild geschimpft!	Die Augen waren größer als der Magen.
Egon war mit deinem Verhalten nicht einverstanden. Hat er dir's gesagt?	Ich habe sie sehr ins Herz geschlossen.
Du bist ja ziemlich oft bei Petra von nebenan.	Ich habe große Augen gemacht.
Man sieht dich gar nicht mehr. Hast du so viel Arbeit?	Ich habe völlig den Kopf verloren.
Du hättest doch wissen müssen, daß das nicht geht.	Das habe ich mir zu Herzen genommen.

3 Meinungen über Deutsche

„einander"

Partner 1: Findest du, daß die Deutschen einander *helfen?* Ich weiß nicht so recht . . .
Partner 2: Doch, die helfen einander. Im Prinzip schon.

mit	helfen	höflich sein
für	sorgen	ehrlich sein
unter	Rücksicht nehmen	Verständnis haben
von	achten	Zeit haben
auf	sich verlassen	Vertrauen haben
um	mögen	
zu	sich kümmern	

4 Dialog-Kombination

Gesprächslogik/Wendungen

Beispiel: Partner 1: Was für einen Eindruck haben Sie von Andreas?
Partner 2: Er macht sich ziemliche Illusionen.
Partner 1: Worüber denn?
Partner 2: Über seine berufliche Zukunft.

Partner 1	Partner 2	Partner 1	Partner 2
Was für einen Eindruck haben Sie von Andreas?	Was gibt's denn?	Du bist doch sonst nicht auf den Mund gefallen.	Das ist mir zu hoch.
Mensch hör doch endlich auf!	Alles ist wieder in Ordnung.	Worüber denn?	Bei ihr ist das anders.
Kommst du heute?	Er macht sich ziemliche Illusionen.	Das freut mich.	Über seine berufliche Zukunft.
Hast du noch Streit mit Hanno?	Klar. Ich komme immer zu kurz.	Du hast doch auch mehr Geld bekommen, oder?	Ja, aber nichts für die Überstunden.
Geh doch zu Mira und rede mit ihr darüber!	Mir fällt es so schwer, mit ihr zu reden.	Ja, die geht mir auf die Nerven.	Dann mach halt die Tür zu!
Hast du dich geärgert?	Was ist denn? Hast du was gegen die Musik?	Einen Vortrag über Beethoven.	Mir ist auch ein Stein vom Herzen gefallen.

Schriftliche Übungen

1 Jugendtreffen in Dresden

Wendungen mit Funktionsverben

Sehr geehrte Frau Schneider,
wir müssen Ihnen leider ____ ______________ ___________, daß der Reisetermin unserer Jugendgruppe noch immer nicht mit Sicherheit feststeht. Deshalb möchten wir Ihnen ____ __________ ___________, ob auch ein späterer Termin möglich wäre oder ob es dann Schwierigkeiten mit dem Hotel gibt. Wir __________ natürlich unsere ganze ___________ darauf, daß es bei dem geplanten Reisetermin bleibt.
Wie wir erfahren haben, konnten alle unsere Besichtigungswünsche _________________ ___________. Dafür möchten wir Ihnen unseren herzlichsten ________ _____________.
Sobald eine endgültige __________________ über den Abreisetermin unserer Gruppe ________________ worden ist, werden wir das Ihnen sofort mitteilen ...

a) *Setzen Sie Funktionsverben mit Nomen ein:*

Dank aussprechen	Entscheidung treffen	Berücksichtigung finden
Hoffnung setzen	Mitteilung machen	Frage stellen

b) *Welche Verben können Funktionsverb und Nomen ersetzen?*
Mitteilung machen → mitteilen

2 Sieben Punkte

Wendungen mit Funktionsverben

1. Wir müssen ____ ________________ für mehr Kontakte mit unseren Nachbarländern ______________.
2. Wir sollten uns mehr die Geschichte unseres Landes ___ __________________ ___________.
3. Jugendliche sollten von dem Angebot an Informationsreisen mehr ____________ ___________.
4. Die Politiker sollen sich den Jugendlichen ____ __________ __________.
5. Das Leid früherer Kriege darf nicht ___ ______________ __________.
6. Die politischen Ziele der Jahre 1933–45 dürfen keine ____________ ____________.
7. Kein Krieg darf mehr von deutschem Boden seinen ______ ________.

zur Diskussion stellen
in Vergessenheit geraten
Gebrauch machen
Ausgang nehmen
Voraussetzung schaffen
in Erinnerung rufen
Wiederholung finden

3 Ein Vereinsvorsitzender wirbt um Mitglieder

Theaterverein
Kinderschutzverein
Umweltschutzverein
Heimatverein
Tierschutzverein
Verkehrsverein
Sportverein
Naturschutzverein

Rede

Ein Vereinsvorsitzender eröffnet einen Vereinsabend. Welche Ziele könnte der Verein haben?

Meine Damen und Herren,

zu ____________ möchte ich Sie sehr herzlich begrüßen. Es freut mich, daß ____________. Bevor wir _________, erlauben Sie mir bitte, mit ein paar Worten auf _________ hinzuweisen. Sie wissen sicher, daß leider ____________. Allein kann keiner von uns etwas tun, ____________. Und doch ist es unbedingt nötig, ____________. Deshalb gibt es ja unseren Verein; und je mehr Mitglieder wir haben, desto besser können wir _________. Darum meine Bitte: Wenn auch Sie der Meinung sind, ____________, dann werden Sie Mitglied bei uns. Als Mitglied unseres Vereins können auch Sie mithelfen, _________.

Und nun wollen wir mit ____________ beginnen. Ich wünsche Ihnen einen interessanten Abend!

4 „geben" und „nehmen"

Wortschatz

Es gibt fünf Kontinente.	berichten
Im Theater gibt es ein Stück von Goethe.	begrüßen
Ich werde Ihnen darüber einen Bericht geben.	gespielt werden
Könntest du mir eine Stunde dein Auto geben?	existieren
Warum hat er mir nicht die Hand gegeben?	bringen
Die Verkäuferin hat mir das Buch billiger gegeben.	verkaufen
Ich habe die Papiere Frau Merz gegeben.	leihen
Die Papiere habe ich aus dem Schreibtisch genommen.	essen
Nehmen Sie doch noch etwas vom Gemüse!	holen
Wir sollten die Sache nicht so schwer nehmen.	sich setzen
Sollen wir ein Taxi nehmen?	sich sorgen um
Nehmen Sie nun die Stelle oder nicht?	sich entscheiden für
Für den Anruf hat das Hotel 5 Mark genommen.	fahren mit
Er hat sich meine Worte zu Herzen genommen.	fordern zu tun, was man versprochen hat
Ich habe ihn beim Wort genommen.	verlangen
Nehmen Sie doch bitte Platz!	ernsthaft nachdenken über

Kontrollübung

Welche Umschreibung paßt zu welcher Wendung?

1 Es steht viel auf dem Spiel.	a Das fällt sofort auf.	1 h
2 Das spielt keine Rolle.	b Das ist nicht wichtig.	2 b
3 Das wird Schule machen.	c Das ist gut überlegt.	3 f
4 Das hat Hand und Fuß.	d Das verstehe ich nicht.	4 c
5 Das springt sofort ins Auge.	e Das ist nicht schwierig.	5 a
6 Das ist mir zu hoch.	f Das ist ein Vorbild für alle.	6 d
7 Das ist aus der Luft gegriffen.	g Das ist nicht wahr.	7 g
8 Das sind kleine Fische.	h Das ist eine entscheidende Sache.	8 e

1 Sie schneidet sich ins eigene Fleisch.	a Sie redet über alles mögliche.	1 e
	b Sie tut, was sie verspricht.	
2 Sie kommt immer vom Hundertsten ins Tausendste.	c Sie würde für ihn alles tun.	2 a
	d Sie hat durch Schaden gelernt.	
3 Sie hält ihr Wort.	e Sie schadet sich selbst.	3 b
4 Sie geht für ihn durchs Feuer.		4 c
5 Sie hat viel Lehrgeld gezahlt.		5 d

1 Er ist über den Berg.	a Er ist enttäuscht.	1 b
2 Er lebt auf großem Fuße.	b Das Schlimmste hat er hinter sich.	2 e
3 Er will auf zwei Hochzeiten tanzen.	c Er ist nicht mehr erreichbar.	3 d
4 Er ist über alle Berge.	d Er tut zwei verschiedene Sachen zu gleicher Zeit.	4 c
5 Er macht ein langes Gesicht.		5 a
6 Er hält nie den Mund.	e Er gibt viel Geld aus.	6 f
	f Er redet immer.	

1 Ich zeige ihm schon die Zähne.	a Ich will nichts sagen, was dann unangenehme Folgen für mich haben könnte.	1 b
2 Ich will mir nicht den Mund verbrennen.		2 a
3 Ich habe mir das in den Kopf gesetzt.	b Ich lasse mir nichts gefallen.	3 f
	c Ich lebe von seiner finanziellen Unterstützung.	
4 Ich liege ihm auf der Tasche.		4 c
5 Ich bringe das nicht übers Herz.	d Er beachtet mich gar nicht.	5 e
6 Ich bin Luft für ihn.	e Ich kann mich nicht dazu entschließen.	6 d
	f Ich will das unbedingt erreichen.	

Text 1

halt/machen	s Territorium	e Vielfalt	außerhalb
unterdrücken	Territorien		nebeneinander
sich bilden	e Waffe, –n	national	
diskriminieren	e Gewalt, –en	egoistisch	einen Beitrag leisten
	e Selbstbestimmung	verantwortungsbewußt	in Schach halten
r Nationalstaat, –en	r Kulturkreis, –e	zugehörig	eine Entscheidung
s System, –e	der Nabel der Welt	schnell	treffen
s Netz, –e	e Gewohnheit, –en		auf die Nerven gehen
r Satellit, –en	s Verhalten	ebensowenig	auf der Strecke bleiben

Text 2

begrüßen	e Einigung	r Kuchen, –	religiös
es bleibt bei etwas	r Zeuge, –n	s Böse	verfeindet
übersehen	r Umbruch, ¨e	r Sündenbock, ¨e	wohlhabend
hoch/halten	e Mauer, –n		eingehend
errichten	r Kalte Krieg	vereinigt	
sich befassen mit	e Supermacht, ¨e	zahlreich	zu Beginn
entgegen/sehen	r Beton	einleitend	wie Pilze aus dem
	r Stacheldraht, ¨e	sichtbar	Boden schießen
e Vorrede, –n	e Region, –en	gleichzeitig	in die Schuhe schieben
e Referentin, –nen	e Angst, ¨e	ethnisch	das Wort erteilen

Text 3

bewegen	erwerben	r Kontinent, –e	existentiell
vollenden		s Parlament, –e	übermenschlich
bieten	e Ansprache, –n	e Kluft	unendlich
erleben	r Bundespräsident, –en	s Materielle	unwillkommen
ernst/nehmen	e Präambel, –n	e Vereinigung	kostbar
erkennen	e Verfassung, –en	e Umstellung, –en	
auf/zwingen	e Phase, –n	e Anforderung, –en	jedermann
vereinbaren	r Vorbehalt, –e		zunächst
erschüttern	r Zweifel, –	historisch	
sich verkörpern	e Zuversicht	drückend	etwas in Angriff
vollziehen	r Wille	friedlich	nehmen
berühren	e Klarheit, –en	wahrhaft	zu Fall bringen
mit sich bringen	r Prozeß, Prozesse	souverän	

Text 4

erbleichen	ein/mischen	e See	r Jubel
hin/reichen	sich (fort)stehlen	s Exil	s Erdenrund
beschirmen		r Götterfunken	r Bund, ¨e
es mag scheinen	e Hymne, –n	s Elysium	
betreten	e Anmut	s Heiligtum	feuertrunken
binden	e Leidenschaft, –en	r Zauber, –	himmlisch
umschlingen	r Verstand	r Kuß, Küsse	sanft
erringen	e Räuberin, –nen	s Weib, –er	hold

Verben

Die starken und unregelmäßigen Verben

beweisen	bewies	hat	bewiesen
bleiben	blieb	ist	geblieben
leihen	lieh	hat	geliehen
scheinen	schien	hat	geschienen
schreiben	schrieb	hat	geschrieben
steigen	stieg	ist	gestiegen
gleichen	glich	hat	geglichen
leiden	litt	hat	gelitten
schneiden	schnitt	hat	geschnitten
streiten	stritt	hat	gestritten

fließen	floß	ist	geflossen
gießen	goß	hat	gegossen
riechen	roch	hat	gerochen
schließen	schloß	hat	geschlossen
biegen	bog	hat	gebogen
bieten	bot	hat	geboten
fliegen	flog	ist	geflogen
frieren	fror	ist / hat	gefroren
schieben	schob	hat	geschoben
verlieren	verlor	hat	verloren
wiegen	wog	hat	gewogen
ziehen	zog	hat / ist	gezogen

binden	band	hat	gebunden
finden	fand	hat	gefunden
gelingen	gelang	ist	gelungen
singen	sang	hat	gesungen
sinken	sank	ist	gesunken
springen	sprang	ist	gesprungen
trinken	trank	hat	getrunken
zwingen	zwang	hat	gezwungen

brennen	brannte	hat	gebrannt
bringen	brachte	hat	gebracht
denken	dachte	hat	gedacht
kennen	kannte	hat	gekannt
nennen	nannte	hat	genannt
wenden	wandte	hat	gewandt
stehen	stand	hat	gestanden

tun (tut)	tat	hat	getan
wissen (weiß)	wußte	hat	gewußt

heben	hob	hat	gehoben

bewerben (bewirbt)	bewarb	hat	beworben
brechen (bricht)	brach	hat / ist	gebrochen
gelten (gilt)	galt	hat	gegolten
helfen (hilft)	half	hat	geholfen
nehmen (nimmt)	nahm	hat	genommen
sprechen (spricht)	sprach	hat	gesprochen
stehlen (stiehlt)	stahl	hat	gestohlen
sterben (stirbt)	starb	ist	gestorben
treffen (trifft)	traf	hat	getroffen
werben (wirbt)	warb	hat	geworben
werfen (wirft)	warf	hat	geworfen
beginnen	begann	hat	begonnen
gewinnen	gewann	hat	gewonnen
kommen	kam	ist	gekommen

essen (ißt)	aß	hat	gegessen
fressen (frißt)	fraß	hat	gefressen
geben (gibt)	gab	hat	gegeben
geschehen (geschieht)	geschah	ist	geschehen
lesen (liest)	las	hat	gelesen
messen (mißt)	maß	hat	gemessen
sehen (sieht)	sah	hat	gesehen
treten (tritt)	trat	hat / ist	getreten
vergessen (vergißt)	vergaß	hat	vergessen
bitten	bat	hat	gebeten
liegen	lag	hat	gelegen
sitzen	saß	hat	gesessen

fallen (fällt)	fiel	ist	gefallen
fangen (fängt)	fing	hat	gefangen
hängen	hing	hat	gehangen
halten (hält)	hielt	hat	gehalten
lassen (läßt)	ließ	hat	gelassen
raten (rät)	riet	hat	geraten
schlafen (schläft)	schlief	hat	geschlafen
gehen	ging	ist	gegangen
heißen	hieß	hat	geheißen
laufen (läuft)	lief	ist	gelaufen

fahren (fährt)	fuhr	hat / ist	gefahren
laden (lädt)	lud	hat	geladen
schlagen (schlägt)	schlug	hat	geschlagen
tragen (trägt)	trug	hat	getragen
wachsen (wächst)	wuchs	ist	gewachsen
waschen (wäscht)	wusch	hat	gewaschen

Die Zahlen bezeichnen die Reihe, in der das Wort erstmals vorkommt. Das Vokabular zu den Seiten „Information“ finden Sie in den zweisprachigen Glossaren zu „Lernziel Deutsch“, Grundstufe 2.

ab *ab und zu* 3
r Abbau 11
ab/bauen 11
ab/biegen 6
ab/drucken 13
s Abenteuer, – 12
ab/geben 6
e Abhängigkeit, –en 8
ab/heben 1
ab/kommen von 6
ab/lehnen 5
ab/lenken 14
ab/nehmen 11 *(Gewicht)*
jdm. etw. ab/nehmen 14
ab/schaffen 10
ab/schalten 7
r Abschluß 14
ab/schrecken 12
ab/spülen 11
e Abteilung, –en 5
ab/trocknen 7
abwechselnd 4
e Abwechslung, –en 11
achten auf 6
r Affe, –n 3
afrikanisch 4 (Ü)
e Agentur, –en 13
ahnen 12
ähnlich 9/10
e Ahnung, –en 12
r Akkord 5
e Akkordprämie, –n 14
aktiv 3
s Alibi, –s 12
r Alkohol 7
e Allee, –n 9
s Allernötigste 12
allmählich 9
s Alltagsgeschäft, –e 13
s Alltagsleben 9
allzu 13
e Alp 10
Alpen (Pl.) 10
e Altbauwohnung, –en 3
s Altenheim, –e 3
altmodisch 11
amerikanisch 9
e Ampel, –n 6
sich amüsieren 11
s Amt, ¨er 2 (I)
an/bauen 10
an/bieten 5
an/bleiben 13
andernfalls 2
e Anforderung, –en 15
an/gehören 11
angenehm 5
angestellt sein 4
angewiesen sein 13
r Angriff, –e *in Angriff nehmen* 15
e Angst, ¨e 15
in/halten 12
an/hören 12
e Anklage, –n 12 (Ü)
an/machen 5
sich an/melden 1
e Anmut 15
an/nehmen 1 *(Angebot);* 4 *(glauben)*
sich anpassen an 4
an/probieren 14
anschließend 5
an/sehen 3
e Ansicht, –en 8
e Ansprache, –n 15
e Anstalt, –en 12
sich anstrengen 4
anstrengend 10
an/treiben 9
e Anzeige, –n 9 *(bei der Polizei);* 4/13 *(Zeitungsanzeige)*
an/zeigen 9
an/zünden 9
r Apfel, ¨ 3
r Apparat, –e 5 (1)
r Appetit 7
e Arbeitseinheit, –en 10
e Arbeitskraft, ¨e 14
e Arbeitslosigkeit 11
r Arbeitsplatz, ¨e 5
arm 5
r Arm, –e 6
r Ärmelkanal 6
e Armut 8
r Artikel, – 6
ärztlich 7
r Ast, ¨e 12
atmen 7
e Atmosphäre 6
r Atomkrieg, –e 8
aus/ziehen 4
auf/brechen 12
r Aufenthalt, –e 7
auf/fallen 10
auf/fordern 8
auf/geben 8
auf/hören 7
auf/legen 12
aufmerksam 9
auf/passen 1
sich auf/regen 8
r Aufsatz, ¨e 11
auf/schreiben 10
r Auftrag, ¨e 5
auf/trennen 12
auf/wachen 10
auf/wachsen 12
aufwärts 3
auf/zwingen 15
s Auge, –n 3
r Augenblick, –e 6
r Augenzeuge, –n 13
aus/beuten 13
r Ausdruck, ¨e 12
aus/drücken 1
aus/füllen 2
aus/halten 3
aus/kommen mit 14
aus/lesen 13
aus/machen 5 *(Termin);* 11 *(das macht mir nichts aus)*
aus/probieren 6
sich aus/ruhen 11
aus/rutschen 3
aus/schimpfen 9
außer 7 (Ü)
außerhalb 2
e Äußerung, –en 11
e Aussicht, –en 1
aus/sprechen *die Meinung offen aussprechen* 9
aus/suchen 14
aus/trinken 11
e Auswahl 13
aus/wählen 13
r Ausweg, –e 14
aus/weichen 6
aus/zahlen 10
aus/ziehen 4
automatisch 9
s Automobil, –e 6
r Autoverkehr 2

backen 11
s Bad, ¨er 3
r Ball, ¨e 10 (Ü)
– bar 7 (G)
r Bart, ¨e 11
bauen 2
bäuerlich 5
beachten 6
bearbeiten 5
e Bearbeitung, –en 5
sich bedanken für 1
bedeuten 1
bedienen 7
e Bedienung, –en 8
sich beeilen 5
sich befassen mit 15
befürchten 14
begegnen 12
r Beginn *zu Beginn* 15
begründen 5
begrüßen 15
behalten 6
behandeln 4 *(gut, schlecht behandeln);* 7 *(Arzt)*
e Behandlung, –en 7
e Behauptung, –en 12
s Bein, –e 3
beispielsweise 14
beißen 3
r Beitrag, ¨e 15
r Bekannte, –n 7
belgisch 6
beliebig 9
beliefern 13
e Belohnung, –en 12
sich bemühen 8

e Bemühung, –en 11
benachteiligen 11
benutzen 1
(= benützen)
s Benzin 6
beobachten 9
bequem 6
beraten 10
e Beratung, –en 7
berechnen 10
bereit sein 1
bereits 5
s Bergwerk, –e 4
r Bericht, –e 7
berichten 4
berücksichtigen 5
e Beruhigung 6
berühren 15
beschädigen 12
e Beschädigung, –en 12
r Beschäftigte, –n 14
beschirmen 15
beschleunigen 14
beschließen 9
besichtigen 10
besitzen 6
r Besitzer 4
besonders 3
etwas Besonderes 9
sich besorgen 9
bestätigen 12
bestehen *(existieren)* 14
bestehen auf 12
bestehen aus 9
bestehlen 12
bestimmen 3
bestimmt 4
e Bestrafung, –en 12
r Beteiligte, –n 13
r Beton 15
r Betrag, ¨–e 14 (Ü)
betreffen *was . . . betrifft* 5
betreten 15
r Betriebsrat, ¨–e 14
betrunken 6
bevor 14
bevorzugt 11
bewegen 6; 15
e Bewegung, –en 3
r Beweis, –e 9
sich bewerben um 3
r Bewohner, – 2

e Beziehung, –en 4
bezüglich 7
e Bibliothek, –en 1
bieten 15
sich bilden 15
e Bildung 4
r Bildschirm, –e 13
binden 15
e Biologin, –nen 9
bis *(Konj.)* 14
bisher 5
bisherig 5
bitten um 1
bleiben *es bleibt dabei* 15
c Bleiverbindung 6
r Blick, –e 10
r Blickkreis 14
blühen 3
blühend 9
s Blut 6
r Blutdruck 7
bluten 6
r Boden, ¨– 3
böse *das Böse* 15
e Boulevardzeitung, –en 13
r Brand, ¨–e 2
brauchen *etwas nicht zu tun brauchen* 3
brennen 2
bremsen 6
s Brett, –er 14
e Brille, –n 13
bringen *es zu etwas bringen* 4; *jdn. zu etw. bringen* 7; *mit sich bringen* 15
r Bruch, ¨–e 6
e Brücke, –n 13
buchstabieren 1
bügeln 11
r Bund, ¨–e 15
r Bundespräsident, –en 15
r Bürger, – 2
r Bürgersteig, –e 9
e Butter 7

s Café, –s 8
e Chance, –n 4
christlich 7

da (= weil) 6
s Dach, ¨–er 2
dagegen *etwas dagegen haben* 3
daheim 7
daher 14
e Dame, –n 1
damit *(Konj.)* 5
e Dampfbahn, –en 6
e Dampflokomotive, –n 6
dankbar 1
darauf 3
daraufhin 9
darum 8
da/sitzen 13
Daten *(Pl.)* 14
e Dauer 6
dauernd 8
davon/kommen 12
e DDR (= Deutsche Demokratische Republik) 10
e Decke, –n 6
deswegen 4
deutlich 11
e Diagnose, –n 7
dick 8
dienen 14
diktieren 11
s Ding, –e 4
e Disco, –s 12
diskriminieren 15
r Doktor, –en 7
doppelt 5
s Dorf, ¨–er 10
dran, er ist – 11
sich drehen um 11
dringend 1
e Droge, –n 13
drucken 9
drückend 15
e Dummheit, –en 9
dunkel 2
e Dunkelheit 12
durch/brennen 2
r Durchfall 7
durch/gehen 13
durch/kämpfen 8
durch/laufen 13
durch/rechnen 14
r Durchschnitt 4
r Durst 3
durstig 3

s Düsenflugzeug, –e 6

ebenso 9
ebensowenig 15
egal 10
echt 13
egoistisch 15
ehe 14
ehemalig 3
eher 3
ehrlich 1
e Ehrlichkeit 12
s Eigentum 12
eilig 6
r Eimer, – 2
einander 10
ein/biegen 12
r Einbruch, ¨–e 12
r Eindruck, ¨–e 1
r Einfluß, ¨–sse 6
eingehend 15
einigermaßen 8
e Einigung 15
einleitend 15
ein/mischen 15
ein/nähen 12
ein/sammeln 2
ein/schalten 13
ein/schlafen 13
ein/schütten 5
einsprachig 1
einstellen *(Maschine)* 5
e Einstellung, –en *(= Meinung)* 4
ein/tauschen 10
ein/werfen 1
einzeln 9
ein/ziehen 4
e Eisenbahn, –en 6
Eisenwaren *(Pl.)* 9
eisern 14
e Eishalle, –n 12
sich ekeln vor 3
elegant 12
elektrisch 2
e Elektronik 9
s Elend 14
s Elternhaus, ¨–er 8
s Elysium 15
s Ende *ein Ende machen* 7

endgültig 9
endlos 13
e Energie, –n 9; *keine Energie haben für* 11
e Energiefrage, –n 9
eng 8
sich engagieren 8
r Enkel, – 3
entfernen 14
entfernt 6
entgegen/kommen 6
entgegen/nehmen 12
entgegen/sehen 15
entlassen 6
e Entlassung, –en 7
e Entscheidung, –en 15
entspannen 14
entsprechen 11
entsprechend *(Adj.)* 2; *(Präp.)* 6
entstehen 2
enttäuscht 7
entweder – oder 11
entwickelt 6
erbleichen 15
e Erde *(= Boden)* 3
s Erdenrund 15
erfahren 3
erfahren – 5
e Erfahrung, –en 4
erfinden 1
r Erfolg, –e 2 (G)
erfüllen 1
sich erfüllen 14
s Ergebnis, –se 6
erhalten, am Leben – 9
erhöhen 5
sich erholen 2
erholsam 13
sich erinnern an 1
e Erinnerung, –en 9
erkältet 7
erkennen 15
erklären 1
e Erklärung, –en 7
erleben 15
erledigen 5
e Erledigung, –en 5
ernähren 4
ernst 4
ernst/nehmen 15
e Ernte, –n 10

eröffnen 2
errichten 15
erringen 15
erscheinen *(kommen)* 3
erschrecken 9
erschüttern 15
ersetzen 14
erstaunt 10
erstmals 6
erteilen *das Wort erteilen* 15
r Erwachsene, –n 6
erwähnen 13
erwarten 7
erwerben 15
erwischen 12
r Esel, – 3
ethnisch 15
s Exil 15
existentiell 15
existieren 9
r Experte, –n 14
explodieren 9
r Export, –e 6

s Fabrikareal, –e 14
r Fachmann, –leute 8
e Fachsprache, –n 13
e Fahrbahn, –en 12
s Fahrrad, ¨er 8
s Fahrzeug, –e 6
r Fall, ¨e 7 *in diesem Fall* 2; *zu Fall bringen* 15
fallen 3
fällen 5
falls 14
falsch 4 (Ü)/9
r Fehler, – 11
r Feierabend, –e 11
feierlich 12
s Feld, –er 10
s Fernschreibgerät, –e 13
fertig 2
fest/halten 3
fest/stellen 4
s Feuer 2 *Haben Sie Feuer?* 3
r Feuerlöscher, – 2
feuertrunken 15
e Feuerwehr, –en 2
s Feuerwerk, –e 9
s Fieber 7
finanziell 8

finanzieren 8
r Fisch, –e 1
fischen 1
e Flamme, –n *in Flammen stehen* 6
r Fleiß 4
fliegen 5
fließen 3
r Flug, ¨e 6
r Flügel, – 6
s Flugzeug, –e 6
e Flüssigkeit, –en 9
e Folge, –n 7
folgen 6
r Ford 12
fördern 14
e Forderung, –en 5
e Form, –en 1
s Formular, –e 2
e Forschung, –en 7
sich fort/bewegen 9
fort/fahren 12
fort/gehen 3
r Fortschritt, –e 1
fotografieren 10 (Ü)
e Frage, –n *sich eine Frage stellen* 15
e Freiheit 8
r Freispruch, ¨e 12
e Freude, –n 1
r Friede 7
friedlich 15
frieren 5
frisieren 11
e Frisur, –en 11
e Frucht, ¨e 3
e Frühschicht, –en 4
r Frühling 10
s Frühstück 7
das führt dazu, daß ... 7
e Führung *die Führung übernehmen* 6
funktionieren 1
furchtbar 5
r Fußball, ¨e 10
r Fußboden, ¨ 3
r Fußgänger, – 9
füttern 10

r Gang, ¨e 5
e Garage, –n 9
s Gärtchen, – 14

r Garten, ¨ 5
r Gast, ¨e 4
r Gastarbeiter, – 4
gastfreundlich 4
s Gebäude, – 9
gebeizt 14
s Gebiet, –e 2
gebildet 4
gebrauchen 5
Gebrüder *(Pl.)* 6
s Gedächtnis 13
r Gedanke, –n 4 *auf d Gedanken kommen* 9
e Geduld 14
sich gedulden 12
geehrt 1 (Ü)
geeignet 7
e Gefahr, –en 2
sich etw. gefallen lassen 3
s Gefängnis, –se 12
s Gefühl 4/7
e Gegend, –en 11
e Gegenfahrbahn, –en 6
gegenseitig 4
s Gegenteil 7
gegenüber *(= im Vergleich zu)* 11
e Gehaltserhöhung, –en 14
gehen *es geht um* 12
s Gehirn, –e 9
geizig 5
r Geldschein, –e 9
e Gelegenheit, –en 1
gelegentlich 13
gelingen 6
gelten 4
genaugenommen 4
e Generation, –en 14
genügend 9
geplant 9
gerade *so gerade* 8
geraten in 6
s Gerede 11
gering 12
s Gerücht, –e 9
gesamt 14
r Gesangverein, –e 3
s Geschäft, –e 9/13
geschehen 6

s Geschirr 5
s Geschlecht, –er 11
e Geschwindigkeit, –en 1
e Gesellschaft, –en *(gesellig)* 4
s Gesetz, –e 4
gesetzlich 13
s Gesicht 8
s Geständnis, –se 12
e Gesundheit 2
s Gesundheitswesen 7
e Gewalt, –en 15
s Gewissen 12
s Gewicht, –e 7
r Gewinn, –e 14
gewinnen 5 *(Spiel)*; 9 *(Energie)*
r Gewinner, – 5
e Gewohnheit, –en 15
gewöhnlich 3
gewohnt 3
giftig 6
s Glas, ⸚er 7
s Glas (Sg.) 12
glatt *es läuft glatt* 8
e Gleichberechtigung 11
gleichzeitig 15
s Glück 3
r Golf 14
r Gott 3
Gott sei Dank 7
Mein Gott! 2
r Götterfunken 15
grad 10
r Grad, –e 7
e Grammatik, –en 1
r Greis, –e 14
e Grenze, –n 12
s Grundgesetz 4 (Ü)
e Grundlage, –n 8
grundsätzlich 11
e Gründung 15
e Gruppe, –n 10 (2)
r Gruß, ⸚e 1
günstig 7
e Gurke, –n 4

s Haar, –e 9/10
e Hälfte, –n 14
e Halle, –n 14
halt 8
halten *von jmdm. etwas halten* 4
halt/machen 15
r Hammer, – 14
e Hand, ⸚e 3
schnell bei der Hand sein 15
s Handeln (um) 13
sich handeln um 7
r Handgriff, –e 14
hängen an 3
hängenbleiben an 7
r Haß 14
hassen 10
häufig 7
e Hauptsache, –n 8
e Hauptstraße, –n 12
s Häuschen, – 10
häuslich 14
r Hausmann, ⸚er 11
r Hausmeister, – 4
e Haut *eine dicke Haut haben* 8
s Heft, –e 10
heil *die heile Welt* 8
s Heiligtum, ⸚er 15
e Heilung 7
heim/kommen 8
heiraten 11 (5 Ü)
heiß 5
heißen *Es heißt, ...* 5
heiter 12
heizen 5
s/r Hektar 10
r Held, –en 5
hell 2
her *hinter etwas her sein* 4
Herein! 9
her/kommen 8
e Herkunft 9
her/nehmen 10
her/stellen 5
herum/kommandieren 11
herunter/gehen *mit dem Preis heruntergehen* 5
herunter/hängen 10
herunter/kommen 10
s Herz, –en 7
s Herzklopfen 7
her/zeigen 1
e Hetze 14
s Heu 10
hierher 2
e Hilfe, –n 1
himmlisch 15
hinauf/tragen 2
hinaus/blicken 14
hinaus/gehen 10
hindern 7
hindurch/sehen 14
sich hinein/denken in 11
hin/reichen 15
hinüber/sehen 3
hinunter/rollen 2
hinunter/werfen 5
hinunter/ziehen 2
r Hinweis, –e 1
hinweisen auf 4 (G)/10
hinzu/fügen 12
historisch 15
hochautomatisiert 14
hoch/halten 15
hoch/heben 7
r Hof *(Parkplatz)* 14
e Hoffnung, –en 7
höflich 1
e Höhe *in Höhe von* 6
hold 15
s Holz 2
r Hörer, – 1
r Hunger 3
hungrig 3
e Hupe, –n 9
husten 7
hüten 10
e Hymne, –n 15

ideal 11
e Idee, –n 2
industrialisiert 6
informieren 7
inhaltlich 11
innen 9
inner – 13
s Innere 14
innerhalb 6
s Instrument, –e 5
s Interesse, –n 5
international 14
e Investition, –en 10
inzwischen 2
sich irren 7
r Irrtum, ⸚er 9

s Jahrhundert, –e 6
–jährig 4
s Jahrzehnt, –e 9
je ..., um so ... 12
jedermann 15
jetzig 5
jeweilig 10
r Jubel 15
jugendlich 9

r Käfer, – (VW) 14
s Kabel, – 2
r Kaffee 5
kalt 5
kämmen 11
r Kampf, ⸚e 5
kämpfen gegen 5
kaputt 2
s Kartenspiel, –e 13
e Kartoffel, –n 10
r Käse 10
kassieren 12
r Kasten, ⸚ 13
e Katastrophe, –n 13
kaufmännisch 9
kegeln 10
keinerlei 12
r Keller, – 6
e Kenntnis, –se 1
s Kilogramm, – 6
r Kiosk, –e 1
e Kirche, –n 10
klagen über 2
e Klarheit, –en 15
kleben 14
r Klebstoff, –e 14
s Kleingeld 1
klein/machen 5
s Klima 6
klingeln 9
e Kluft 15
e Klugheit 2
r Knall 6
knapp 8
s Knie, – 3
r Knochen, – 6
s Kohlendioxyd 6
s Kohlenmonoxyd 6
komisch 9
kommandieren 11
kommen *Dazu kommt, daß ...* 1

Es kommt zu . . . 6
auf den Gedanken kommen 9 *es kommt vor, daß . . .* 10 *das kommt von* 11
r Kommissar, –e 12
kompliziert 1
e Konkurrenz 10
r Kontinent, –e 15
e Kontrolle, –n 5
kontrollieren 8
e Konzern, –e 14
r Kopf, ¨–e 5
sich etwas in den Kopf setzen 8
r Korb, ¨–e 5
r Körper, – 6
r Korrespondent, –en *(Journalist)* 13
e Korrespondentin, –nen 5
e Korrespondenz, –en 5
kostbar 15
Kosten (Pl.) 10
krachen 12
kräftig 8
r Kraftwagen, – 6
r Kredit, –e 10
r Kreis, –e *im Kreis der Familie* 7
s Kreisbauamt, ¨–er 2
e Kreuzung, –en 12
r Krieg *der Kalte Krieg* 15
r Krimi, –s 13
e Kriminalität 12
kriminell 12
e Kritik, –en 13
kritisieren 5
r Kuchen, – 15
e Kuh, ¨–e 10
r Kühlschrank, ¨–e 8
e Kultur, –en 1
r Kulturkreis, –e 15
r Kunde, –n 2
e Kündigung, –en 14
künftig 14
e Kurve, –n 6
kurz *zu kurz kommen* 11
r Kuß, Küsse 15
küssen 13

lächeln 9 über jdn. 11
r Landsmann, -leute 4
e Landung, –en 9
längst 7
langweilig 10
lassen 2
sich . . . lassen 1
e Last, –en 3
r Lastträger, – 5
r Lastwagen, – 6
Lauf *etwas seinen Lauf nehmen lassen* 7
laufen *es läuft gut* 8
e Laufgeschwindigkeit 5
von etw. leben 5
e Lebensweise, –n 4
lebensfähig 2
lebensgefährlich 3
lebenslang 14
lebenslänglich 12
lebenswert 7
s Lebewesen, – 3
Lebt wohl! 10
s Leder 14
e Lehre *jmdm. eine gute Lehre geben* 5
lehren 1
leicht *(= schnell)* 7
s Leiden, – 7
leiden unter 6
e Leidenschaft, –en 15
leise 6
leisten 10; *einen Beitrag leisten* 15
leiten 10
leitend 8
e Leitung, –en *(Firma)* 5
s Lexikon, Lexika 1
s Licht 2
lieb – 3
r Lieferant, –en 13
liefern 13
r Lkw, –s (Lastkraftwagen) 6
in erster Linie 13
r Liter, – 6
s Loch, ¨–er 2
r Löffel, – 3
löschen 2
lösen 9
(heraus/)lösen aus 14
e Lösung, –en 2
los/ziehen 12
e LPG (Landwirtschaftliche Produktionsgenossenschaft) 10
e Lücke, –n 14
e Lüge, –n 10
e Lungenentzündung, –en 3

e Macht 11
r Magen, ¨– 5
r Mähdrescher, – 10
s Mal, –e *das nächste Mal* 1
r Markt, ¨–e 1 *(Wirtschaft)*; 4 *(Einkauf)*
e Marmelade, –n 7
s Maß, –e *nach Maß* 14
s Massenverkehrsmittel, – 6
s Material, –ien 5
materiell *das Materielle* 15
e Mauer, –n 15
Medien (Pl.) 13
s Medikament, –e 7
medizinisch 5
s Meer, –e 9
e Mehrheit, –en 10
meinetwegen 3
e Meinung, –en *meiner Meinung nach* 7
e Meinungsumfrage, –n 11
meist 1
meistens 8
r Meister, – 1
melden 12
sich melden 12
e Meldung, –en 6
melken 10
e Melone, –n 4
menschenleer 14
e Menschheit 8
menschlich 2
merken 2
sich merken 1
merkwürdig 9
messen 7
s Metall, –e 6
e Methode, –n 1
e Metzgerei, –en 2
e Mietwohnung, –en 3
e Milch 7
mindestens 5
mischen 10
s Mißtrauen 12
e Mitbestimmung 14
miteinander 11
mit/fahren 1
s Mitglied, –er 10
e Mittagsschicht, –en 4
mit/teilen 6
e Mitteilung, –en 7
mitten in 9
e Mitternacht 9
e Mitverantwortung 12
s Möbel, – 4
e Mode 11
mögen *es mag scheinen*
e Möglichkeit, –en 6
möglichst 1
r Mond 9
s Moped, –s 6
r Mord, –e 12
r Motor, –en 6
e Mühe, –n 1
r Mut 6
mutig 10

der Nabel der Welt 15
e Nachbehandlung, –en 7
nachdem 5
nach/denken 2
nach/gehen *einer Sache nachgehen* 13
nach/sehen 1
r Nachteil, –e 4
e Nachtschwester, –n 7
e Nadel, –n 14
r Nagel, ¨– 14
nähen 11
sich nähren 1
s Nahrungsmittel, – 6
e Naht, ¨–e 12
naß 3
national 15
r Nationalstaat, –en 15
e Natur: von Natur aus 11
nebenbei 11
nebeneinander 15
Nebenkosten (Pl.) 8
e Nebenstraße, –n 12
negativ 11
neidisch 11
r Nerv, –en *jmdm.*

e Überweisung 7
überzeugen 11
üblich 11
übrig 10 *(übrig/ bleiben)*
r Umbruch 15
e Umgebung, –en 3
umgekehrt 11
um/graben 5
um/kehren 12
umschlingen 15
umschreiben 13
um so mehr 7
umsonst 8 *(ohne Bezahlung)*; 10 *(vergeblich)*
e Umstellung, –en 15
e Umverteilung 14
e Umwelt 6
unendlich 15
unerträglich 2
r Unfall, ¨-e 6
e Unfreiheit 8
ungewöhnlich 10
s Unglück, –e 6
unmittelbar 6
s Unrecht 8
r Unsinn 4
unterbrechen 14
e Unterbrechung, –en 5
unterdessen 12
unterdrücken 15
unternehmen 3
e Unternehmung, –en 12
r Unternehmer, – 14
sich unterscheiden von 11
r Unterschied, –e 12
untersuchen 7 (G)
e Untersuchung, –en 2
e Unterstützung, –en 8
unterwegs 5
unverantwortlich 2
unverständlich 4
unwillkommen 15
s Urteil, –e 12 (Ü)
urteilsfähig 7
e USA (Pl.) (e Vereinigten Staaten) 9

sich verabreden 10
sich verändern 3
verantworten 7
verantwortlich 13
e Verantwortung 4/7
verantwortungsbewußt 15
verantwortungsvoll 10
r Verband, ¨-e 2
verbessern 1
verbiegen 12
verbinden 6
sich verbinden lassen 2
verboten 6
verbrauchen 8
s Verbrechen, – 12
r Verbrecher, – 12
verbreiten 13
verbrennen 6
r Verdacht 9
verdächtig 9
verdächtigen 9
verdanken 6
verdammt 14
r Verein, –e 10
e Vereinigung, –en 15
vereinbaren 15
vereinigt 15
e Verfassung, –en 15
verfeindet 15
verfolgen 14
vergangen 6
vergeblich 5
vergehen 3
vergießen 3
r Vergleich, –e *im Vergleich zu* 12
vergleichen mit 4
sich verhalten 1
s Verhalten 15
s Verhältnis, –se 8
s Verkehrsmittel, – 6
verkehrsreich 6
sich verkörpern 15
verkürzen 7
r Verlag, –e 13 (Ü)
verlängern 2
e Verlängerung, –en 2
sich verlassen auf 10
r Verleger, – 13
verlernen 13
verletzen 3
e Verletzung, –en 12
verlieren 3
verlogen 14
verloren/gehen 14
r Verlust, –e 12
vermeiden 4
vermitteln 4
vermuten 9
vermutlich 2
e Vermutung, –en 9
veröffentlichen 13
verrückt 9
sich versammeln 10
e Versammlung, –en 2
verschlimmern 12
e Verschmutzung, –en 2
verschreiben 7
verschwinden 10
versichern 2
e Versicherung, –en 12 *(Betrieb; Äußerung)*
versorgen 10
sich verspäten 7
versprechen *sich von einer Sache etwas versprechen* 5
r Verstand 15
verständlich 14
verstecken 9
sich verstehen mit 8
versuchen 1
verteilen 10
r Vertrag, ¨-e 14
vertraulich 7
vertreten 13
r Vertreter, – 1
verunglücken 6
verursachen 12
verurteilen 12
e Verwaltung, –en 2
verwenden 6
verwickeln in 6
r Videorecorder, – 12
s Vieh 10
e Vielfalt 15
r Viertaktmotor, –en 6
s Viertel (Stadt) 4
e Villa, Villen 13
s Volk, ¨-er 12
s Volksbuch, ¨-er 5
e Volkshochschule, –n 12
r Volkswagen, – (VW) 14
voll *(= ganz)* 7
vollenden 15
völlig 9
voll/machen 5
vollmechanisiert 10
vollziehen 15
voneinander 11
von *von nun an* 3
von selbst 9
vor *vor kurzem* 4
vor Ort 13
voran/kommen 5
r Voraussetzung, –en 5
r Vorbehalt, –e 15
vorbei/ziehen 13
vor/bereiten 5
e Vorbereitung, –en 5
vorbestraft 12
e Vorfahrt 6
r Vorgesetzte, –n 11
s Vorhaben, – 9
vorher 2
vorher/sagen 9
vor/kommen 9 (G) *(vermuten)*; 10 *(passieren)*
vor/lesen 13
r Vorrang 11
r Vorrat, ¨-e 10
e Vorrede, –n 15
r Vorschlag, ¨-e 1
e Vorschrift, –en 5
vor/schlagen 7
vorsichtig 7
vorsichtshalber 12
r Vorstand, ¨-e 14
vor/stellen *(Person)* 6
sich vor/stellen 9
e Vorstellung, –en 5
e Vorstellungskraft, ¨-e 9
r Vorteil, –e 4
r Vortrag, ¨-e 1
s Vorurteil, –e 4
vor/ziehen 10
r Vorzug, ¨-e 4

wachsen 11
e Waffe, –n 15
r Wagen, – 5
s Wageninnere 6
e Wahl 11
wählen 1 *(Telefon)*; 10 *(jmdn.)*
während 11 *(Präp.)*; 14 *(Konj.)*
wahrhaft 15
e Wahrheit 4